BIJBEL VERHALEN
opnieuw verteld

tekst van Gertrud Fussenegger

met 110 kleurtekeningen van

Janusz Grabianski

ZOMER & KEUNING - WAGENINGEN

DEZE KINDERBIJBEL bevat verhalen uit het Oude en Nieuwe Testament, die opnieuw verteld zijn voor de jeugd van deze tijd. Naast de iedereen bekende verhalen staat er ook een aantal minder bekende of zelfs onbekende in. Dit komt mede doordat enkele zogenaamde apocriefe of deutero-canonieke verhalen werden opgenomen, die in protestantse kring over het algemeen niet bekend zijn. Hoewel deze verhalen destijds in de eerste uitgaven van de Statenvertaling werden opgenomen, wordt in de protestantse traditie aan deze verhalen geen autoriteit toegekend. Op het ogenblik is een gezamenlijke vertaling van rooms-katholieken en protestanten in voorbereiding, waarin ook de apocriefe verhalen worden opgenomen. De apocriefe verhalen in deze uitgave staan op blz. 174, 193, 200 en 209.

Voor de schrijfwijze van de namen is gebruik gemaakt van de 'Lijst van Bijbelse Eigennamen', die werd opgesteld in opdracht van de Katholieke Bijbelstichting en het Nederlands Bijbelgenootschap.

Oorspronkelijke titel: Bibelgeschichten
Vertaling en bewerking: Marianne Jager
met medewerking van: ds. Hans Bouma en J.M.E. Keet, pastoor

ISBN 90 210 4690 3

© 1972 Verlag Carl Ueberreuter, Wien-Heidelberg
© 1973 Nederlandse uitgave: Zomer & Keuning Boeken B.V., Wageningen

Het oude testament

Het nieuwe testament

Het heilige boek van het oude verbond

Het oude testament

De schepping

Alles was nog woest en leeg en donker. Er was geen
aarde en geen zon, er waren geen sterren, er was
geen boven of beneden, geen vroeger of later, geen
ruimte, geen tijd. Alleen de Geest van God leefde
al eeuwig: machtig en wijs.
Toen zei God tot zichzelf: 'Ik wil een wereld
scheppen en Ik wil deze wereld liefhebben en Mij
aan die wereld bekend maken.'
Hij zei: 'Laat er licht zijn!'
Onmiddellijk was er licht en in het licht was de
kracht van God.
God bracht een scheiding aan tussen licht en
donker. Het licht noemde Hij: dag. De duisternis
noemde Hij: nacht; en Hij zag: zo was het goed.
Dat was de *eerste* scheppingsdag.

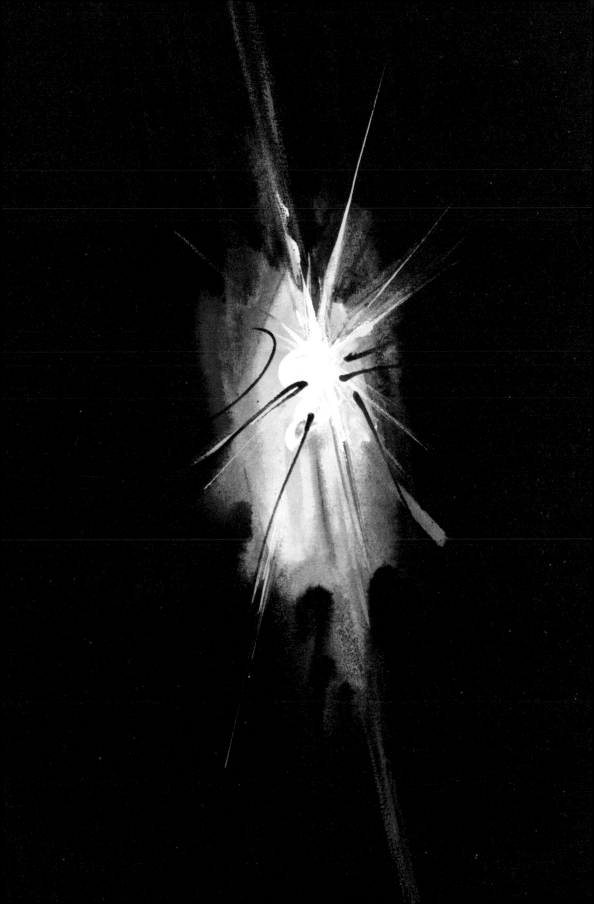

Toen zei God: 'Laat er een hemel uit die oneindige ruimte te voorschijn komen!' En dat gebeurde: in het heelal vormden zich de grote sterrenbeelden en melkwegstelsels, ook onze zon vormde zich, en de planeten begonnen eromheen te cirkelen. Onze aarde nam de vorm aan van een bol. God keek ernaar en zei: 'Laat het water op de aarde samenvloeien en laat het vasteland te voorschijn komen.'

En meteen vloeiden de stromen in diepe bekkens samen en zo ontstond de zee.

Uit het water stegen grote brokken land op met bergen, heuvels en kusten; en God zag: zo was het goed. Dat was de *tweede* scheppingsdag.

Op de *derde* dag gebood God: 'Laat er leven uit deze
aarde ontspruiten zodat er over enige tijd gras,
planten en bomen zullen groeien.' Zo gebeurde het
ook. Er ontstonden kleine levende cellen, ze deelden
zich en daardoor kwamen er steeds meer.
Ze voegden zich samen tot eenvoudige gewassen,
tot algen en mossen. Uit die gewassen kwamen
steeds nieuwe soorten voort, die het land groen
maakten: korenhalmen, planten en bomen,
tenslotte geweldige bossen.
God zag: ook dit was goed.

Op de *vierde* dag zei God: 'Er moeten lichten komen, die het verschil aan zullen geven tussen dag en nacht.'
Toen splitsten zich de zwarte wolken, die de aarde totnogtoe omhuld hadden, en voor de eerste keer was de heldere blauwe hemel te zien met een groot licht daaraan: de zon! Waar de zon scheen, was het dag. 's Nachts was er een kleiner, zachter licht. Het was de maan, en daarnaast tekenden zich veel andere fonkelende lichten af: de sterren. De baan van de zon bepaalde zomer en winter, lente en herfst, met al hun afwisseling, zoals warmte en kou, storm en regen; en God zag: ook de vierde dag was goed.

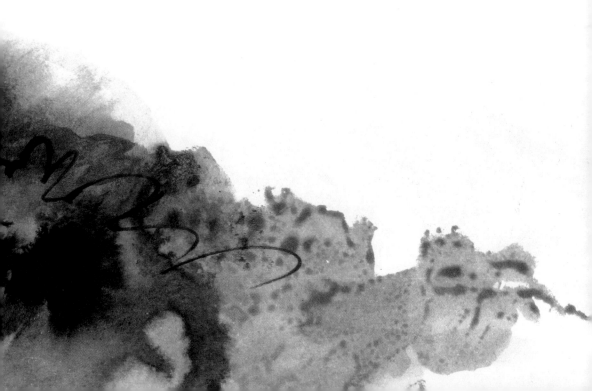

Op de *vijfde* scheppingsdag zei God: 'Laat het water krioelen van vissen en andere dieren, grote en kleine. En al spoedig wemelde het in de zeeën en meren van kwallen, mosselen en vissen.

Toen zei God: 'Laat ook de lucht zich vullen met levende wezens.' En daar verschenen ze en ze droegen een veren kleed: ze sloegen hun vleugels uit en stegen op! Allerlei soorten vogels, grote en kleine. Ook de kevertjes, de vlinders en nog veel meer dieren werden nu geschapen.

Vol liefde keek God naar alles wat zich op de aarde bewoog, en Hij zag: het was goed.

Op de *zesde* dag schiep God de andere dieren die
wij kennen: de sterke buffel, de machtige olifant,
de bonte zebra; de leeuwen en tijgers, de vlugge
wezel, het paard en de geit en al hun soortgenoten
en al die andere ontelbare levende wezens.
God gaf ieder voedsel en ruimte. Hij leerde hun
ook voor hun jongen te zorgen.

Nu was de schepping bijna klaar en het grote werk volbracht. God zag dat het helemaal goed was: de sterren cirkelden door het heelal, zonnen en manen volgden hun vastgelegde baan: de aarde was een heerlijk bloeiende tuin vol leven en schoonheid; hoewel zij klein was in vergelijking met de zon en bijna een stofje in de geweldige kosmos, tóch keek God met buitengewoon veel liefde naar die aarde. Hij wilde nu meteen het wezen scheppen waaraan Hij vanaf het begin gedacht had toen Hij de aarde uit het niets schiep, een wezen, dat niet alleen zo maar zou leven, maar ook de Schepper zou kennen en liefhebben: de mens!

Ondertussen was, sinds God zijn scheppingsplan gemaakt had, een oneindig lange tijd voorbijgegaan. Als we over dagen spreken bij de schepping, hebben we het niet over de dagen zoals wíj die kennen, maar over de dagen van God, die wel miljoenen jaren kunnen zijn.

Miljoenen jaren had God erop gewacht, mensen te maken. Hij heeft er heel lang over gedaan om de wereld waarin wij leven, liefdevol voor ons klaar te maken.

Adam de aardman

De eerste mens die God schiep, heette Adam,
dat betekent: de aardman. Zó schiep God de mens:
Hij boetseerde hem van klei uit de aarde en blies
hem de levensadem in. Ja, het wezen dat Hij
gemaakt had, leefde, sloeg zijn ogen op en herkende
zijn Heer en Schepper. Zo staat het in de bijbel

en dit is de waarheid, ook als wij beseffen, dat het in een eenvoudig, maar ook wonderbaarlijk verhaal duidelijk gemaakt wordt.

Misschien komt het op het eerste gezicht een beetje vreemd voor, dat de mens uit klei van de aarde is gemaakt. Maar is het strikt genomen, niet werkelijk zo? Wat eten wij? Brood, dat eerst koren was, groente en vruchten. En iedere plant heeft haar wortels in de aarde en haalt haar kracht uit de aardbodem; de dieren, waarvan wij het vlees eten en waarvan wij de melk drinken, eten op hun beurt weer gras en planten. Alles wat leeft dankt z'n bestaan aan wat uit de aarde voortkomt, daarom noemen we de aarde ook onze moeder, die ons in het leven houdt en waarin ons lichaam terugkeert als wij eenmaal sterven.

Ja, zo zijn we werkelijk uit de aarde ontstaan en, wat ons lichaam betreft, zijn wij met alle mensen als broers en zusters verbonden.

Dat is het eerste dat we tot ons door moeten laten dringen, wanneer we in de bijbel lezen: 'God maakte de mens uit het stof van de aarde en blies hem de levensadem in…'

Het tweede is: dat wij ons in een oneindig lange ontwikkelingsgeschiedenis uit de meest eenvoudige vormen van leven ontwikkeld hebben; want - net zo min als de dagen van God uit de 24 uur bestaan, zoals wij die op onze klokken aflezen, moeten wij ons ook niet voorstellen dat God werkelijk een man uit klei gekneed heeft en hem van het ene moment op het andere tot een levend wezen maakte.

Nee! De Heer van de eeuwigheid gaf de mensheid heel veel tijd om zich te ontwikkelen.

Honderdduizenden jaren geleden leefde er een wezen op deze aarde dat nog geen mens was, maar toch al heel anders dan de dieren. Het kon nog niet praten en had ook nog geen werktuigen; ook kon het zijn verstand en zijn wil nog niet gebruiken.

Maar op zekere dag liet God zijn adem door dit wezen gaan: het begon te spreken, het kon de dingen van elkaar onderscheiden en zelf beslissingen nemen. De adem van God had zijn ziel levend gemaakt. Zo is de mens naar het beeld van zijn Schepper geschapen.

Maar die eerste mens, Adam, was nog alleen en had niemand met wie hij als gelijke kon omgaan.

De taal van de dieren verstond hij niet; wanneer hij ze aansprak, gaven ze geen antwoord. Ook de rest van de natuur antwoordde niet: de bomen ruisten met hun kruinen, de bronnen klaterden, en de sterren zwegen.

Toen zei God: 'Het is voor de mens niet goed dat hij alleen blijft. Ik wil hem een ander mens geven.' Hij dompelde Adam in een diepe slaap. Daarna nam Hij een rib uit zijn lichaam en daarvan maakte Hij een vrouw.

Adam werd wakker en zag tot zijn grote vreugde dat hij niet meer alleen was. 'Kijk, nóg een mens!' riep hij verrukt. 'Been van mijn gebeente, vlees van mijn vlees!', en hij begroette de vrouw als zijn medemens. Later noemde hij haar Eva, dat betekent: moeder van de levenden.

De zesde dag was voorbij en de Heer zag dat alles helemaal goed was.
Op de *zevende* dag besloot de Heer te rusten van zijn grote scheppingswerk.

Het paradijs

Maar lang hiervoor is er nog wat anders gebeurd, wij weten niet precies wanneer; veel daarvan zal voor altijd een geheim blijven. Voordat God de mensen schiep, heeft Hij de engelen geschapen.

Misschien was het toen God het licht van de duisternis scheidde - ja, zo kan het geweest zijn. Toen heeft God ook het rijk van de engelen gemaakt. We hebben daarnet gelezen: God heeft de mensen naar zijn eigen beeld gemaakt, dat betekent dat de mens kan denken en kan doen wat hij zelf wil.

Ook de engelen schiep Hij naar zijn beeld, maar hun ziel verbond Hij niet aan een lichaam zoals bij de ziel van de mens.

Veel mensen stellen zich de engelen voor als mooie jonge mannen, die flonkerende vleugels aan de schouders dragen. Zo worden ze door kunstenaars geschilderd, of uit hout of steen gemaakt. Ook dat zijn maar beelden. In werkelijkheid zijn de engelen onzichtbaar. Maar zelden nemen ze een gestalte aan. Hun inzicht is veel groter dan het onze en ze hebben een vrije wil. Zij kennen hun Schepper beter dan wij. Toch gebeurde het dat enkele engelen God ontrouw werden.

Eén van hen was Lucifer, dat betekent: drager van het licht. Hij was een grote en heerlijke engel. Op zekere dag vergat hij in zijn grootheid en heerlijkheid dat ook hij maar een schepsel was. Hij kwam in opstand tegen zijn Heer, hij wilde zelf zo machtig en wijs zijn als God.

Er ontstond een heftig tumult in het engelenrijk, en de koning van de engelen, Michaël, stootte Lucifer van de troon, nam hem het licht af en stortte hem met zijn aanhang in de eeuwige duisternis. Vanaf die tijd heet Lucifer: satan, dat betekent: tegenstander; vanaf die tijd is ook het kwaad in de wereld gekomen, en de mens is voortaan voor zijn gedrag verantwoording schuldig aan God.

De man uit aarde, Adam, had door de adem van God het leven gekregen en leefde met zijn vrouw Eva in het paradijs. Hij was onschuldig, gelukkig en blij. Hij wist dat de vriendelijke ogen van God op hem rustten als hij met Eva in het paradijs wandelde. Deze eerste mensen waren mooi en goed en kwamen niets te kort; dat deed satan pijn. Daarom kroop hij in de huid van een slang, sloop stiekem de tuin van Eden binnen en verstopte zich tussen de takken van een boom, die midden in de tuin stond.

God had voor de twee mensen een prachtige tuin aangelegd. 'Kijk eens om je heen', had Hij gezegd, 'dit is de tuin van Eden, het paradijs. Alles wat er is, geef ik jullie als geschenk. Alle dieren zullen jullie gehoorzamen. Van iedere boom, van iedere struik en van alle planten mogen jullie eten.

Alleen van die ene boom, die in het midden van de tuin staat, mogen jullie niet eten. Het is de boom van de kennis van goed en kwaad, hij staat naast de Levensboom, en wanneer je van die boom eet, moeten jullie sterven.'

Adam en Eva waren heel gelukkig. Het leek erg makkelijk om zich aan dit ene gebod te houden. Er stonden immers ontelbaar veel bomen in de tuin van Eden en die zaten vol heerlijke vruchten. In het gras bloeiden de bloemen. Wanneer ze verwelkten, kwamen er weer andere, nog mooiere bloemen. De dieren waren vriendelijk en deden niemand kwaad. In het struikgewas wemelde het van bonte vogels, die de milde lucht vulden met steeds weer nieuwe liederen.

Vier bronnen ontsprongen er in de tuin en stroomden als vier machtige rivieren naar alle windrichtingen. Adam liep door zijn tuin en gaf aan ieder dier en iedere plant een naam, en alles was van hem en van Eva. Ze voelden zich Gods geliefde kinderen.

De verboden vrucht

Op een mooie namiddag liep Eva langs de boom van de kennis van goed en kwaad. Ze plukte bessen en granaatappels voor de avondmaaltijd. Ondertussen zong ze en dacht alleen maar aan goede dingen.

Ineens hoorde ze een zacht sissen achter zich; toen ze zich omkeerde, zag ze iets blinkends groen opduiken uit de bladeren. Het was de slang. Eva was niet bang, want alle dieren die ze kende waren ongevaarlijk. Geen dier had haar ooit nog kwaad gedaan. Ze wilde alweer verder lopen, toen de slang riep: 'Eva, Eva!'

'Wie roept mij?' vroeg Eva.

'Ik riep je', zei de slang, 'want ik wilde je iets vragen.'

Eva verwonderde zich erover dat de slang praten kon. Des te nieuwsgieriger kwam ze dichterbij, nu zag ze het machtige, om de boomstam gekronkelde lijf tussen de takken. De slang fonkelde goud en groen als was hij met duizenden edelstenen bezet. 'Zeg het maar', zei Eva, 'ik zal je antwoorden zo goed als ik kan.'

De slang wiegde zijn platte kop heen en weer: 'Is het waar, dat het jullie verboden is van de vruchten van de tuin te eten?'

'Wie heeft je dat verteld?' vroeg Eva. 'Wij mogen van alle vruchten eten zoveel als we willen. Alleen van deze éne boom hier mogen wij niet eten.'

De slang sloot zijn ogen en liet zijn kop hangen alsof hij diep bedroefd was. 'Ik had het wel gedacht!' zei hij. 'Juist de kostelijkste vrucht is jullie onthouden. Waarom??'

Eva zweeg even. Toen zei ze: 'Zij is ons verboden, omdat je, als je van die boom eet, sterven moet.'

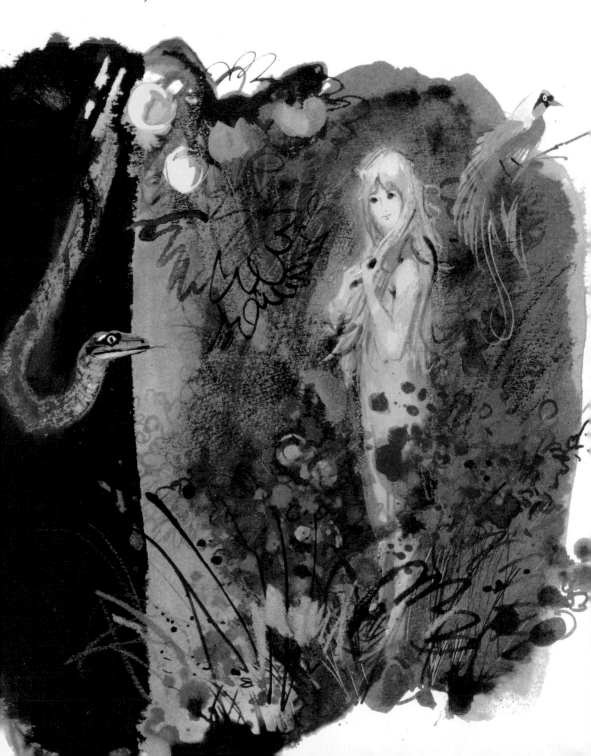

'Sterven!' riep de slang. Hij kwam de boom uit en schudde heen en weer, alsof hij lachte. 'Dat heeft God jullie zeker gezegd? Ach, jullie arme, goedgelovige schepseltjes! Jullie hoeven helemáál niet te sterven wanneer je van deze vruchten eet. Kijk toch eens hoe lekker ze er uitzien!'

De slang tilde een blad op, zodat er een heerlijke vrucht tussen de donkere bladeren zichtbaar werd, goudkleurig en sappig. Eva dacht: zo'n mooie vrucht heb ik nog nooit gezien. Toen boog de slang zich naar haar oor en siste: 'Ziet deze vrucht er nu uit alsof ze de dood zou brengen? Nee toch zeker? In deze vrucht is niet de dood, maar juist het eeuwige leven en de waarheid. Maar het is jullie arme schepsels verboden om dit te leren kennen, want God weet: als je daarvan eet, zul je worden zoals Hij is. Je ogen zullen opengaan en je zult weten wat goed en kwaad is. Alles zul je dan weten en begrijpen. Je zult net zo machtig en wijs zijn als Hij.'

Eva huiverde. Maar tegelijkertijd voelde ze een vreemd verlangen in zich opkomen. Ze stak haar hand uit... Ze had de vrucht alleen maar willen aanraken - maar ze had haar al geplukt. Eva schrok van zichzelf. Toch beet ze erin. Toen was de slang verdwenen, en Eva liep met haar gestolen appel weg om Adam te zoeken. 'Adam!' riep ze, 'Adam!' Hij kwam haar tegemoet. 'Kijk eens wat ik hier heb! Deze vrucht! Daar moet je eens van eten, dan zul je als God worden.'

Adam stamelde: 'Als God? Zó machtig en groot?'

'Ja, als God!' verzekerde Eva.

Toen stak ook Adam begerig zijn hand uit naar de vrucht en ze aten haar samen op.

Maar op het moment dat ze de laatste happen namen, gebeurde er wat: de zon verduisterde, een koude wind blies door de tuin, het warme, gouden avondlicht werd blauwgrijs, bijna paars... Eva keek naar Adam en Adam naar Eva - en plotseling zagen ze dat ze naakt waren. Naakt! Dat waren ze altijd al geweest, maar nog nooit hadden ze zich geschaamd als nu; ineens was het voor hen ondraaglijk om zo voor elkaar te staan, bloot, zonder kleren, en ze vluchtten voor elkaar en verstopten zich in de struiken.

Nauwelijks waren ze tot zichzelf gekomen of daar hoorden ze voet-stappen...

Ze wisten wie daar kwam: de Heer, die in de avondkoelte door hun tuin wandelde. Tot nog toe hadden ze Hem altijd vol vreugde opgewacht. Nu sidderden ze in hun schuilplaats, en van angst begonnen ze te klapper-tanden.

Maar de Heer wist al lang wat er gebeurd was.

Het paradijs gaat verloren

'Adam!' riep de Heer, 'Adam, waar ben je? Waarom verberg je je?' Adam dook nog dieper weg. Hij had zijn leven ervoor willen geven om verborgen te blijven. Maar nu was de Heer heel dicht in zijn buurt gekomen, hij kon zich niet langer schuilhouden. Bevend ging hij staan. 'Hier ben ik, Heer!'

De Heer zei: 'Kom te voorschijn!'

Maar Adam antwoordde: 'Ik kan niet komen, want ik ben naakt.'

Toen zei de Heer: 'Wie heeft je gezegd dat je naakt bent? Heb je dan toch van de boom gegeten waarvan ik je verboden had te eten?'

Adam zweeg. Toen mompelde hij: 'De vrouw heeft me ervan te eten gegeven.'

De Heer keerde zich nu naar Eva, die ook uit de struiken te voorschijn gekomen was. Ook zij schaamde zich omdat ze geen kleren aan had.

'Waarom heb je dat gedaan?' vroeg de Heer, 'waarom heb je Adam verleid om van de verboden vrucht te eten?'

Eva fluisterde: 'De slang heeft me op een dwaalspoor gebracht.'

Nu keek de Heer om zich heen waar de slang was, ze was de Levensboom uitgegaan en probeerde door het struikgewas te ontsnappen, maar God zag haar, en zijn blik vlamde van toorn. Hij zei: 'Vervloekt ben je, van nu af aan, vervloekt onder alle dieren. Op je buik zul je kruipen en stof zul je vreten je hele leven lang.' Daarna wees Hij naar Eva en ging verder tot de slang: 'Er zal vijandschap zijn tussen jou en de vrouw, tussen jouw kinderen en haar kinderen, en één van haar zoons zal jouw kop verpletteren en jij zult loeren naar zijn hiel.'

Nu keek God Eva aan en zei: 'Ik had gewild dat je zonder moeite, met vreugde kinderen kreeg. Maar nu wordt het anders: veel pijn en leed zul je moeten doorstaan. Toch zul je altijd naar je man verlangen en hij zal de meerdere zijn.'

Tegen Adam zei Hij: 'Ik heb je een tuin gegeven waarin je gelukkig en onbezorgd leven kon. Maar nu zet Ik je de tuin uit en Ik plaats je op een onbebouwd stuk land, een woestenij. De aarde is vervloekt terwille van jou. Met veel moeite zul je het land bebouwen en met het zweet op je gezicht zul je je brood eten totdat je sterft en in de grond terugkeert. Want je bent uit het stof van de aarde gemaakt en zult opnieuw stof worden. Ik had jullie voor de dood willen sparen, ik heb jullie van de Levensboom te eten gegeven. Maar jullie hebben van de boom van kennis van goed en kwaad gegeten en wilden zijn zoals Ik, eeuwig, wijs en machtig.'

Adam en Eva hoorden deze woorden en waren ontzet. Bevend stonden ze daar als betrapte kinderen in hun schorten, die ze van vijgebladeren hadden gemaakt.

God had medelijden met hen en gaf hun kleren van dierevellen. Ze trokken die vlug aan. Daarna moesten ze het paradijs verlaten. Voor de laatste keer gingen ze door die heerlijke tuin, ze liepen snel, want ze voelden zich opgejaagd. De dieren, die altijd kalm en vriendelijk geweest waren, hoorden zij achter zich brullen. De takken van de bomen gingen heen en weer, alsof die hen bedreigden, en de bloeiende heesters staken met hun doornen in hun voeten. Een grote strenge engel, Kerub geheten, stond met een vlammend zwaard aan de poort. Hij bewaakte de weg naar de Levensboom, en toen zij buiten de tuin waren, sloot hij de poort van het paradijs. En het werd nacht.

Kaïn en Abel

Toen Adam en Eva de volgende morgen wakker werden - ze hadden ergens tussen de distels en rotsen geslapen -, wat zagen zij toen om zich heen? De tuin van Eden was verdwenen en in plaats van zijn lieflijke bossen zagen zij nu donkere bergen tegen de hemel afsteken, het land was dor en overal stonden stekelige bomen en struiken en daartussen hoorden zij het geritsel van wilde dieren die op hen loerden. Ze voelden zich bedreigd. Eindelijk vond Adam een grot waarin hij zich met zijn vrouw verbergen kon. Inplaats van sappige vruchten aten ze nu bittere wortels. O, wat waren ze ongelukkig!

Een jaar later werd in deze grot hun eerste kind geboren. Eva had veel pijn gehad, maar toen ze haar zoon zag, was ze blij. Ze zei: 'De Heer heeft mij een jongen gegeven.'

Weer een jaar later kregen zij nóg een zoon. De eerste heette Kaïn, de tweede Abel. Daarna kregen ze nog dochters.

Ondertussen was Adam begonnen het land te bebouwen en kudden te houden. Zijn kinderen hielpen hem daarbij. Kaïn werd landbouwer en Abel herder.

Adam en Eva vertelden hun kinderen van het paradijs, dat ze verloren hadden. Daarvoor in de plaats hadden ze nu veel tegenslagen en verdriet gekregen. Zij gaven zichzelf hier de schuld van en zeiden: 'Wij waren ondankbaar en overmoedig. Nu moeten we onze straf dragen. Daarom moeten jullie nu een offer aan de Heer brengen. Want de Heer is machtig, wij moeten zijn naam prijzen.'

Dit zeiden de ouders, de zoons deden wat ze zeiden, maar Kaïn dacht bij zichzelf: het is niet eerlijk wat mijn ouders is aangedaan. Waarom mochten ze niet van de boom van kennis van goed en kwaad eten? Ik had in hun plaats hetzelfde gedaan.

God zag deze gedachten in het hart van Kaïn; en toen Kaïn zijn offer bracht, iets van de oogst van zijn land, en het vuur aanstak, dat de vruchten moest verteren, walmde het vuur, en de rook kroop als een grauwe nevelsliert over de grond. Maar het offervuur van Abel laaide helder op en de rook steeg licht en glanzend als zilver naar de hemel. Toen Kaïn dat merkte, werd hij woedend. Waarom neemt God mijn offer niet aan? dacht hij. Het offer van mijn broer is wél welkom! God houdt meer van hém dan van mij! Kaïn werd zó nijdig en zijn jaloezie was zó groot dat hij zijn knuppel pakte en Abel neersloeg.

Kaïn had nog nooit een dode gezien, want vóór Abel was er op aarde nog nooit een mens gestorven. Toen hij zich over zijn broer heen boog,

schrok hij. Want deze was plotseling zo vreselijk bleek en stil, en zijn gebroken ogen stonden zo vreemd en strak. Gejaagd stapelde de moordenaar stenen op het lijk, om het te verbergen. Daarna wilde hij vluchten; maar nauwelijks had hij een stap gedaan, of de Heer kwam bij hem en vroeg: 'Kaïn, waar is je broer Abel?' Kaïn wist niet wat hij moest zeggen. Zijn koppigheid deed hem echter antwoorden: 'Hoe moet ik dat weten? Moet ik soms op hem passen?'

God zei: 'Kaïn, Kaïn, wat heb je gedaan? Je hebt het bloed van je broer vergoten. Het roept tot Mij van de aardbodem en het klaagt je aan.' Kaïn begon te beven en durfde niet meer te ontkennen. 'Je bent vervloekt', zei God, 'vervloekt waar je ook leeft op aarde. Als je het land bebouwt, zal er niets op groeien. Je zult van land naar land zwerven en nergens een thuis vinden.'

Kaïn trok zich de haren uit zijn hoofd en riep: 'Mijn schuld is te groot om te kunnen dragen. Ik ben toch maar een zwak mens? Wanneer U mij zo vervloekt, zal ik wel vlug gedood worden.'

'Nee', zei God, 'niemand zal je doden, ook al heb je zelf gedood.' En de Heer strekte zijn hand uit en bracht een teken op Kaïns voorhoofd aan. Daaraan zou iedereen kunnen zien dat hij een moordenaar was, maar dat hij toch zelf niet vermoord mocht worden.

Nu kromp Kaïn ineen alsof hij zich aan het heetste vuur brandde en hij vluchtte: voor altijd een man in ballingschap.

De overstroming

Lang wachtten Adam en Eva op de terugkomst van hun beide zoons. Maar ze wachtten vergeefs, en ze bemerkten, dat het kwaad dat door hun zondeval op aarde was gekomen, afschuwelijke vruchten had voortgebracht. Ze hadden nu een derde zoon, die ze Set noemden en kregen nog meer zoons en dochters. De mensheid breidde zich snel uit.

Sommige mensen leefden in holen, anderen in hutten en tenten. Ze bebouwden het land, als het land voor akkerbouw geschikt was; op de grasvlakten hielden ze schapen en in de bossen gingen ze op jacht. De kale woestijn vermeden ze, en het varen op de zee hadden ze nog niet geleerd.

Die eerste mensen waren sterk en over hen worden de wonderlijkste dingen verteld. De meesten werden heel oud, zo oud als tegenwoordig geen mens meer wordt.

Ook Kaïn, de man zonder vaderland, vond een vrouw en had kinderen en kleinkinderen. Sommigen waren erg knap. Een van hen vond het fluitspel uit, een ander de kunst om erts te smelten en metaal te smeden. Zo werden de eerste wapens uit brons en ijzer gemaakt. Onder de nakomelingen van Set waren veel vrome en goede mensen; ze herinnerden zich wat hun voorouders Adam en Eva, verteld hadden over God, het paradijs, en de verzoeking door de slang. Daarom dienden ze de Heer, brachten Hem offers en noemden zich zonen van God. Omdat er steeds meer mensen kwamen, ontmoetten sommigen ook de verstrooide nakomelingen van Kaïn. En het gebeurde steeds vaker, dat een zoon van Set, een godskind dus, trouwde met een dochter uit de stam van Kaïn. Zo kwam er langzamerhand meer kwaad in de wereld en het boze kreeg zelfs de overhand. God zag dat de mensen Hem vergeten waren en dat ze wreed en onrechtvaardig werden. De ene broer sloeg de andere, de ene zuster sprak kwaad van de andere. Trouw en geloof waren uitgestorven; wanneer iemand nog probeerde het goede te doen, werd hij bespot en uitgelachen. Toen zei God bij zichzelf: 'Deze mensen zijn verdorven en slecht. Ik heb er verdriet van dat Ik ze geschapen heb. Daarom zal Ik hen met alles wat leeft uitroeien en verdelgen.'

Maar er was een man, Noach, die niet meedeed met al die slechte dingen. Samen met zijn gezin deed hij zijn best om te leven zoals God dat wilde. De Heer wilde deze rechtvaardige man sparen en daarom verscheen Hij aan hem en zei: 'Luister naar wat Ik je te zeggen heb! Ik wil een grote overstroming over de aarde laten komen, waarin iedereen zal verdrinken, mensen en dieren. Maar jou en je gezin wil Ik sparen. Bouw daarom een schip, een groot schip van goferhout, 300 el lang, 50 el breed, 30 el hoog, met drie verdiepingen en een stevig dak. Als het klaar is, moet je met je gezin dit schip binnengaan en je moet van alle soorten landdieren één paar meenemen: een mannetje en een wijfje! Ook moet je voedsel voor een lange tijd meenemen. Haast je, want je hebt niet veel tijd.'

Noach verwonderde zich over de woorden van God, maar hij gehoorzaamde en deed wat God gezegd had. De volgende morgen al trok hij met zijn drie zoons het bos in, om daar de grootste bomen uit te zoeken en te vellen; hij zaagde ze tot rechte balken. Toen brachten ze alle balken naar één plaats en haalden weer nieuwe boomstammen.

Al spoedig werd er tot in de verre omtrek over gesproken, dat Noach een groot huis wilde bouwen. De mensen gingen eens kijken wat er aan de hand was. Maar hoe verbaasd waren ze toen ze merkten dat dit bouwwerk een schip zou worden! 'Een schip!' riepen ze lachend. 'Noach bouwt een schip midden op het land.' Zoiets kon alleen maar een dwaas doen! En ze schudden van het lachen om die rare Noach.

Maar Noach liet zich niet van de wijs brengen en ging met het werk door. Het was wel moeilijk, maar het lukte: zwaar, log en groot stond de ark daar! Nu had Noach nóg een probleem. Hoe kon hij alle dieren in de ark krijgen om ze te redden? Jazeker, het was niet moeilijk om het tamme vee in het schip te brengen, van alle soorten één paar. Maar zou het lukken om leeuwen, tijgers en luipaarden te vangen - en hoe kreeg je de schuwe vogels te pakken? Op een dag kwamen ze echter uit zichzelf. God zorgde ervoor. Het was een dag als iedere andere dag, zo leek het tenminste, alleen het licht van de zon stak meer dan anders, zodat de lucht bedompt en drukkend was en de hemel omkranst met wolken. Voelden de dieren het komende gevaar? Ze kwamen uit de bossen, van de grasvlakten, uit de woestijnen, de zachtaardige gazelle naast de luipaarden, de bange haas naast de gier. De grootste doodsvijanden waren plotseling de beste vrienden en trokken paar aan paar de ark binnen.

Toen begon het te regenen. Het regende de hele dag en de hele nacht en weer de hele dag en nog eens de hele nacht. Eerst waren de mensen blij met de regen en zeiden: 'Eindelijk worden al de bronnen weer vol.' Maar het regende zonder ophouden. De bronnen waren al lang vol, ze liepen zelfs over. Beken en rivieren zwollen. De dalen veranderden in zeeën. Nu was men niet meer zo blij. Angstig pakte iedereen zijn bezittingen bij

elkaar en vluchtte de heuvels op.

In het binnenste van de aarde braken bronnen open waarvan niemand ooit geweten had dat ze bestonden. Het water van de zee begon te razen. Aardbevingen wierpen de watermassa's op de kusten en er kwam geen eind meer aan de verschrikkingen.

Maar de ark werd langzaam door het water omhoog getild en bleef veilig drijven. Nu begrepen de mensen waarom Noach zijn schip gebouwd had

en ze lachten er niet meer om. Rondom hen steeg het water, de meeste heuvels waren al overspoeld; nu bereikte het water ook de hoogste punten, daar vochten vertwijfelde mensen en wilde dieren om een plaats, de sterksten en handigsten klommen in de bomen en klauterden hoger en hoger uit angst voor het steeds stijgende water. Vergeefs!

Ook de laatste hoge bergtop verdween onder water en de laatste mensen en de laatste dieren krijsten in doodsnood.

Toen werd het stil: een verschrikkelijke stilte hing over de hele aarde. Alleen de golven gingen nog te keer, en op de grijze watervlakte dreef de ark. Nu was de straf voltooid en God dacht aan de mensen en de dieren in de ark. Hij riep de regen een halt toe en maakte dat de onderaardse bronnen uitgeput raakten. Het begon te waaien en het water verdampte. Maar toen Noach het luik opendeed, zag hij nog nergens land. Toen liet hij een duif wegvliegen. 'Als de vogel terugkomt', dacht hij, 'moeten we nog geduld hebben. Maar wanneer hij niet terugkomt, heeft het water zich al teruggetrokken en dan zullen we wel spoedig ergens vastlopen.' Maar de duif kwam terug.

Er gingen weer veel dagen voorbij en het eten in de ark was zo goed als op. Opnieuw liet Noach een duif vliegen. Wat schrok hij toen ook deze duif terugkwam. Maar - wat had zij in haar bek? Een olijfblad! Warempel een olijfblad! Dat was het teken van de redding. Er was land in de buurt, waar weer nieuw leven begonnen was te ontkiemen en te groeien. En terwijl Noach en zijn kinderen nog met verbazing naar het blad stonden te kijken, hoorden ze de ark knarsend vastlopen. Ze waren op een berg gestrand.

Na zeven dagen deed Noach de deur open en ze stroomden allemaal naar buiten - naar buiten, die nauwe bedompte ruimte uit, de heerlijke frisse lucht in. De leeuw ging met een geweldige sprong van boord, de olifant perste zich moeizaam door de nauwe deur, tussen zijn plompe poten schoten de vlugge apen door, en de lynxen en varkens. De beer sjokte op zijn gemak en de giraf rekte de lange hals. Hagedissen glipten razendsnel weg als kleine groene lichtjes, de vogels zwermden uit, de kevers en vlinders snorden en dartelden door de lucht. Wat een feest! De lange gevangenschap was voorbij. Angst en gebrek waren verleden tijd. De dieren konden hun voer nu buiten vinden. Want God had alweer jong groen gras laten groeien en er bloeiden weer bloemen, de aarde was weer in een groen kleed gehuld. Met tranen in de ogen kwam ook Noach, samen met zijn vrouw, zoons en schoondochters, de ark uit. Ja, Gods schepping was gered en werd hun opnieuw gegeven. Noach ging meteen een altaar bouwen om God daarop een offer te brengen.

Een prachtig mooie regenboog verscheen aan de hemel, groot en stralend, in zeven kleuren, zoals nog nooit iemand had gezien. Vanuit de wegtrekkende wolken hoorde men de stem van de Heer: 'Gezegend zijn jullie als laatste mensen van een wereld die is vergaan en als eerste mensen van een nieuwe, bevrijde wereld. Veel kinderen zullen er geboren worden, zodat de wereld vol wordt. Alles wat op aarde leeft, dier en plant, het is van jullie. Ook de dieren waar je jacht op maakt of die je slacht, mogen van nu af aan gegeten worden. Ik sluit een verbond met jullie en alle levenden: nooit meer zal Ik zo'n watervloed over jullie doen losbreken. Nooit meer zal al het leven door het water vernietigd worden! Kijk eens naar deze regenboog: hij is het teken dat er geen overstroming meer zal komen en dat Ik altijd een goede en trouwe Vader voor jullie zal zijn.'

De torenbouw van Babel

Noach had drie zoons, Sem, Cham, Jafet, bovendien veel kleinzoons en kleindochters. Ook deze hadden weer veel zoons en dochters. Dus duurde het helemaal niet zo lang voordat er opnieuw veel mensen op de aarde woonden. Zij waren een groot volk geworden. Ze spraken allemaal dezelfde taal en - wat nog belangrijker was - ze verdroegen elkaar en waren eensgezind.

Ze woonden niet meer, zoals eerst, in holen, tenten en houten hutten. Ze hadden nu geleerd van gebakken steen huizen te bouwen, ze bouwden zelfs al steden en waren erg trots op de paleizen die binnen hun muren stonden.

Op zekere dag kwamen ze op het idee om een toren te bouwen, waarvan de spits in de hemel zou uitkomen. We weten tegenwoordig dat dat onmogelijk is. Maar toen wist men dat nog niet.

Dus begonnen de mensen overmoedig als zij waren met dat grote werk. Honderden en duizenden kwamen om mee te helpen. Ze geloofden, dat alles wat ze zouden ondernemen, zonder meer lukken zou. Ze brachten geweldige fundamenten aan en bouwden de eerste verdieping van de toren, en al spoedig de tweede, de derde, de vierde. Toen was de toren zo hoog als een berg, maar de hemel was nog steeds even ver, de zon

draaide rond in een niet te bereiken hoogte en de sterren fonkelden als kleine stipjes, nog even ver weg als tevoren.

De bouwers kregen ruzie. 'Hoe lang moeten we ons hier nog mee af-matten?', vroegen ze zich af. 'Waarom hebben we de hemel nog steeds niet bereikt?' De een gaf de ander de schuld. Ze kibbelden met elkaar en begonnen langs elkaar heen te praten. Van de ene dag op de andere ver-stonden ze elkaar niet meer; degenen die eerst als vriend en broer zij aan zij met het werk bezig geweest waren, wantrouwden elkaar nu en zaten elkaar dwars.

Tenslotte verlieten ze op hoog bevel de stad waarin de toren gebouwd werd en verspreidden zich naar alle windstreken. Zo ontstonden er tien-tallen volken uit dat ene volk, ieder volk sprak een eigen taal en was bang voor de andere volken. Dat was de straf van God. Want God wilde juist dat de mens zich over de hele aarde zou verspreiden. Hij vond het niet goed als ze allemaal bij elkaar bleven wonen.

De toren werd nooit afgemaakt en raakte langzamerhand in verval. De stad waarin ze gebouwd was, werd van nu af aan Babel genoemd. Dat betekent: verwarring; want vanuit deze plaats is de twist tussen de volken begonnen.

De Heer spreekt tot Abram

Er ging weer een lange tijd voorbij. Weer hadden de mensen God ver-geten, God, de enige machtige, die de hemel en de aarde geschapen had. Inplaats van Hem te eren en te dienen, hadden ze veel afgoden; de één hield de zon voor de heerser over de hele wereld, de ander de maan, weer een ander noemde bepaalde dieren heilig. Aan veel van deze goden werden zelfs mensenoffers gebracht: niet alleen het eerste jong van ieder huisdier, maar ook ieder eerstgeboren kind, moest gedood en geofferd worden.

Dat was een afschuwelijk gebruik, maar geen mens durfde daar iets tegen te doen.

In die tijd woonde er in het zuidelijk tweestromenland een man die Abram heette. Hij was een verstandig en rechtvaardig mens. Hij dacht over dingen na waar een ander niet bij stilstond. Zo dacht hij ook na over de goden die gediend werden door het volk waartoe hij behoorde en die eveneens werden vereerd door zijn eigen familieleden: de zon, de maan en de sterren. In het tweestromenland geloofde men, dat dit de heersers van deze wereld waren.

Alleen Abram geloofde dat niet. Maar nog minder geloofde hij in andere goden. Als hij 's avonds voor zijn huis zat en naar al die hemellichten keek en er niets te horen viel dan hooguit een druppel die van de emmer van de waterput vlakbij in de diepte viel, dan dacht Abram dikwijls met weemoed en ontroering, die hem de tranen in de ogen deed springen, dat alles wat er was, toch niet het werk kon zijn van de zon of de maan, laat staan van dierlijke demonen.

De vaderlijke almacht van God moest dat alles geschapen en geordend hebben; deze onzichtbare God is overal werkzaam. Zo dacht Abram, en niemand dacht zoals hij. Ja, Abram voelde zich eenzaam temidden van zijn familie; alleen Sara, zijn vrouw, begreep iets van wat hij voelde en dacht; maar wat hadden zij eraan? Abram en Sara hadden geen kinderen. Dus konden ze hun geloof aan niemand doorgeven, niet aan een zoon, niet aan een kleinzoon; en als ze stierven, zou er niemand meer in dit hele land zijn, die de ene Heer en Schepper beleed. Abram had daar verdriet over.

Op een nacht, toen hij weer zo zat te piekeren, hoorde hij een stem: 'Gezegend ben jij, Abram, trouwe knecht. Ik ben het aan wie je gedacht hebt, de ene Heer en God. Ik ben het, in jouw gedachten heb Ik Mij bekendgemaakt. Je moet uit dit heidense land weggaan. Ik zal je een ander land geven, een beter land, en Ik zal je naam groot maken en je zult zoveel nakomelingen krijgen als er zand in de zee is!' Abram stond op, ging naar binnen en zei tegen Saraï en tegen zijn neef Lot: 'We hebben nu lang genoeg in het land van de Chaldeeën gewoond. Morgen zullen we onze kudden bijeendrijven en wegtrekken. Mijn Heer heeft me bevolen dat ik naar een ander land moet trekken.'

Saraï en Lot keken verbaasd op toen zij dit nieuws hoorden en vroegen: 'Wie is dan jouw Heer?' Abram antwoordde: 'De Heer van de hemel en de aarde.'

Toen vertrok Abram met allen die bij hem hoorden uit het land van de Chaldeeën naar het westen. De stoet kwam maar langzaam vooruit, want de kudden moesten steeds weer grazen en uitrusten. Abram reed voorop, zittend op de rug van een kameel, en hij keek vooruit. Steeds wanneer hij over een heuvelrug heen getrokken was en een nieuw land voor zich zag liggen, vroeg hij zich af: is dit nu het land dat de Heer mij heeft beloofd?

Maar de Heer zweeg, daarom trok Abram verder en kwam overal, tot in Egypte en in het rijk van koning Abimelek. Hij beleefde veel avonturen en verkeerde vaak in gevaar. Eens moest hij zijn neef Lot uit de handen van rovende Bedoeïnen bevrijden. En op een keer had hij het geluk koning

Melchisedek te ontmoeten, die net als hij alleen maar in één God geloofde en niet alleen koning, maar ook hogepriester van zijn volk was. Met Melchisedek sloot Abram vriendschap.

Jaren gingen er voorbij, maar Abram had het land dat God hem beloofd had, nog steeds niet gevonden. Hij was nu al een grijsaard van ruim honderd jaar, ook zijn vrouw Saraï had al wit haar. Spoedig, zo dacht Abram, zouden ze moeten sterven. Zouden zij er nog wel op mogen hopen kinderen te krijgen?

Zo dacht Abram als hij 's nachts in zijn tent lag, totdat op een nacht God aan Abram verscheen. Abram smeekte Hem: 'Geef mij een teken, waardoor ik zal weten dat U mij niet vergeten bent.'

Toen was het net alsof hij een vreemde hand voelde, hij hoorde Gods stem in zijn oor zeggen: 'Sta op, ga naar buiten en kijk naar de hemel.' Abram deed wat God zei. Het was een heldere sterrennacht zoals Abram er nog nooit een gezien had. De hemel was bezaaid met duizenden lichtjes. De grote sterrenbeelden waren zo duidelijk te zien. De wazige nevelband van de melkweg liep tussen de sterrenbeelden door. Zelfs aan de horizon fonkelden nog duizenden lichtpuntjes.

De Heer zei tot Abram: 'Tel de sterren, die daar boven je staan!' Abram probeerde het, maar zijn ogen vergisten zich steeds door het reusachtige gefonkel. Hij zei: 'Ik kan ze niet tellen.' Toen antwoordde God: 'Zoveel sterren als je hier ziet, zoveel nakomelingen zul je krijgen. Ik ben je God en je Heer en Ik zal voor je zorgen. Ik sluit een verbond met je, omdat je in Mij geloofd hebt. Gezegend zijn zij die jou zegenen. In jou zullen alle geslachten van de hele aarde gezegend worden.'

God liet Abram nu ook het land Kanaän zien. Het leek één grote bloeiende tuin. Abram kon zelfs tot over de grenzen van Kanaän heen kijken tot aan de Nijl in het zuiden en de Eufraat in het oosten, tot aan de met sneeuw bedekte top van de berg Hermon in het noorden en het hoog oprijzende rotsgebergte Sinaï in het zuiden. Het duizelde Abram bijna bij het zien van deze oneindige verten. Maar God zei: 'Dit is het land dat Ik jou en je kinderen geven zal. En voortaan heet je Abraham, dat betekent: 'Vader van vele volken'. En Saraï zul je van nu af Sara noemen. En Ik geef jullie deze nieuwe namen als bewijs dat jullie ten dienste staan van Mij en jullie nieuwe roeping.'

Toen liet God Abraham weer alleen.

De drie vreemdelingen

Opnieuw gingen er heel veel jaren voorbij. Abraham en Sara hadden nog steeds geen kinderen.

Ofschoon Abraham geen ogenblik aan Gods belofte twijfelde, piekerde hij er toch steeds over. Nu kende hij het land dat de Heer hem wilde geven. Maar aan wie zou hij het nalaten, nu hij geen erfgenamen had? Op zekere dag zei Sara tegen hem: 'Lieve man, ik weet waar je over tobt. Ik ben oud en kan geen kinderen meer krijgen. Misschien is het de wil van God wel dat je een andere vrouw neemt, Hagar bijvoorbeeld, mijn dienstmeisje. Zij is jong en gezond, misschien kan ik dan door háár kinderen krijgen.'

Eerst wilde Abraham niets van dit voorstel horen, ofschoon het in die tijd nog niet verboden was om twee of zelfs wel meer vrouwen te hebben. Maar hij hield veel van Sara en wilde geen andere vrouw. Steeds echter begon Sara weer over Hagar, en tenslotte stemde Abraham toe. En

werkelijk, al een jaar later werd er een zoon geboren. Abraham noemde hem Ismaël. Nu, zo geloofde hij, was Gods wil gedaan, en zo was het goed.

Ismaël groeide hard en werd een sterke, vrolijke jongen, die graag wilde spelletjes deed en met andere kinderen stoeide. Iedereen hield hem voor de erfgenaam van Abraham, ook Abraham zelf. Maar God dacht er anders over. Hij wilde een wonder doen om te laten zien dat zijn macht groter was dan alles wat mensen kunnen bedenken.

Eens zat Abraham voor zijn tent. Het was op het heetst van de dag. Hij zag drie mannen op de weg aankomen. Onmiddellijk stond hij op, ging hen tegemoet, boog en zei: 'Gegroet vreemdelingen, ga mijn tent niet voorbij. U zult wel moe zijn, rust wat uit! Uw voeten zijn stoffig, ik zal water halen, dan kunt u ze wassen. U zult vast ook wel honger hebben, laat mij brood halen zodat u uw honger kunt stillen.'

De drie mannen waren blijven staan en luisterden naar de uitnodiging van Abraham. Ze keken elkaar verrast aan en de oudste zei: 'Dank u wel! Wij willen graag uw gasten zijn.'

Abraham liep zijn tent in en riep naar Sara: 'We hebben drie vreemdelingen op bezoek. Haal vlug drie maten meel, kneed het en bak er koeken van!' Toen liep hij naar de kudde, die in de wei achter zijn tent graasde, zocht een kalfje uit en zei tegen een knecht dat hij het slachten moest en meteen braden.

Ondertussen waren de vreemdelingen in de schaduw van een terpentijn- boom gaan zitten. Abraham zelf bracht het water waarmee ze zich wassen konden. Hij zette ook melk en kaas voor hen neer. Sara at niet mee met het gastmaal, want in die tijd was het niet de gewoonte dat vrouwen zich mengden in het gesprek tussen mannen. Ondanks dat wilde Sara toch ook wat horen. Daarom stond ze achter de tent te luisteren. Ze hoorde haar naam noemen.

'Waar is je vrouw Sara?' vroeg één van de gasten; het was degene die al de hele tijd aan het woord was geweest.

'Binnen in de tent', antwoordde Abraham.

Sara spitste de oren. Ze verwachtte dat de vreemdeling zou zeggen dat de koeken die ze gebakken had heerlijk waren, maar ze hoorde iets heel anders.

'Als ik het volgende jaar terugkom', zei hij, 'zal Sara een zoon gekregen hebben.'

Een zoon! Dat woord stak Sara als een dolksteek. Een zoon! Haar hele leven had Sara ernaar verlangd om moeder te worden - vergeefs! En nu durfde die vreemdeling zomaar te zeggen dat zij, de oude, negentigjarige

46

vrouw, nog een kind zou krijgen... Het deed Sara pijn, maar tegelijkertijd vond ze het zó belachelijk, dat ze stil bij zichzelf lachte.

De vreemdeling die buiten voor de tent zat, zei: 'Waarom lacht Sara? Gelooft zij niet dat ik de waarheid spreek? Bij God is immers niets onmogelijk?'

Sara kromp ineen. Hoe had die vreemdeling geraden dat zij hier stond af te luisteren en gelachen had? Wat was dat voor een mens, die eerst durfde voorspellen dat zij een zoon zou krijgen, die kon zien wat er achter de tent gebeurde en kon horen wat niemand gehoord had? Deze man moest ze zien.

Sara liep naar buiten, ofschoon het, zoals we al zeiden, niet paste dat een vrouw zich vertoonde in het gezelschap van vreemde mannen.

De mannen stonden blijkbaar op het punt te vertrekken. Ze hadden hun sandalen weer aan en hun wandelstokken weer in de hand. Sara ging naar hen toe en zei: 'Ik heb niet gelachen.' De drie mannen keken haar aan. En nog eens zei ze: 'Ik heb niet gelachen.'

De oudste kwam naar haar toe. Zijn blik rustte op haar, ernstig, doordringend en toch vriendelijk. Hij lachte zo liefdevol en begrijpend naar haar. De oude vrouw schaamde zich voor haar leugen, maar toch voelde ze zich niet alleen beschaamd, ze voelde zich ook in stilte geëerd.

Toen zei de vreemdeling: 'Maar Sara, je hebt gelachen uit ongeloof en bitterheid. Maar over enige tijd zul je lachen van vreugde.'

De drie mannen vertrokken en reisden verder.

Abrahams smeekbede voor Sodom

De vreemdelingen gingen niet alléén weg. Abraham ging mee om hen uitgeleide te doen. Hij was net zo verbaasd als Sara over de dingen die hij zojuist gehoord had. Wie waren deze drie? Hij had hen vriendelijk onthaald, zoals alle reizigers die langs zijn tent kwamen, want hij had al in zijn prille jeugd geleerd om gastvrij te zijn. Hij wist uit ervaring van zijn eigen zwerftochten, hoe goed het je doet om ergens vriendelijk ontvangen te worden. Maar deze vreemdelingen waren geen gewone reizigers, dat had hij, Abraham, wel begrepen. Ze waren - ze waren - ja, had hij maar geweten wie ze waren. Er kwam van alles in zijn hoofd op. Waren het drie engelen van God - of was God zelf er soms bij? Abraham sidderde bij deze gedachte. Hij durfde het niet te vragen.

De vreemdelingen waren de weg naar Sodom ingeslagen. Daar woonde de neef van Abraham, Lot, met zijn vrouw en twee van zijn dochters. Ze waren alle vier brave en vrome mensen. Maar waarom woonden ze dan in Sodom, in die slechte stad? Het was bekend dat Sodom een stad was waar de slechtste en schandelijkste dingen gebeurden. Abraham paste er wel voor op, ernaar toe te gaan. Maar nu liepen die drie geheimzinnige mannen in de richting van Sodom. Abraham vond dat merkwaardig en voelde zich bang worden. Het liefst had hij hun willen vragen een andere weg te nemen en Sodom links te laten liggen. Maar daar zagen ze de stad al, met de rode en zwartgetinte huizen binnen haar muren.

De drie mannen hielden hun pas in en keken naar de stad.

Het leek wel alsof ze plotseling veranderd waren, hun gezichten vlamden van toorn.

'Dát is dus Sodom', sprak de oudste, 'de stad die bekend staat om haar verschrikkelijke zonden.' De twee anderen wilden weer verder gaan. Maar die ene vreemdeling, de oudste, de voornaamste, dacht: 'Ik zal voor Abraham niet verbergen wat Ik ga doen.'

'Deze stad zal verwoest worden met alles wat erin leeft.'

'Verwoest?' riep Abraham.

'Ja, verwoest. Met vuur en zwavel, want het is een gruwel in mijn ogen!'

De twee anderen waren al doorgelopen - op weg naar Sodom.

En Abraham, die alleengebleven was met die ene vreemdeling, wist nu ook wie het was. Het was de Heer! Maar al was hij vreselijk blij dat God aan hem verschenen was, toch vond hij het oordeel over Sodom verschrikkelijk, hij dacht aan zijn neef Lot. Hij viel op zijn knieën en riep: 'Heer, o Heer, als U Sodom verwoesten wilt, en U vindt 50 rechtvaardige mensen binnen haar muren, wilt U de stad dan niet sparen terwille van hen?'

'Ja', zei de Heer, 'dan zal Ik haar sparen.'

Vijftig rechtvaardigen! dacht Abraham, zouden er wel vijftig rechtvaardige mensen in Sodom wonen? Waarschijnlijk niet. Daarom zei hij bevend: 'En als het er maar veertig zijn?'

'Ook veertig is genoeg', antwoordde de Heer. Veertig, dacht Abraham, en hij moest denken aan al de wandaden die hij over de Sodomieten gehoord had en wanhoopte.

'Ach Heer', zei hij, 'wanneer er maar dertig zijn, wilt U dan de stad terwille van die dertig sparen?'

De Heer keek op Abraham neer, een ernstige lach speelde om zijn mond.

'Omdat jij het vraagt', zei hij, 'ook terwille van dertig rechtvaardige mensen zal Ik Sodom niet verwoesten.'

Abraham riep: 'O, mijn barmhartige en genadige God, word niet boos op mij, maar als er nu twintig zijn?'

De Heer zweeg even. Toen zei Hij langzaam: 'Ook twintig is genoeg.'

Abraham liet zich op de grond vallen, sloeg zijn armen om de voeten van de Heer heen en smeekte: 'O mijn God, gij allerhoogste, vergeef mij, omdat ik zo blijf aanhouden, straf mij niet, maar mag ik U nog éénmaal smeken?'

'Stil maar', zei de Heer, 'Ik weet wat je wilt. Ik zal de mensen van Sodom vergeven, ook als er slechts tien rechtvaardigen wonen.' Na dit gezegd te hebben, verdween de Heer. En Abraham ging naar zijn tent terug.

De ondergang van Sodom

Ondertussen waren de twee andere mannen in de stad gekomen. Lot zag hen door de poort binnengaan en nodigde hen meteen in zijn huis, want hij had al gezien dat het vreemdelingen waren, en hij was even gastvrij als zijn oom. Maar nauwelijks waren de twee mannen in Lots huis of er ontstond een oploop voor zijn deur. De inwoners van Sodom hadden gemerkt, dat er twee reizigers waren - vreemde reizigers. Dat waren weerloze mensen, die men ongestraft kon beroven, vernederen en zelfs doden. Dit dachten de Sodomieten in hun slechtheid en ze eisten van Lot zijn gasten uit te leveren. Lot deed de deur op slot, maar al gauw verzamelde zich buiten een grote menigte, zij schreeuwden en floten, gooiden stenen en bonsden op de deur.

Het werd nacht. Het lawaai hield maar niet op, het werd zelfs nog erger. Lots vrouw en dochters beefden van angst, en ook Lot zag spierwit. Alleen de twee mannen waren rustig en kalm, hoewel ook aan hen te merken was dat ze dat woeste gedoe daarbuiten afkeurden. Wachtten ze totdat iemand van de vele inwoners van de stad aan Lot en de zijnen hulp zou gaan bieden? Of dat op straat een stem zich zou verheffen om voor die weerloze mensen daarbinnen op te komen? Maar zoiets gebeurde niet. Nu hield Lot het niet meer uit, hij ging naar de deur en deed hem open. 'Wat doen jullie hier?' riep hij naar buiten. 'Wat willen jullie?' 'De vreemdelingen', schreeuwden ze in koor. 'De vreemdelingen!' 'God beware me hiervoor', zei Lot, 'denken jullie dat ik mijn gasten uitlever? De gast is heilig!'

'Heilig?', joelde de menigte, 'voor ons is niets heilig.'

'Dat weet ik', zei Lot, zijn stem beefde van angst en woede. 'Maar luister naar mij!' ging hij verder, 'ik wil jullie geven wat je wilt, zelfs het beste dat ik heb, maar laat die vreemdelingen met rust!'

'Nee!', brulde men in koor. 'De vreemdelingen, geef ons de vreemdelingen!'

Nog eens probeerde Lot hen te laten luisteren, maar vergeefs. De voorsten drongen al op, ze duwden Lot opzij. Toen grepen de vreemdelingen hem bij zijn kleren en trokken hem het huis weer binnen. Ze deden de deur op slot.

Buiten klonk het geschreeuw nu wel tweemaal zo hard als eerst, maar tegelijkertijd ook steeg er een hevig gejammer op. 'Ik kan niet meer zien!' - 'Waar is de deur?' - 'Ik zie niemand meer. Ben ik blind?' - 'Blind! Blind!' - 'Ook ik ben blind.' - 'Ik ook.' - 'Ik ook.'

Ja, ze waren allemaal blind geworden, op slag, die wilde, slechte inwoners

van Sodom. Nu tastten ze hulpeloos om zich heen - velen zochten nog steeds naar de deur - en langzamerhand trokken ze huilend en gillend weg.
In het huis van Lot werd het stil. Zwijgend stonden ze om beide mannen heen. 'We zijn gered', fluisterde Lot. 'Ja, jullie zijn gered', zeiden de

vreemdelingen, 'maar zij zijn verloren. Want nog deze nacht zal de stad verwoest worden en in as opgaan. Ze heeft zichzelf het oordeel op de hals gehaald en er is geen vergeving meer mogelijk. Alleen jullie, jij Lot en je gezin, zijn gered.'

Het morgenrood was al te zien. Ergens kraaide de eerste haan. Ze maakten zich klaar om te vertrekken en verlieten de stad. Ze vertrokken in haast omdat ze wisten: het oordeel komt nu heel spoedig. Toch gingen ze niet graag, want ze hadden hier veel jaren gewoond. Ze hadden een huis gekocht, bezaten een wijngaard en nog veel méér rijkdommen. Dat alles moesten ze nu achterlaten.

Ze hadden al een eind gelopen, toen een dof gedreun de aarde deed schokken. Een vuurgloed schoot langs de hemel, de bliksem flitste. Lot en ook de anderen wilden zich omdraaien om te kijken wat er achter hen gebeurde.

Toen riepen de vreemdelingen: 'Kijk niet om, want dan zul je sterven.' Lot en zijn dochters gehoorzaamden. Maar Lots vrouw kon het niet laten, zij dacht maar steeds aan haar huis en aan de wijngaard. Ze keek om. Van schrik stond haar hart stil. De hele stad was een vuurzee, de muren wankelden, de torens barstten in tweeën, de aarde opende zich. Lots vrouw voelde haar bloed verstijven, ze kon zich niet meer omkeren, ze kon ook niet meer ademen, het leven vlood uit haar lichaam en ze veranderde in een zoutpilaar.

Isaäk en Ismaël

Het verschrikkelijke bericht van de ondergang van Sodom ging als een lopend vuurtje door het hele land en alle mensen vonden dat God goed gedaan had om die zondaars zo verschrikkelijk te straffen. En in die tijd zou er in de tent van Abraham een teer en lieflijk wonder gaan gebeuren. Bij de oude, grijze Sara groeide een kindje. Ze schaamde zich eigenlijk voor dit bijna niet te geloven geluk, maar toen ze eindelijk haar zoon in haar armen hield, lachte ze van vreugde en was het er dan ook helemaal mee eens dat Abraham hem Isaäk noemde, want dat betekent: men lacht. Met welk een liefde en ontroering zagen beide oude ouders de jongen opgroeien! Alles leek wel een wonder: dat hij trappelde, dat hij tanden kreeg. Zelfs zijn gehuil klonk hun als muziek in de oren!

Toen Isaäk drie jaar werd, gaf Abraham een feest, waarbij hij al zijn vrienden uitnodigde. Trots liet hij aan hen zijn 'laatgeboren' zoon zien. Maar terwijl de volwassenen nog aan tafel zaten en met elkaar praatten, verscheen Ismaël, de zoon van Hagar, en hij spotte. Hij was nu 16 jaar, een sterke jongen, bruingebrand en stevig gebouwd. Meestal zwierf hij met de kudden van zijn vader tot ver in de omtrek. Hij kon jagen als een volwassene. Vroeger had hij zich nergens om bekommerd, hoewel hij weldra de huwbare leeftijd bereikt zou hebben en dan een erfdeel zou krijgen.

Eerst zou hij alles van Abraham erven. Nu was Isaäk er. Ismaël had er nooit bij stilgestaan dat hij nog eens een broertje zou krijgen en dat deze als de zoon van de echte vrouw van zijn vader de rijkdommen erven zou. Ach, wat een dreumes was het, dat kleine tere broertje van hem, een echte baby nog. Die kon je best nog een beetje plagen. 'En zo spotte Ismaël met hem'. Zo staat het in de heilige boeken. En het plagen dat Ismaël zijn broertje deed, moet wel erg lelijk geweest zijn, want het deed hem niet alleen pijn, maar het bracht hem ook aan het huilen. Misschien bedreigde hij hem zelfs wel. En toen Sara zag wat Ismaël deed, raakte ze buiten zichzelf van woede en schrik.

'Wat mankeert je!', riep ze, 'jij booswicht! Wil je wel eens ophouden met je geplaag. Ik begin zelfs te geloven dat je hem wilt doden. Wil jij soms de enige erfgenaam van je vader zijn? Maar dat zal heus niet gebeuren.' Ze nam haar zoon in de armen en ging naar Abraham toe. Ze vertelde wat Ismaël gedaan had, ze huilde en klaagde en zei: 'Jaag Ismaël weg, en ook zijn moeder, Hagar. Ik wil niet meer hebben dat ze bij ons blijven wonen.'

'Wat zeg je nú toch?' vroeg Abraham. 'Waar zou ik ze allebei naar toe moeten sturen? Ik kan ze toch de woestijn niet injagen?' 'Ja, dat moet je wél doen!' riep Sara.

'Afschuwelijk!' zei Abraham, maar Sara viel hem in de rede: 'Is het soms niet afschuwelijk dat zo'n klein kind geplaagd wordt? Denk er toch eens aan hoe lang wij erop gewacht hebben een zoon te krijgen. Denk eens aan de heerlijke belofte die op hem rust. God heeft hem zelf aan ons beloofd.' Abraham zweeg lang. 'Goed', zei hij toen, 'en toch is ook Ismaël mijn zoon. Ik zal deze nacht beslissen wat ik zal doen.'

Abraham kon die nacht niet slapen. Hij werd gekweld door angst en zorgen. Toen hij eindelijk insliep, verscheen er een engel van God aan hem en zei: 'Maak je geen zorgen om je zoon Ismaël en zijn moeder Hagar. Ze zullen in de woestijn niet alleen zijn. Terwille van jou, zal God voor hen zorgen.'

Hagar en Ismaël in de woestijn

De volgende morgen stond het besluit van Abraham vast. Hij liet Hagar en Ismaël bij zich roepen en zei: 'Jullie moeten ons verlaten, jullie moeten hier weg.'

Hagar was ontzettend van streek en huilde. Ismaël stond stil en schijnbaar onbewogen. Hij keek zijn vader met donkere ogen aan. Maar Abraham liet zich niet vermurwen. Ze moesten nu gaan. Brood en water namen ze mee. Hagar droeg een buideltje bij zich waarin ze de sieraden had gedaan die ze van Abraham gekregen had. Maar och, wat had ze aan gouden kettingen en aan ringen bezet met edelstenen in de streken waar ze doorheen moesten trekken?

Om bij de dichtstbijzijnde oase te komen, moesten ze eerst dwars door de woestijn trekken. Het was een heel eind, waar niets anders was dan stenen, zand, en armzalige doornstruiken. Moeizaam trokken ze verder, er stond geen wolkje aan de hemel, de zon brandde, de hete wind joeg het roodachtige stof in vlagen op.

'Geef me wat te drinken, moeder', smeekte de jongen. Maar de leren waterzak was al lang leeg, ook het laatste stukje brood was al op.

'Geef me toch drinken moeder', smeekte Ismaël weer, en toen Hagar

antwoordde: 'Kind, je weet toch dat ik niets meer heb', kreunde hij: 'Ik kan niet meer verder als u mij niets te drinken geeft!'

Hagar huilde en smeekte haar jongen om geduld te hebben, maar tenslotte verloor ook zij haar krachten. 'Wij zijn verloren', dacht ze, 'wij zullen allebei sterven, Ismaël en ik.' Bij deze gedachte hief ze haar hoofd op en keek naar haar zoon. Ach, wat was er van hem geworden in deze drie dagen die ze nu onderweg waren? Zijn wangen waren hol en bleek, zijn ogen stonden koortsig. Was dat nu Ismaël, haar sterke, knappe zoon, waar ze zo trots op was geweest? Niets was er meer van de overmoedige jongen overgebleven.

'Nee', dacht Hagar, 'dat verdraag ik niet, ik kan hem niet zien sterven!' In haar wanhoop legde ze hem neer onder een doornstruik - daar kon hij liggen - en als het dan zo moest zijn, kon hij daar rustig sterven. Ze liep een eind verder en liet zich toen op de grond vallen. Hier zou ze blijven wachten op de dood, die hen uit alle ellende verlossen zou.

Maar daar gleed een wolk voor de zon, en in de hitte was een zuchtje wind te voelen. Hagar tilde haar hoofd op. Ze zag een engel, die zijn hand uitstrekte en riep: 'Waarom twijfel je, Hagar? Kijk toch achter je!' Hagar ging langzaam zitten en plotseling zag ze dat hier en daar een sprietje boven de zandige bodem uitstak, en daarginds, in dat dalletje,

groeide zowaar een groen struikje. De blaadjes waren wel erg klein, maar de vrouw, die met Abraham en de zijnen al door zoveel woestijnen getrokken had, herkende het: dit sprietje groen, deze blaadjes, het was een zeker teken dat hier in de buurt water was te vinden, een onderaards beekje, een bron of een waterput.

Hagar stond op en begon te zoeken, God wees haar de weg. Werkelijk, daar vóór haar lag een dalletje en tussen de struiken blonk het water van een put.

In minder dan geen tijd had Hagar de waterzak gevuld; voordat ze zelf nog een slok genomen had, liep zè terug naar Ismaël en gaf hem te drinken.

Zo werden ze beiden gered, moeder en zoon.

Spoedig daarna kwamen ze een karavaan tegen en sloten zich erbij aan. Deze trok het land Paran in. Daar bleven ze wonen en later trouwde Ismaël met een Egyptische vrouw. Hij werd een uitstekende jager en boogschutter.

Het offer van Abraham

Intussen groeide Isaäk op. Hij was de vreugde van zijn ouders, die heel veel van hem hielden. Als Abraham zo voor zijn tent zat en keek hoe de jongen in de schaduw van de terpentijnboom speelde, of zijn moeder hielp, of alleen maar stil in het gras lag en voor zich heen droomde, deed het hart van de oude man vaak pijn, van pure liefde voor deze zoon, en dan hield hij zijn hand voor de ogen om maar niet te laten merken dat de tranen van ontroering hem in de ogen sprongen.

God wist dat ook. God zei bij zichzelf: 'Ik zal Abraham op de proef stellen, want dan zal hij weten van wie hij meer houdt - van Mij of van Isaäk.' Daarom verscheen God op een nacht aan Abraham en zei: 'Neem je zoon Isaäk en ga met hem een berg op in het land Moria. Daar moet je hem aan mij offeren.'

Bij het horen van deze woorden schrok Abraham zoals hij nog nooit in zijn leven geschrokken was. Hij wilde al antwoorden: 'Nee Heer, dat kunt U niet menen!' Maar nog voordat hij zijn mond open had gedaan, was de Heer verdwenen.

De oude man zat weer in het donker, en zijn hart deed hem pijn, alsof er gloeiende kolen in zijn borst waren. 'Was dat werkelijk de stem van

God die zopas sprak?' vroeg hij zich af. 'Dezelfde stem die mij bevolen had om uit het land van de Chaldeeën weg te trekken, die mij een land beloofd had en een zoon, dezelfde stem, die mij voorspeld had dat mijn nakomelingen zo talrijk zouden zijn als zandkorrels in de zee? Hoe zou deze voorspelling uit moeten komen als ik mijn enige zoon, waar ik zoveel van hou, met mijn eigen hand moet doden? Hoe kan ik dat nu doen, O God? O, heb toch medelijden!'

Zo sprak Abraham bij zichzelf die hele lange nacht; maar toen de morgen aanbrak stond hij op, verzamelde hout voor een brandoffer, maakte Isaäk en twee knechten wakker en zette zijn jongen op een ezel. Zo maakte hij zich klaar en twee dagen lang trokken ze het gebergte in.

Op de derde dag zagen ze de berg in het land Moria in de verte liggen. Het was dezelfde berg, waarop veel later Jeruzalem gebouwd zou worden en waar onze Here Jezus, de eigen zoon van God, voor onze zonden geofferd zou worden. Maar daar had Abraham nog geen vermoeden van. Hij zei tegen de knechten dat ze moesten blijven wachten, ook de ezel van Isaäk bleef achter. De jongen droeg het hout, Abraham nam het vuur en het mes. Langzaam beklommen ze de berg. Opeens vroeg Isaäk: 'Vader?' Abraham keerde zich om: 'Ja, wat is er, mijn zoon?'

Isaäk zei: 'We gaan toch een offer brengen? En', ging hij verder, 'we hebben hout en vuurstenen. Ook heeft u een mes meegenomen. Maar waar is het offerdier?'

En Abraham antwoordde met gesmoorde stem: 'Daar zal God zelf voor zorgen.'

Ze waren nu op de top van de berg aangekomen.

Isaäk zette de last neer en Abraham bracht de stenen bij elkaar waarvan ze een altaar bouwden. Toen bond hij Isaäks handen en voeten vast en legde hem op het altaar.

Isaäk bleef kalm en verweerde zich niet. Hoe had hij ook kunnen denken dat zijn lieve vader hem dit zou willen aandoen?

Isaäk zag dat het gezicht van zijn vader er bleek en verwrongen uitzag. Zweet en tranen liepen hem over zijn wangen.

Abraham haalde nu het mes tussen de plooien van zijn mantel vandaan. Maar op datzelfde ogenblik ging de hemel open; het was alsof het firmament met een donderslag in tweeën was gescheurd - en een stralend licht viel naar beneden. Het was een engel, die Abraham riep: 'Niet doen! Doe de jongen geen kwaad! Want nu weet ik dat je God liefhebt, ja zelfs nog meer dan je eigen zoon.' Abraham viel op de knieën. Nu klonken er ontelbare jubelende stemmen: 'Gezegend zijt gij, Abraham! Gezegend zijn al de volken van de wereld!'

Maar Abraham lag op de grond, alsof hij dood was.

Isaäk had niet veel van dit alles begrepen. Hij had alleen maar een licht gezien en een onduidelijk geruis gehoord. Hij ging zitten en begon zijn handen en voeten los te maken. Maar ineens liet hij de touwen waarmee hij gebonden was los en riep: 'Kijk toch eens vader, kijk! Daar is het offer, waar God voor zorgen zou.'

Abraham tilde zijn hoofd op en ook hij zag, dat er iets in de doornstruiken vlakbij, bewoog. Een jonge ram spartelde daarin, hij zat met zijn horens in de doornen verward en kon niet meer loskomen.

Abraham stond op, pakte het dier en offerde het in plaats van Isaäk. Daarna ging hij met Isaäk naar zijn tent terug. Sara was blij hen weer te zien, ze had er geen vermoeden van wat er gebeurd was.

De wonderbaarlijke reis van Eliëzer

Toen Sara stierf, was ze honderdzevenentwintig jaar. Abraham was heel erg bedroefd. Hij kocht een mooi rotsgraf voor haar. In datzelfde graf zou ook hij eens begraven worden. Maar het was nog niet zover, dat God hem bij zich riep.

Isaäk was nu een volwassen man geworden; zijn vader vond het tijd worden dat zijn zoon zou gaan trouwen.

Maar het was moeilijk een bruid uit te kiezen. Welke vrouw zou goed genoeg zijn om na Sara de stammoeder van een volk te worden dat God had uitgekozen boven alle andere volken van de wereld? Dat moest wel een bijzonder meisje zijn. Een dochter uit de naaste omgeving kwam er niet voor in aanmerking, want het land waar Abraham met zijn kudden doortrok, werd door heidenen bewoond; en een heidens meisje wilde Abraham niet in zijn familie opnemen.

Maar waar woonden mensen, die net als Abraham en Isaäk in de ene ware God geloofden? Toen moest Abraham aan zijn familieleden in Ur der Chaldeeën denken. Helaas waren ook die mensen de vreemde goden gaan vereren. Maar ondanks dat, hoopte de oude man, dat onder de kleindochters van zijn broer een geschikt meisje voor Isaäk te vinden zou zijn. Daarom riep hij zijn knecht Eliëzer bij zich. 'Eliëzer, je hebt mij nu al zoveel jaar trouw en goed gediend, ik vertrouw je. Je moet tien kamelen nemen en naar het oosten trekken, naar het land van de Chaldeeën. Zoek daar mijn familieleden op en probeer daar een goede vrouw voor Isaäk te vinden.' 'Ach heer', zei Eliëzer, 'dat is een moeilijke opdracht. Kan Isaäk daar niet zelf heen trekken om een vrouw te zoeken?'

Abraham boog zich naar Eliëzer en zei: 'Luister, Eliëzer! Dat wil ik juist niet. Ik wil niet hebben dat Isaäk in het land komt waar men de zon en de maan als goden vereert. Beloof me dat je Isaäk nooit zult toestaan om naar het land van de Chaldeeën te gaan.' Eliëzer beloofde het. Hij maakte zich klaar voor de lange reis en ging op weg naar Haran, dwars door de steppen en woestijnen. Want in Haran waren de familieleden van Abraham jaren geleden gaan wonen. Maar - woonden ze daar nog steeds? Dat was de vraag. Nóg een vraag was, of er onder de dochters van de familie, wanneer hij die zou vinden, de ware vrouw voor Isaäk zou zijn. En als hij haar aantrof, zou zij dan wel met Eliëzer willen meegaan naar zo'n ver land om met een neef te trouwen, die ze helemaal niet kende?

Veel vragen en evenzovele zorgen voor de trouwe knecht, die de opdracht van zijn meester zo goed mogelijk wilde volbrengen.

Eindelijk kwam hij in Haran aan. Even buiten de stad was een waterput diep in de rotsen uitgehouwen. Een paar steile treden leidden naar het water. Omdat het al avond was, kwamen de vrouwen van alle kanten met hun kruiken om water uit de put te scheppen. Eliëzer liet zich van zijn kameel glijden en bad: 'Here, God van mijn heer Abraham, laat het zó zijn, dat de vrouw die op mijn vraag: geef mij wat water, niet alleen mij, maar ook mijn dieren te drinken geeft, de vrouw is die ik zoek!'

Een gewaagde onderneming! Want welk meisje durft een vreemdeling zoveel vriendelijkheid te bewijzen? En als er al één zo moedig en vriendelijk zou zijn, hoe kon Eliëzer er dan zeker van zijn dat ze iemand was uit de familie van zijn meester en dan ook nog de juiste vrouw voor Isaäk? Eliëzer liep nu naar de rand van de waterput. Juist op dat ogenblik klom een jong, mooi meisje de treden op. Ze zag er voornaam uit en droeg de gevulde kruik trots en zeker op haar hoofd.

Eliëzer sprak haar aan en zei: 'Wilt u zo goed zijn om mij wat te drinken te geven?'

Het meisje schrok even, want het was niet de gewoonte dat een vreemdeling een jong meisje aansprak.

Maar toen zij zag dat Eliëzer een oude man was, moe en stoffig van de lange reis, reikte ze hem de kruik onmiddellijk aan en zei: 'Natuurlijk. Drinkt u maar!'

Eliëzer kon bijna niet drinken van opwinding. Terwijl hij de kruik nog aan zijn lippen had, zei het meisje: 'En dit zijn zeker uw kamelen?'

'Ja', knikte Eliëzer.

'Die zal ik óók te drinken geven', zei ze, en meteen daalde ze weer af in de put om met een kruik water te scheppen, bracht het bij de drinkbak en goot het erin. De kamelen dronken, en het meisje ging nog voor een tweede en derde keer, totdat de drinkbak vol was en de dieren genoeg hadden.

Eliëzer zette de kruik voorzichtig neer op de rand van de waterput en vroeg: 'Wie ben je? Waarom ben je zo goed voor mij geweest om niet alleen mij, maar ook mijn rijdieren water te geven?'

Zij antwoordde: 'Ik ben Rebekka, de dochter van Betuël, de kleindochter van Nachor.'

'Nachor?' riep Eliëzer. Het had niet veel gescheeld of hij had het meisje in zijn armen genomen en gekust. Want Nachor was de naam van de broer van Abraham. Hoe vaak had Abraham over hem gesproken. Dus dit meisje was een achternichtje van zijn meester! Eliëzer deed vlug de leren reiszak open, haalde er een ring en twee prachtige armbanden uit en gaf die aan haar. O, wat was Rebekka daar blij mee!

Toen ging Eliëzer met haar mee, naar Haran. Ook zijn knechten en kamelen nam hij mee naar de stad. Zij werden allemaal vriendelijk ontvangen in het huis van Betuël.

Maar nog voordat Eliëzer aan tafel ging om de maaltijd te gebruiken, wilde hij vertellen waarom hij gekomen was. Hij bracht het verzoek van zijn meester over en vroeg of de mooie Rebekka met Isaäk zou mogen trouwen. Rebekka en haar ouders waren heel verbaasd over dit onverwachte aanzoek.

Eliëzer vertelde dat Isaäk een knappe en goede man was. Ja, dat was hij inderdaad! Hij beschreef het land, waarin zijn kudden graasden. En hij sprak over de rijkdommen van Abraham en vertelde dat Abraham een heel aanzienlijk man was. Om te bewijzen dat hij de waarheid sprak, maakte hij zijn bagage open en liet de geschenken zien die hij had meegebracht: gouden sieraden en kostbare kleden.

Betuël en zijn vrouw aarzelden nog steeds: zouden zij het huwelijksaanzoek aannemen? Maar de broer van Rebekka, Laban, zei: 'Doe het toch!' Want de rijke geschenken lokten hem wel aan, hij keek er begerig naar.

De ouders keken het meisje aan en vroegen haar: 'Wil jij met je neef Isaäk trouwen?' Rebekka bloosde en keek naar de grond. Maar toen zei ze moedig en met een allerliefste lach: 'Ja, dat wil ik wel!'

De volgende morgen al ging Eliëzer weer weg. Met de bruid voor Isaäk. Ze verlieten de stad Haran en trokken dwars door woestijnen en over steppen naar het land Kanaän.

De tweeling

Nu was Rebekka de vrouw van Isaäk. Zij was ook de juiste vrouw voor hem. Hij had haar lief gekregen. En hij vergat zijn verdriet om zijn moeder Sara. Net als zijn vader was hij diep bedroefd geweest toen zij stierf.

Abraham leefde nog steeds. Hij was nu honderdzeventig jaar. Ernstig, rustig en geduldig wachtte hij op zijn dood. Nog één keer zegende hij zijn gezin en dankte God voor al het goede dat Hij hem gegeven had.

Toen sloot hij zijn ogen en sliep vredig in.

Nu was hij er niet meer, de indrukwekkende, oude man. Hij was thuisgekomen bij zijn Vader.

Hij liet een rijk erfdeel na, veel prachtige kudden en kisten vol kostbaarheden. Maar het allerheerlijkste van deze erfenis was wel het geloof in de Ene, Almachtige God, die zulke wondermooie dingèn beloofd had. Want wat had God aan Abraham gezegd in die stralende sterrennacht? 'Ik sluit een verbond met je, en het hele mensengeslacht zal in jouw nakomelingen gezegend zijn.' Ja, dat was werkelijk een groot en wonderlijk woord.

Isaäk en Rebekka verlangden er hevig naar om kinderen te krijgen aan wie ze deze belofte weer zouden kunnen doorgeven.

Spoedig was het zover. Ze kregen een tweeling, twee jongens.

Bij de geboorte gebeurde er iets bijzonders. Het kind dat het laatst werd geboren, hield de hiel van zijn broertje, dat hem vóór ging, stevig vast. Daarom gaf men hem de naam Jakob, dat betekent: hij houdt de hiel vast. De broers leken helemaal niet op elkaar, hoewel tweelingen meestal veel van elkaar weg hebben, zodat zelfs de ouders soms goed moeten kijken om het onderscheid te zien. Maar het was onmogelijk dat je deze twee met elkaar zou kunnen verwisselen. Esau, de eerstgeborene, was in de wieg al een onhandelbaar kind, hij trapte steeds de doeken los waarin hij gewikkeld was en werd rood van kwaadheid als hij zijn zin niet kreeg. De jongste was veel kalmer en rustiger dan zijn broer. Het opvallendste verschil was wel dat Esau al vroeg behaard was. De huid van Jakob was daartegenover juist zacht en glad. Je kon bijna niet zien dat deze tweeling broers waren.

Veel mensen vonden dat Esau op zijn oom Ismaël leek, die in het land Paran woonde en als een goede jager bekend stond, terwijl Jakob volkomen het evenbeeld van zijn vader was.

Merkwaardig was dat Isaäk juist voor zijn ruigbehaarde zoon een bijzondere voorliefde had. Misschien kwam het omdat Esau een uur ouder was, en dus - zoals in die tijd de gewoonte was - het meest zou delen in de zegen van zijn vader. Rebekka hield juist veel meer van de jongste, van Jakob. Zij verwende hem een beetje, misschien wel omdat hij zo stil en onopvallend was. Terwijl Esau buiten met de andere kinderen stoeide, zat de kleine Jakob bij haar. Hij vond het fijn als er voor hem gezongen werd of als er sprookjes werden verteld; al vlug kon hij die nabrabbelen in zijn kindertaaltje. Het was een pienter kind. Hij merkte alles op en al vroeg dacht hij zelf over veel dingen na. Esau niet, die was alleen maar gelukkig als hij in het vrije veld rond kon zwerven. Al heel jong leerde hij met pijl en boog omgaan. Dit vond zijn vader erg prettig. Want Isaäk was al een poos zelf niet meer in staat om op jacht te gaan en nu kon Esau erop uit trekken om wild te schieten. Isaäk werd al oud, hij had slechte ogen en werd langzamerhand blind.

Het eerstgeboorterecht

Op een dag kwam Esau weer van de jacht thuis. Hij had honger als een paard. Al uit de verte rook hij de geur van een kostelijk gerecht. Het was linzensoep. Het water liep Esau in de mond.

Jakob had net een kom volgeschept en wilde er eens lekker van gaan smullen. Maar daar stormde Esau naar binnen en riep: 'O, wat heb ik een ontzettende honger, geef me wat te eten!'

Jakob lachte om de onstuimigheid van zijn broer. 'Dat is mijn soep', zei hij. 'Jij moet nog even geduld hebben tot die van jou klaar is, alleen' - voegde Jakob er voor de grap aan toe, want hij wilde Esau een beetje plagen - 'alleen als jij mij je eerstgeboorterecht verkoopt, kun je mijn linzensoep krijgen.'

Het was, zoals we al zeiden, als grap bedoeld, en Jakob had er in de verste verte niet aan gedacht dat Esau zo'n belangrijke, ja, zo'n heilige zaak als het eerstgeboorterecht, voor een kom linzensoep zou verkopen.

Maar het ongelofelijke gebeurde. Esau zei: 'Wat kan mij dat eerstgeboorterecht schelen! Jij mag het hebben! Geef mij dan die soep maar!'

Jakobs adem stokte. 'Pas op!' zei hij langzaam. 'Ik hou je aan je woord! Zweer het mij!'

Maar Esau zat al met zijn neus boven de linzensoep en begon er smakkend van te eten.

Jakob vertelde tegen zijn moeder wat er gebeurd was. Ook zij schudde haar hoofd over de lichtzinnigheid van Esau. Wat zou vader Abraham wel van deze kleinzoon gezegd hebben? Ze ging naar Isaäk om het te vertellen. Maar Isaäk wilde dat handeltje tussen de broers niet voor ernstig nemen. Zoiets was toch ál te gek! Nee, Esau was de oudste en moest het blijven. Hij hield van deze zoon zoals die was: ruig en onstuimig, maar een eerlijke kerel!

Enige tijd later werd Isaäk erg ziek. Hij dacht dat hij nu wel spoedig zou moeten sterven.

Hij riep Esau bij zich en zei: 'Hoor eens, mijn beste jongen, ik heb trek in een lekker stuk wildbraad. Ga naar het veld en schiet een bokje of een hert. Maak dan voor mij een smakelijk gerecht klaar zoals je dat zo vaak hebt gedaan. Want niemand kan het wildbraad beter klaarmaken dan jij. Als ik dan gegeten heb, zal ik je mijn zegen geven.'

'Dat zal ik meteen doen', antwoordde Esau vrolijk. Hij hing zijn boog om zijn schouder, pakte de pijlenkoker en trok erop uit.

Rebekka had het gesprek afgeluisterd. Ze maakte zich zorgen. Ze hield van haar zoon Esau, maar van Jakob hield ze nog veel meer. Al haar hoop was op hem gevestigd. Hij was verstandig, hij was knap en - wat nog belangrijker was - hij was vroom. Hij was een echte kleinzoon van Abraham. Hij kon de erfenis beter beheren dan Esau, die toch alleen maar aan jagen en lekker eten dacht. Esau geloofde ook wel in de ene almachtige God, maar bekommerde zich niet veel om offers en gebeden. Hij was ook al met een heidense vrouw getrouwd. Zijn moeder had hier erg veel verdriet van. Nee, deze ruige zoon was niet in staat om de geheimzinnige beloften van God met de zegen van zijn vader te erven. Jakob evenwel was daar de juiste man voor. Hij zou luisteren naar de stem van God en proberen om naar zijn heilige wil te leven. Hij had recht op het erfgoed van Abraham!

Zo dacht Rebekka erover, de wijze en dappere moeder. Er was haar immers al vóór de geboorte van haar beide zoons voorspeld dat de jongste zou heersen over de oudste? Zij moest zorgen dat die voorspelling uitkwam.

Stilletjes glipte ze de tent van haar man uit en ging Jakob zoeken. 'Luister eens, mijn zoon', zei ze, 'zojuist heeft je vader aan je broer Esau gevraagd om wildbraad voor hem klaar te maken. Wanneer hij het opgegeten heeft, zal hij je broer zijn zegen geven, de zegen die alleen de eerstgeborene krijgen kan. Maar dat moet niet gebeuren.'

'Hoe zult u dat kunnen verhinderen, moeder?' vroeg Jakob.

'Ik heb al een plan bedacht', ging Rebekka fluisterend verder. 'Maar wij moeten voortmaken. Esau is net op jacht gegaan, hij zal niet lang wegblijven. Haal daarom vlug twee geitebokjes van het veld, dan zal ik daarvan een heerlijk wildbraadgerecht bereiden. Je weet dat ik die kunst versta, het komt er maar op aan dat je de juiste kruiden gebruikt. Dit vlees zullen we dan naar je vader brengen, dan doen we alsof dit het wildbraad is dat Esau zou klaarmaken. Als hij gegeten heeft, kniel dan voor zijn bed en laat je door hem zegenen.'

Jakob schudde zijn hoofd en antwoordde: 'Lieve moeder, u meent het goed. Maar uw raad is gevaarlijk. Want wanneer vader het bedrog merkt, zal hij erg boos zijn.'

'Hij zál het niet merken', zei Rebekka.

'Hij zal het zéker merken', antwoordde Jakob en strekte zijn armen uit. 'Kijk eens naar mijn armen. Ze zijn glad, maar de armen van Esau zijn behaard, en als vader mij aanraakt...'

Rebekka riep ongeduldig: 'Wat staan we hier nog te kletsen? Laat me nu mijn gang maar gaan, ik weet wel wat ik doen moet.'

Jakob gaf toe en ging naar het veld om beide dieren te halen. Rebekka slachtte ze zelf, stroopte de huid er vlug af, nam de beste stukken vlees, wreef ze in met kruiden en stak ze aan het braadspit. Jakob keek toe en wachtte af wat voor plan zijn moeder had. Ook hij verlangde ernaar om de zegen van de vader, de gróte zegen, waar alleen de eerstgeborene recht op had, te mogen ontvangen.

Maar hij kon zich nog niet voorstellen hoe het hem lukken zou de zegen te krijgen inplaats van Esau. Nu zag hij wat Rebekka van plan was. Terwijl het vlees stond te braden, nam Rebekka de huid van de bokjes en deed ze om zijn armen en zijn hals. Ze naaide ze stevig vast. Ook liet ze hem de kleren van Esau aantrekken. De geur daarvan zou de blinde vader misleiden. Daarna deed ze het vlees op een schotel, vulde een beker met wijn en gaf dit alles aan Jakob. 'Ga nu', zei ze, 'en speel je rol!'

Jakob aarzelde nog steeds. Maar zij duwde hem met kracht de tent van

zijn vader binnen. Het was er schemerig, bijna donker. Jakob zag heel vaag dat vader Isaäk overeind kwam in zijn bed. Hij lag met zijn gezicht naar de wand van de tent gekeerd. Hij ademde moeilijk. 'Vader', zei Jakob langzaam, en als vanzelf veranderde hij zijn stem, zodat deze even dof en zwaar klonk als de stem van Esau.

'Ben jij het, Esau?'

'Ik ben het en ik breng u uw maaltijd.'

'Nu al?' vroeg Isaäk en hij kwam helemaal overeind.

'Ik dacht, dat je pas tegen de avond zou komen. Heb je zó vlug een stuk wild kunnen schieten?' Jakob beet zich op de lippen, want wat schaamde hij zich nu.

'Zet het maar bij mij neer', zei Isaäk, 'en laat mij proeven.' Toen herhaalde hij nog eens: 'Wat heb je al vlug een stuk wild gevonden, Esau, hoe heb je dat toch voor elkaar gekregen?'

Jakob had wel door de grond willen zakken, maar hij antwoordde: 'De Heer bracht het op mijn weg.'

Ondertussen was Isaäk gaan eten. Het smaakte hem goed. Hij nam van het vlees, ook dronk hij de beker wijn leeg.

Jakob keek naar hem terwijl hij aan het eten was. Zijn hart klopte snel. Eén keer sprak hij zonder erbij te denken met zijn eigen stem...

Toen zei de blinde man: 'Hoe komt het, dat je net zoals Jakob spreekt? Kom hier en laat mij voelen of je werkelijk Esau bent.' Er ging een rilling door Jakob heen. Hij dacht: 'Nu is alles verloren.' Hij strekte zijn armen die in de dierehuiden gestoken waren naar zijn vader uit, en boog zijn hoofd. De hand van zijn vader streek over zijn hals, die eveneens met het behaarde vel van een bokje bedekt was.

Liefdevol bleef Isaäks hand op het hoofd van zijn zoon rusten. Jakob sloot de ogen en verborg het hoofd in zijn behaarde handen. Zo luisterde hij naar wat zijn vader zei: 'Mijn lieve zoon, aan jou zal God vruchtbare akkers geven, vruchtbaar gemaakt door de dauw van de hemel. Hij zal je al het goede van de aarde schenken, ja alles zal God je in overvloed geven! En volken zullen je dienen. Ook je broer zal jou dienen. Vervloekt zijn zij, die jou vervloeken. Gezegend zijn zij, die jou zegenen. Ga nu, mijn eerstgeboren zoon, mijn erfgenaam! De Heer zal met je zijn!'

Badend in het zweet wankelde Jakob de tent uit. Buiten stond Rebekka hem op te wachten. Zwijgend sloot zij hem in haar armen.

Terwijl ze daar beiden nog zo stonden - de moeder en de zoon - Jakob met de dierevellen nog om zijn armen en handen, kwam Esau vanachter de heuvel te voorschijn. Hij liep flink door, de bekwame jager. Op zijn rug droeg hij een geschoten hert.

Rebekka en Jakob vluchtten achter de tenten. Jakob rukte de dierevellen van zijn handen. Toen luisterden ze. Ze hoorden hoe Esau begon met het afstropen van de huid van het hert en het dier vervolgens in stukken sneed. Al vlug zat hij voor het vuur een lendestuk te roosteren boven de vlammen.

Dat was de maaltijd, die hij voor zijn vader klaarmaakte.

Hij deed het met zorg, geen moeite was hem te veel. Terwijl hij zo bezig was, floot hij een vrolijk lied.

Eindelijk was hij klaar en ging naar binnen om zijn vader het wildbraad te brengen en de gróte zegen te ontvangen.

Rebekka en Jakob beefden toen zij in de tent een hevige kreet hoorden. Esau schreeuwde als een gewond dier. Ook hoorden ze de klagende en gebroken stem van Isaäk. En daar kwam Esau al naar buiten gestormd, zijn gezicht was rood van woede en zijn haren stonden verwilderd over-eind. Hij vloog op Jakob af en riep snikkend van woede: 'Daar ben je dus, jij dief, jij verrader! Jij hebt mij de zegen ontstolen!' Hij wilde Jakob grijpen en hem wurgen, maar Rebekka sprong tussen hen in. 'Hou op, Esau, laat dat! Heb jij hem niet je eerstgeboorterecht verkocht? Wat hij gedaan heeft, heeft hij gedaan omdat ik het wilde. Ik heb hem die raad gegeven. Ik alleen draag de schuld.'

Maar Esau hield Jakob bij zijn nek vast en schudde hem heen en weer. Toen riep de moeder: 'Esau, mijn zoon, je vader kan ook jou nog zegenen. Ga naar binnen en vraag het hem!'

Esau's ogen lichtten op. Hij wankelde de tent van Isaäk in en knielde snikkend als een kleine jongen voor het bed van zijn vader. 'Zegen ook mij, vader!', smeekte hij, 'zegen mij met dezelfde woorden als waarmee u Jakob hebt gezegend.'

Ook Isaäk weende, vervuld van verdriet om deze zoon die hem het liefst was, ondanks zijn wilde en ruwe manieren. 'Ach, mijn kind!' zei hij en streek Esau over de ruige haardos. 'Ik heb aan Jakob gezegd dat alle volken hem zullen dienen, dat zelfs zijn eigen broer hem zal dienen! Hoe kan ik dat nu terugnemen? Niettemin wil ik ook jou nog een goede zegen schenken, maar de gróte zegen, die de eerstgeborene toekomt, kan ik jou niet meer geven. Ook jou, Esau, zal het goed gaan op aarde. Ook jij zult gelukkig zijn. Maar jij zult je broer dienen en hem gehoorzaam zijn, daar-aan is niets meer te veranderen, hoe erg me dat ook spijt!'

Esau haatte nu zijn broer, zijn hart was vervuld van woede. Tenslotte kwam het zo ver, dat Isaäk en Rebekka bang waren dat Esau zijn broer zou willen doden. Daarom besloten ze samen Jakob een poosje weg te sturen. Maar waarheen?

Daar wist Isaäk wel iets op. 'Hij kan een vrouw gaan zoeken', zei hij. 'Het is nu tijd geworden dat hij trouwt. Het beste is als hij, net als Eliëzer lang geleden, naar jouw vaderland gaat. Wellicht vindt hij daar een meisje uit jouw familie, Rebekka, zoals Eliëzer jou gevonden heeft, alleen met dit verschil dat hij zélf een vrouw kan uitkiezen en haar ten huwelijk vragen.'

Rebekka vond dit een goed plan, al deed het haar pijn om van haar lieveling afscheid te nemen. Zo stuurden zij Jakob weg om de lange reis te gaan maken.

Jakob vindt Rachel

Jakob ging op weg, maar niet zoals Eliëzer; die had knechten, rijdieren en kostbaarheden bij zich. Hij zwierf te voet, helemaal alleen. Het enige wat hij bij zich had was een lege zak, want zijn ouders hadden niet gedurfd hem méér mee te geven. Ze waren bang voor Esau. Jakob vond dat niet zo heel erg, hij had immers de zegen van zijn vader gekregen en geloofde in de macht van die zegen.

Op een avond kwam hij bij een eenzame plaats, die Luz heette. Hoewel het er daar niet zo vriendelijk uitzag, ging hij er toch slapen. Hij bad, legde zijn hoofd op een platte rotssteen en sluimerde in. Hij droomde iets heel vreemds.

Het was alsof de hemel boven hem openging en vanaf de sterren werd er een ladder naar beneden gelaten. Het was geen gewone ladder van hout, maar het leek wel of ze geweven was van lichtstralen. Langs deze ladder gingen de engelen van God naar boven en naar beneden, eerst heel stil, maar wat hoorde Jakob daar? Het geluid van stemmen, er werd heel zacht gezongen. Het werd duidelijker. Tenslotte daverde het als de klanken van een orgel, en een stem zei: 'Ik ben de Heer, de God van Abraham, Ik zal je beschermen, waarheen je ook gaat. Ik zal je ook weer in dit land terugbrengen. Het land waarop je nu ligt, is van jou. Alles wat ik aan je grootvader Abraham beloofd heb, geldt ook voor jou. In jouw nakomelingen zullen alle volken gezegend worden.'

Met een schok zat Jakob overeind. De ladder was verdwenen, de stem was er niet meer, en toch wist hij: God heeft werkelijk tegen mij gesproken. Toen knielde hij en zei: 'Wat is dit voor een ontzagwekkende en heilige plaats? Hier is werkelijk de poort van de hemel.' Hij haalde de fles van zijn gordel, goot olie over de steen waarop zijn hoofd gelegen had en zei: 'Van nu af aan zal deze plaats Betel heten: Huis van God.'

Door deze gebeurtenis gesterkt en bemoedigd, trok Jakob verder.
Een week later naderde hij zijn doel, de stad Haran, waar zijn oom Laban
woonde. Hier waren uitgestrekte groene weiden. Jakob was blij dat het
einde nu in zicht was, want de tocht had hem uitgeput. Hij was er mager
van geworden. Zijn schoenen waren kapot en zijn kleren door de zon
verbleekt.
Toen hij bij de muren van de stad Haran wat om zich heen zat te kijken,
zag hij drie kudden schapen bij elkaar liggen. Daartussenin bevond zich
een grote ronde steen. Die steen lag op een waterput. Jakob vroeg zich af
waarom de schaapherders de steen niet van de put haalden, zodat ze de
dieren konden laten drinken om daarna weer verder te trekken. Daarom
ging hij naar hen toe en vroeg waarom ze hun tijd zo zaten te verknoeien.
Een van de herders zei: 'Waarom bemoei jij je met onze zaken? Wij

weten zelf wel wat we moeten doen.' Maar de tweede voegde eraan toe: 'Wij wachten nog op een vierde kudde. Dan zullen we de steen eraf rollen zodat alle dieren tegelijkertijd kunnen drinken.'

Juist op dat ogenblik was in de verte al een geblaat en hoefgetrappel te horen, en werkelijk, daar kwam de vierde kudde aan. Midden tussen de schapen liep een meisje, bijna nog een kind. Haar bruine haar was in vlechtjes gebonden en werd met rode linten bij elkaar gehouden. Zij had een lief gezicht, en haar ogen glansden als zwarte kersen.

'Wie is dat meisje?' vroeg Jakob aan de herders. Zij antwoordden: 'Dat is Rachel, de jongste dochter van Laban.'

Nu was ze al dichtbij. Ze keek vrolijk en huppelde meer dan dat ze liep. Ze klapte in haar handen en riep naar de herders: 'Wat mankeren jullie, luilakken die je bent? Is de steen nu nog niet van de waterput gehaald? Vooruit, schiet een beetje op!'

De mannen glimlachten, één van hen zei: 'Moet je die kleine toch eens horen! Is het geen brutaaltje?'

Jakob liep vlug naar de steen en rolde hem in zijn eentje van de put af, hoewel de steen erg zwaar was. Maar de aanblik van het lieve meisje maakte hem zo sterk als een beer. Rachel keek hem verbaasd en dankbaar aan. Jakob nam haar bij de hand en zei: 'Jij bent toch Rachel, mijn nichtje?'

'Nichtje?'

'Ja', riep Jakob. De tranen sprongen in zijn ogen en hij nam Rachel in zijn armen en kuste haar. 'Want ik ben Jakob, de zoon van Isaäk en Rebekka, de zuster van jouw vader.'

De lepe Laban

Jakob werd in het huis van Laban ontvangen, zoals eens Eliëzer in het huis van Betuël; toch was er één groot verschil. Want Eliëzer had voor de familie van zijn meester rijke geschenken meegenomen, maar Jakob kwam met lege handen.

Laban was verzot op geld en mooie dingen. Hij wilde de voorschriften van de gastvrijheid wel niet al te grof overtreden, maar toch vond hij het erg vreemd dat zijn neef platzak bij hem was komen aanlopen.

En toen Jakob na een paar weken zelfs durfde vragen of hij Rachel tot vrouw mocht hebben, keek Laban toch wel erg bedenkelijk. 'Je bent nu niet bepaald bescheiden', zei hij. 'Moet ik jou mijn kind geven, mijn mooie dochter Rachel? Ten eerste vind ik haar nog veel te jong, en ten tweede: wat kun jij mij aanbieden? Voor niets kan ik jou het meisje niet geven. Maar als je nu zeven jaar bij mij wilt werken om haar eerlijk te verdienen, vind ik het goed.'

'Zeven jaar!' riep Jakob geschrokken. 'Dat is een hele tijd.' En toch had hij zijn besluit al genomen, want hij had dat kleine vrolijke nichtje heel erg lief gekregen.

Jakob kwam dus bij Laban in dienst. Hij maakte zich er niet gemakkelijk van af. Geen werk was hem te zwaar, alles pakte hij aan. Laban was een rijk man, hij dreef ook handel, waarbij hij het vee en de oogst van het land van de kleinere boeren opkocht en naar de markt bracht. Zo was er altijd werk aan de winkel. Jakob deed zijn werk met overgave en was erg ijverig. Niemand had zoveel verstand van veeteelt als hij, niemand kon hogere prijzen maken voor het koren, de dadels en de vijgen. Alle winst die hij maakte, kwam in de zak van Laban terecht - en Laban werd door Jakob steeds rijker. Maar wat zou Jakob niet gedaan hebben om Rachel maar te krijgen? Iedere dag begon hij meer van haar te houden, en ook zij hield veel van haar neef, die later haar man zou worden.

Eindelijk waren de zeven jaren voorbij. De voorbereidingen voor de bruiloft werden gemaakt. De bruid zou een prachtige sluier dragen. Vijf meisjes hadden er een half jaar aan geweven en geborduurd, - Rachel zag met verlangen en blijdschap naar het uur uit, dat zij, gehuld in die mooie sluier, de vrouw van Jakob zou worden.

Maar alles zou heel anders lopen, want Laban, die lepe kerel, had een sluw plannetje bedacht.

Op een avond had hij tegen zijn vrouw gezegd: 'Nu zal Rachel, de jongste, gaan trouwen. Maar we hebben nog een oudere dochter, Lea. Zij heeft nog geen man. Geen wonder, want zij is lelijk, heeft altijd ont- stoken ogen en loenst een beetje. Het zou wel dom zijn als ik de mooiste weggaf en de lelijkste zou houden. Nee, dat doe ik niet. Eerst moet Lea een man hebben. Dan kunnen we later wel zien wat er met Rachel ge- beurt.'

En zo gebeurde het, dat op de dag waarop Jakob met Rachel dacht te trouwen, zijn lieve kleine Rachel in een donkere kamer opgesloten zat en huilde, terwijl Lea, het oudere, lelijke meisje, de prachtige sluier droeg. Jakob herkende haar niet, want van het hoofd tot aan de voeten was ze door de sluier omhuld; pas de volgende morgen ontdekte hij het bedrog. Nu maakte hij hetzelfde mee als Esau, toen deze merkte dat de zegen van zijn vader hem met opzet ontnomen was. Jakob was hevig van streek over de verwisseling en liep meteen naar Labans huis, trommelde met zijn vuisten op de deur en riep: 'Laban, Laban, doe open! Wat heb je

gedaan? Je hebt mij Lea gegeven, in plaats van Rachel - Lea, die ik nooit heb gewild. Om Rachel te krijgen, heb ik zeven jaar lang bij je gewerkt.' Laban deed niet dadelijk open. Toen zei hij wrevelig: 'Waarom jammer je zo? Wat heeft Lea gedaan, dat je haar zo beledigt?'
Jakob kon geen woord uitbrengen van verbazing, zó onbeschaamd vond hij dit antwoord. 'Maar', stamelde hij, 'ik wilde toch Rachel hebben?' 'Die kun je ook krijgen', antwoordde Laban, 'als je nóg eens zeven jaar bij mij werkt.'
Dat was een gemene streek. Maar wat moest Jakob doen? Hij werkte nóg eens zeven jaar voor Laban en toen kreeg hij ook eindelijk Rachel tot vrouw.

Jakob keert naar huis terug

Tot nu toe had Jakob zijn oom Laban trouw en eerlijk gediend. Omdat hij in de eerste zeven jaar Laban tot een vermogend iemand en een belangrijk zakenman gemaakt had, was er voor hem zelf haast niets overgebleven. Nu moest Jakob eens aan zichzelf gaan denken. Hij was niet van plan om zijn schoonvader te bedriegen, maar hij zorgde ervoor dat hij eigen kudden kreeg, en omdat hij een uitstekende boer was en in alle opzichten erg deskundig te werk ging, kon hij in de nu volgende jaren voor zichzelf een groot vermogen bijeenbrengen. Het was ook de hoogste tijd dat hij dat ging doen, want zijn gezin breidde zich steeds meer uit. Hij kreeg enkele zoons van Lea en na een tijd van verlangend wachten kreeg hij ook een zoontje van Rachel. Zij noemden hem Jozef.
Nu had hij elf zoons en één dochter, Dina. De namen van de zoons waren: Ruben, Simeon, Levi, Juda, Dan, Naftali, Gad, Assur, Issakar, Zebulon en tenslotte Jozef. Van Jozef hield de vader het meest, want hij leek op zijn moeder, de mooie Rachel, die nog net zo knap en lief was als vroeger.
Nu was Jakob al heel veel jaren in het land van de Chaldeeën. Hij was geen jonge man meer, maar had zijn vaderland, Kanaän, dat hem door God was beloofd, niet vergeten. Hij wilde er naar terugkeren. Misschien was de toorn van zijn broer intussen bekoeld. Misschien was er zelfs verzoening mogelijk. Jakob hoopte het. Dus maakte hij zich met zijn gezin reisvaardig om aan de lange tocht te beginnen.
Laban maakte zich vreselijk boos en wilde hem niet laten gaan. Maar Jakob liet zich door niets en niemand meer tegenhouden.

Hoe dichter ze bij de streek kwamen waar Esau woonde, des te banger werd Jakob, want hij was te weten gekomen, dat ook Esau intussen een machtig man geworden was, die er vast wel een stel gewapende knechten op na hield. Vandaar dat Jakob erg bezorgd was. Was het niet heel goed mogelijk dat Esau nog altijd kwaad op hem was? En zou de wraak die zijn wilde, roodharige broer hem gezworen had, niet onverbiddelijk zijn? Wraak - dat zou een gevecht betekenen, een gevecht met zwaarden, speren en messen! Hoe verschrikkelijk zou zo'n gevecht tussen twee broers zijn!

Nu had Jakob er al spijt van dat hij het land van de Chaldeeën verlaten had. Hij was niet laf, en als hij dan sterven moest - goed! Maar wat zou er met zijn gezin gebeuren? Met zijn kinderen, met Lea, met Rachel en met die lieve kleine Jozef? Die gedachten schoten door het hoofd van Jakob, want van Rachel en Jozef hield hij meer dan van zichzelf.

Terwijl hij zo dacht en peinsde, kwam hij op het idee knechten vooruit te sturen om zijn broer geschenken aan te bieden als teken van verzoening. Ja, dat zou hij doen, hij ging vlug naar zijn kudden en zocht de mooiste dieren uit. Hij gaf bevel, dat ze die naar Esau moesten brengen. Maar al spoedig hoorde hij, dat zijn broer hem met 400 gewapende mannen tegemoet kwam. Dat kon niet veel goeds betekenen. Jakob was zó bang en bezorgd, dat hij het niet meer in zijn tent uithield. Hij ging naar buiten. Het was al nacht. Jakob was nu helemaal alleen. Toen leek het alsof iemand hem bij zijn schouder vastgreep. Jakob draaide zich om. Hij zag niets. Maar hij voelde zich door twee sterke armen omkneld. Die armen probeerden hem tegen de grond te werpen. Jakob verzette zich en worstelde met de onzichtbare man. Het gevecht duurde lang, maar des te langer het duurde, zoveel te zekerder wist Jakob dat deze kracht waartegen hij vocht niet de afschuwelijke kracht van een boze geest was, maar de kracht van een engel, ja de kracht van God zelf. Toch wilde Jakob zich niet overgeven, want hij begreep dat God hem zijn bescherming en zegen niet zómaar geven kon, zoals men iets aan een kind geeft, maar dat hij, Jakob, daarvoor vechten en worstelen moest. Alleen door alles op alles te zetten, kon hij winnen; alleen door zich niet te ontzien en zich niet laf over te geven, kon hij de zegen verkrijgen van Hem die de Heer is over leven en dood.

De worsteling duurde de hele nacht.

Toen de morgen aanbrak, voelde Jakob zich uitgeput en de onbekende vroeg: 'Laat mij gaan, want de dag breekt aan!' Maar met zijn laatste krachten wierp Jakob zich op de geheimzinnige onzichtbare en riep: 'Nee, ik laat U niet gaan voordat U mij gezegend hebt!'

Toen zei Hij: 'Jakob, van nu af aan zul je Israël heten, dat betekent: 'Ik heb met de Heer geworsteld. Want jij hebt werkelijk met de Heer geworsteld en jij hebt niet verloren.'

Jakob viel op z'n knieën en riep: 'Wat? Heb ik met God zelf geworsteld? Wie bent U?'

En voor zijn ogen, die door het vroege licht van de ochtendzon verblind werden, verscheen een gezicht, een paar seconden maar, een stil, mooi gezicht. Om de mond speelde een milde, vriendelijke glimlach. 'Waarom vraag je, wie Ik ben? Je weet het toch. Je bent gezegend, Israël!'

Toen verdween het gezicht. Jakob lag op de grond, uitgeput en afgemat, en toch zo gelukkig als hij in zijn hele leven nog niet geweest was. Maar toen hij op wilde staan, merkte hij dat zijn heup verlamd was, hinkend ging hij naar het tentenkamp terug.

Daar was iedereen heel erg opgewonden, want aan de horizon zag men een stofwolk - daar kwam Esau aan met zijn soldaten.

Maar Jakob was nu niet bang meer, waarom zou hij ook? Hij ging zijn broer vlug tegemoet.

Deze had de geschenken ontvangen die Jakob hem gestuurd had, hij kon bijna niet geloven dat al die prachtige dieren nu van hem, Esau, waren. Ook hij had opgezien tegen deze ontmoeting met zijn broer. Kwam Jakob werkelijk wel met vredelievende bedoelingen? Esau was nog een beetje wantrouwend.

Maar toen hij daar zo stond en naar de karavaan van Jakob keek, die hem wat aarzelend tegemoet kwam, omdat men niet wist wat Esau zou doen, zag Esau een man zich uit de groep losmaken en naderbij komen. Hij kwam hem bekend voor. Het was eerder een tengere dan een sterke man. Hij had een lange, dunne, al een wat grijzende baard. Hij liep een beetje mank en zag er bleek en verzwakt uit. Zou dat Jakob zijn, de broer, de tweelingbroer, de speelkameraad uit de langvervlogen kinderjaren? Ja, hij was het, Jakob, zijn broer!

De haat, die Esau's hart zoveel jaren vervuld had, viel nu plotseling weg. Hij liep Jakob tegemoet. Ze omhelsden elkaar en huilden van blijdschap en ontroering.

Jozef en zijn broers

Nu leek alles weer goed. Jakob en Esau hadden zich verzoend en besloten in vrede naast elkaar te leven, al was het dan niet direct in hetzelfde land of in dezelfde streek.

Spoedig had Jakob nieuwe zorgen: Rachel verwachtte weer een kind en het ging niet zo goed met haar. Ze voelde, dat ze niet lang meer leven zou... 'Bedankt Jakob', zei ze, 'bedankt voor alles! Ik voel dat ik hier niet lang meer zal zijn. Je bent altijd een goede man voor mij geweest. Herinner je je nog hoe wij elkaar die eerste keer ontmoetten? Toen had je die zware steen van de waterput afgerold. Nu zul je al vlug een steen voor mijn graf moeten rollen. Maar het kindje dat ik verwacht, zal leven, ik voel het. Daarom zal ik rustig sterven.'

Deze woorden deden Jakob verdriet. 'Zó moet je niet praten', smeekte hij, 'hoe kan ik nu leven zonder jou?' Maar Rachel had gelijk. Zij bracht een jongetje ter wereld, de twaalfde zoon van Jakob, daarna stierf ze. Het jongetje werd Benjamin genoemd.

Nu was Jakob alleen. Wat voelde hij zich eenzaam nu zijn geliefde Rachel niet meer bij hem was. Al zijn liefde gaf hij aan zijn zoon Jozef, die steeds meer op zijn moeder ging lijken. Jozef was een bijzonder schrandere en begaafde jongen. Zijn vader beleefde veel vreugde aan hem. Met de zoons van Lea had hij echter nog al eens moeilijkheden. Jakob was een vroom man, die precies wist, wat God van hem en van zijn nakomelingen verwachtte. Het hele mensengeslacht zou in hen gezegend worden. Dat betekende iets geweldigs, het was niet in woorden uit te drukken! Maar... ook betekende het, dat Jakob en zijn zoons God op een bijzondere manier moesten dienen.

Maar de tien oudere zoons begrepen van deze eervolle en heilige belofte maar heel weinig. Het waren vrolijke, sterke kerels, die voor wat Jacob hun leerde maar weinig aandacht hadden. Als hij iets tegen hen zei, vond hij niet het minste gehoor. Ze wilden liever jagen en strikken zetten, bij de kudden ravotten en ook gingen ze soms met de Kanaänieten uit de buurt op de vuist. Alleen Jozef luisterde altijd aandachtig naar zijn vader, en wanneer deze ophield met vertellen, vroeg hij zelfs: 'Ga toch verder, vader, dan zal ik net zo wijs en vroom worden als u bent.' Dat ontroerde Jakob en al zijn hoop was op Jozef gevestigd.

Op een dag gaf hij hem een prachtige mantel cadeau. De broers waren erg jaloers. Ze ergerden zich aan dat kleine broertje, dat zo duidelijk de voorkeur genoot van zijn vader. Dat ze hier zelf de schuld van waren, daaraan dachten ze niet.

Ja, Jozef was schrander. Maar zó schrander was hij nu ook weer niet, dat hij ervoor terug schrok, zijn broers goed te laten merken dat hij het lievelingetje van zijn vader was. En toen hij op een dag erop uit werd gestuurd om de broers een boodschap te brengen, kwam hij op het idee, de mooie bontgekleurde mantel aan te trekken, die hij eerst alleen op feestdagen gedragen had. Zo kwam hij, uitgedost als een prins, bij zijn broers op de akker pronken, die juist bezig waren met het maaien van het koren en zich behoorlijk in het zweet werkten.

'Kijk die gek eens!', zei er één toen Jozef er aankwam. Een ander riep: 'Ik zou me schamen als ik jou was, praalhans die je bent!'

Maar Jozef stak zijn neus trots in de wind en zei: 'Zijn jullie boos op mij? Kan ik het helpen dat vader mij die mantel heeft gegeven, omdat ik de enige ben die naar hem luistert als hij tegen ons spreekt? Jullie hebben altijd andere dingen aan je hoofd, minder belangrijke dingen waarschijnlijk, omdat jullie te dom zijn om dieper na te denken?'

'Durf dat nog eens te zeggen!' riep de sterke Ruben en hij kwam op de jongen toelopen, 'dan zal ik je eens wat laten zien, jij brutale vlegel!'

Jozef deed een stap terug. Maar toen hij zag, dat de broers weer verder gingen met het maaien van het koren, riep hij: 'Ik moet ineens aan iets denken. Ik heb pas gedroomd en die droom moet ik jullie vertellen!'

'Al dat onnozele gedoe', zei Juda, 'we willen geen dromen horen.'

Maar Jozef ging verder: Ik droomde, dat ik met jullie op het veld was, we maaiden het koren en bonden het in schoven.'

'Een mooie droom', grapte Zebulon, 'alsof jij ons ooit hebt geholpen met het werk. Je hangt immers altijd maar thuis rond, jij bent veel te voornaam om je ook eens in te spannen!'

'Dat is waar!' vielen de anderen hem bij, maar Jozef liet zich niet van de wijs brengen.

'Nee, luister nu eens naar mij! We waren dus op het veld - twaalf maaiers - en wij bonden twaalf schoven bij elkaar. Mijn schoof stond in het midden, en die van jullie stonden er in een kring omheen. En wat denken jullie dat er toen gebeurde?'

De broers waren met hun werk opgehouden en keken allemaal naar Jozef. Het vleide hem, dat ze nu zoveel aandacht voor hem hadden, daarom ging hij opgewekt en argeloos verder: 'Ja, wat gebeurde er? Jullie schoven bogen voor mijn schoof, ze bogen tot op de grond, alleen mijn schoof stond rechtop.'

'Was dat alles?' vroeg Ruben. Zijn gezicht was vuurrood. Jozef schrok. Hij voelde dat de broers woedend waren.

'En wat betekent deze droom dan?' vroeg de oudste weer.

'Zoek dat zelf maar uit!' riep Jozef en hij wilde weggaan.

Maar Ruben had hem al gegrepen. Hij had Jozef met zijn grote vuist in het nekvel gepakt en tilde hem op als een jonge hond. Ook Juda en de andere acht broers waren naar hem toegekomen.

Juda zei: 'Zó gemakkelijk kom je er niet van af, jongetje. Je hebt ons de droom verteld, nu moet je hem ook uitleggen.' En toen Jozef zweeg, ging hij verder: 'Betekent deze droom soms dat jij onze meester zult zijn?' Jozef antwoordde - hij antwoordde erg verstandig, maar toch was dit het domste wat hij tegen de verbitterde broers kon zeggen - : 'Nee, deze droom betekent niet, dat ik jullie meester zál zijn. Geloof me, dat is niet aan de orde. De droom betekent veel eerder dat ik jullie meester al bén, het spijt me om dat te moeten zeggen.'

Een kreet van woede steeg op uit tien kelen. Ruben liet Jozef los, maar meteen werd hij door een dozijn andere vuisten vastgepakt, de veelkleurige mantel werd hem afgerukt en vol ontzetting merkte Jozef dat hij opgetild en meegesleept en - o verschrikkelijk - naar de dichtstbijzijnde put gesleurd werd, die, zoals hij wist, heel diep was.

'Erin jij!' riep Ruben. 'Je gaat erin!' brulde Juda. 'Daar beneden kun je nadenken over wat jouw dromen te betekenen hebben.' En ze lieten hem vallen. Gelukkig was er geen water in de put, alleen maar een hoop vuil en modder. Jozef viel met zijn hoofd voorover in het vuil en had al zijn kracht nodig om weer overeind te komen. Ach, dat was een bitter ontwaken uit alle dromen en fantasieën! Nu zat hij in de diepe put en hoorde hoe de broers over hem beraadslaagden.

De woeste Issakar, de driftige Dan en de schele Gad wilden hem doden. Ruben was het daar niet mee eens. Hij vond, dat dit te ver ging. Juda dacht er ook zo over. Maar allemaal waren ze het wél met elkaar eens dat ze Jozef niet meer in hun midden konden hebben. Hij stal van hen de liefde van hun vader, misschien nam hij hun ook de erfenis nog wel af - daar zou hij voor boeten!

Jozef wordt verkocht

Jozef zat nu al een paar uur in de donkere put. Het leek alsof hij levend begraven was. 'Ach', dacht hij, 'wat heb ik gedaan? Waarom moest ik mijn broers zo tergen? Wat zouden ze nu met mij gaan doen? Hoe kom ik hieruit?'

Toen hoorde hij het gestamp van kamelen, vreemde stemmen en hondegeblaf, een onbekende Ismaëlitische man boog zich over de rand van de put en riep: 'Juist! Daar zit hij!'

Jozef was erg verbaasd, zijn verbazing werd nog groter, toen de vreemdeling een touw naar beneden liet zakken en hem uit de put hielp klimmen. Hij slingerde zich omhoog en was blij het daglicht weer te zien. Toen zag hij, dat er nog meer Ismaëlieten waren, ja een hele karavaan had zich bij de put verzameld. Jozef wilde zijn redder al hartelijk bedanken; maar deze scheen helemaal geen dank te verwachten. Hij pakte ook het touw niet aan waarmee hij Jozef uit de put gehaald had, maar sloeg dit een paar keer om Jozefs middel en maakte het vast aan het zadel van zijn kameel. Dat was toch te gek! Jozef keek zijn broers aan. Ja, ook zij waren daar en onderhandelden met de vreemde kooplui.

Ze kibbelden blijkbaar om de prijs. Jozef begreep het nog steeds niet. Wat wilden zijn broers dan verkopen? Toch niet het koren van vader? Of een deel van de kudde? Maar eindelijk begreep hij het: nee, hij, Jozef, werd zojuist als een stuk vee verkwanseld; hijzelf werd door zijn broers verkocht. Dat kon toch niet mogelijk zijn! Jozef huilde, maar niemand bekommerde zich om hem. Ruben was weggegaan, Juda keerde hem

de rug toe, alleen Zebulon grijnsde naar hem.

Twintig zilverstukken telden de Ismaëlieten op de rand van de put neer. Daarna beklommen ze hun kamelen. Ook de man die Jozef aan het zadel van zijn kameel had vastgemaakt, klom op zijn dier. Nog één keer probeerde Jozef naar zijn broers te roepen: 'Help, heb toch medelijden met mij!', toen spande het touw zich en trok hem mee. Hij moest achter de kameel van de Ismaëliet aanlopen, of hij wilde of niet. Met grote snelheid ging het vooruit. Weg van de akkers van Jakob, steeds verder naar het zuiden, door vlakten en woestijnen heen naar Egypte toe.

Jakobs verdriet

De broers keken de karavaan na, zolang die te zien was. Nu was hij weg, dat broertje van hen, die opschepper, die vlegel, vaders lieveling. Nu konden ze weer vrij ademen: niemand zou Jakobs liefde en erfenis meer kunnen opeisen. Nu konden ze blij zijn.

Maar wáren ze wel echt blij?

Nee. Er gebeurde iets merkwaardigs. Niemand van de broers wilde de twintig zilverstukken bij zich steken, die de Ismaëlieten voor Jozef gegeven hadden. Plotseling kregen ze het benauwd: ze moesten nu naar huis om zich voor vader te verantwoorden. Wat zouden ze zeggen, als hij vroeg: 'Waar hebben jullie je broer Jozef gelaten?'

Ze konden immers niet zeggen: 'We hebben hem als slaaf verkocht.' Nee, dat nooit! Dus moesten ze een leugen bedenken. Die zouden zij aan hun vader vertellen. Issakar wist iets: 'We kunnen zeggen: een wild dier heeft hem verscheurd!' 'Ja, dat is het!' meende Gad. 'En als bewijs kunnen we Jozefs mantel meenemen, gescheurd en doordrenkt van bloed.'

Ze waren het er allemaal mee eens.

Ze namen de mantel van Jozef en scheurden die in flarden. Het leek alsof hij uit de klauwen van een leeuw kwam. Ze namen een bokje, slachtten het en doopten de mantel in het bloed.

Daarna gingen ze naar huis, zwijgend en somber.

Toen de broers Jakobs tent naderden, begonnen ze te klagen en huilen. Vals en aanstellerig klonk dit gejammer, maar ze geloofden, dat ze het ongeluk al van verre moesten aankondigen, ze wilden doen alsof ze echt verdriet hadden, verdriet om Jozef.

Hun vader kwam hen al tegemoet en vroeg, bleek van schrik: 'Wat is er gebeurd? Een ongeluk?' En zijn ogen gleden zoekend langs zijn zonen. De broers wisten wie deze ogen zochten en niet vonden. En met bevende stem vroeg hij: 'Waar is Jozef?'

Eén van hen wierp de met bloed besmeurde mantel op de grond, en Juda riep: 'Een wild dier heeft hem verscheurd.' Verder kon hij geen woord meer uitbrengen, want hij zag dat er iets verschrikkelijks met zijn vader gebeurde: hij stond stokstijf, zijn gezicht verstarde en werd als dat van een dode. Zijn ogen werden dof en leken te breken. Zijn hoofd zakte op de borst, steeds dieper, en tenslotte wierp Jakob zich voorover op de grond. Zijn beide handen grepen in het stof en woelden het om. Hij nam de stukken van Jozefs mantel en scheurde ze nog verder. Toen lag hij doodstil op de grond, alsof hij gestorven was.

Toen de zoons dit zagen, weken ze terug, steeds verder, stap voor stap, en tenslotte huilden ze. Ze schreeuwden het uit van angst en schrik om zichzelf en hun vreselijke misdaad. Deze keer was hun geween niet meer gekunsteld en vals, maar het waren de pijnlijke kreten van hun kwade geweten.

Vader Jakobs verdriet om Jozef duurde dag en nacht, week in, week uit. Hij was een vreemdeling in dit land en niemand kwam hem troosten. Alleen de tien broers waagden het zo nu en dan. Hij luisterde niet naar hen. De enige die hem nog af en toe een lachje ontlokken kon, was zijn jongste, zijn Benjamin.

Jozef en Potifar

Ondertussen werd Jozef naar Egypte gebracht. Dat was een verre en vermoeiende tocht voor de verwende jongen. Zijn voeten kwamen vol blaren en eelt te zitten, en het stuk touw waarmee hij aan de zadelknop van de kameel van zijn meester vastgebonden was, schuurde zijn polsen stuk.

In zijn ellende bleef er voor hem maar één troost over, namelijk dat de reis naar Egypte ging. Hij had al zoveel over dat merkwaardige land gehoord en was nieuwsgierig om het nu eens met zijn eigen ogen te zien. Eerst doorkruiste de karavaan het land Gosen, een vruchtbare streek in de Nijldelta. Hier waren prachtige weilanden waar het gras weelderig groeide. Onwillekeurig vergeleek Jozef het met de kale, steppe-achtige grasvlakten waarop vader Jakob zijn kudden liet grazen.

'Mijn lieve, goede vader', dacht Jozef, 'u zou hierheen moeten komen en in dit heerlijke land wonen. Mijn arme lieve vadertje, wat zult u zich een zorgen om mij maken, en wat voor een gemeen leugenverhaal zullen mijn broers U op de mouw gespeld hebben! Maar ik hoop dat we elkaar ééns weer zullen terugzien.'

Nu keerde de karavaan van de Ismaëlieten naar het zuiden en trok langs de Nijl. Jozef keek zijn ogen uit bij het zien van die prachtige steden, de kolossale tempel, gemaakt van glanzend, gepolijst sijenietsteen en de met goud versierde daken van de paleizen; wat een druk gekrioel op de markten, wat een heerlijke waren werden hier te koop aangeboden!

Aan de horizon doken de grote piramiden op... Jozef zag ook de sfinx, dat geweldige grote stenen beeld, half leeuw, half mens, en hoewel het een onvergetelijke indruk op hem maakte, verwonderde hij er zich toch over dat die wijze Egyptenaren aan zulke beelden goddelijke eer bewezen. Bovendien aanbaden ze ook nog stieren, valken en katten, ja zelfs krokodillen. 'Ach lieve help!' dacht Jozef toen hij dat zag, 'hoe kan een mens zulke goden aanbidden? Hoe heerlijk is dan mijn God en de God van mijn vader Jakob! Van Hem behoeven er geen afbeeldingen te worden gemaakt. Hij woont boven de sterren en spreekt woorden van leven en - wat mijn lot hier ook zal zijn in dit land - Hij zal mij niet verlaten.'

En inderdaad: God liet Jozef niet in de steek. Hij had geluk, de knappe, verstandige jongeman, toen hij op de slavenmarkt werd gebracht om daar te worden verkocht. Een rijke man, die Potifar heette, kocht hem en liet hem als tuinman in zijn uitgestrekte tuinen werken. Voor het eerst werkte Jozef als een eenvoudige slaaf. Maar al gauw viel hij op door zijn vlijt en schranderheid, en tenslotte maakte Potifar hem opzichter over al zijn bezittingen.

Dat was een enorme promotie en Jozef was zijn meester erg dankbaar en wilde hem trouw en eerlijk dienen.

Daarom beviel het hem helemaal niet dat Potifars vrouw verliefd op hem geworden was. Steeds verzon ze een voorwendsel om met hem te praten; ze liet hem roepen en sprak hem aan met 'mijn lieve Jozef'. Het personeel lachte in stilte om de voorliefde van de meesteres voor de jonge opzichter. Dit kwam Jozef helemaal niet van pas, en hij zag wel dat dit niet goed kon aflopen.

Op een dag werd Jozef door Potifars vrouw uitgenodigd in haar vertrekken te komen. Jozef stond al op de drempel, maar naar binnen mocht hij in geen geval, want het was niet toegestaan dat een vreemde man de kamer van een vrouw binnenging. De vrouw kwam hem tegemoet en herhaalde haar uitnodiging, en toen Jozef nog een keer weigerde greep ze hem bij zijn mantel en wilde hem met geweld over de drempel trekken.

Jozef was zo verstandig om zich los te rukken, liet zijn mantel van zich afglijden en vluchtte.

Een paar seconden stond Potifars vrouw daar strak en stijf als een zoutpilaar. Maar toen begon ze te kermen. In plaats van zich te schamen, riep ze om hulp. Toen Potifar erop af kwam, liet ze hem Jozefs mantel zien en riep: 'Kijk eens, dit is de mantel van die slaaf die jij opzichter over al je bezittingen gemaakt hebt. Het is een brutale kerel. Met geweld wilde hij mijn kamer binnenkomen en mij aanranden. Door mijn hulpgeroep is hij op de vlucht geslagen, maar zijn mantel is hier blijven liggen.'

Toen werd Potifar woedend: hij liet Jozef arresteren en in de gevangenis opsluiten.

De tweede gevangenschap van Jozef

Nu zat Jozef voor de tweede maal gevangen, deze keer niet in een modderige put, maar in het keldergewelf van een gevangenis. Ook dit was geen aangename verblijfplaats en Jozef voelde zich diep bedroefd. Hij was hier echter niet alleen.

Zijn medegevangenen waren voor een deel voorname mensen, die bij de koning van Egypte, de Farao, in ongenade gevallen waren. Om de tijd te verdrijven, vertelden de gevangenen elkaar hun levensgeschiedenis en tenslotte zelfs ook hun dromen.

In de gevangenis was onder anderen ook de opperschenker van de farao, een voortreffelijke man, die door de kwaadsprekerij van de vijanden van de koning nu in de gevangenis wegkwijnde. Op een morgen vertelde hij: 'Ik heb een bijzondere droom gehad. Ik zag een wijnstok en aan die wijnstok zaten drie ranken en aan die ranken hingen de kostelijkste trossen druiven, ik perste de druiven uit in de beker van de farao en gaf hem die en hij dronk ervan. Wist ik maar wat deze droom te betekenen heeft!'

Een tweede man stond op van zijn ligplaats en begon ook een droom te vertellen; Jozef mocht deze man niet. Vóór zijn arrestatie was hij opperbakker geweest. Het was een ellendeling, een bedrieger. Hij vertelde: 'Ik heb gedroomd dat ik drie manden op mijn hoofd droeg en in de bovenste waren allerlei soorten wittebrood. Ik wilde het naar de farao brengen, maar ik was nog niet buiten of er kwam een zwerm vogels aangevlogen. Die beesten stortten zich op het brood en vraten het op. O, wist ik maar wat mijn droom te betekenen heeft!'

Nu nam Jozef het woord. Hij keerde zich eerst tot de opperschenker: 'Jij hebt een goede droom gehad', zei hij, 'want die betekent dat jij binnen drie dagen uit de gevangenis ontslagen zult worden en in je eer hersteld.' Daarna keerde hij zich naar de opperbakker en zei: 'Jij hebt een nogal slechte droom gehad, beste man. Want die betekent niets anders dan dat je binnen drie dagen aan de galg zult worden opgehangen.' En zo gebeurde het ook.

De farao was ondertussen overtuigd van de onschuld van de één en de schuld van de ander. De opperschenker werd met veel eerbetoon uit de gevangenis gehaald en de opperbakker werd veroordeeld en opgehangen. Maar Jozef bleef alleen in zijn cel achter en wachtte op de dag van zijn vrijlating.

De droom van de farao

Deze dag liet tamelijk lang op zich wachten. Maar eindelijk was het zover. Wat was er gebeurd?

In die tijd zat er een jonge farao op de troon van Egypte. Het viel hem niet gemakkelijk om het grote land te besturen. Hij vroeg steeds maar weer advies bij zijn raadgevers, en toch was hij bang dat hij iets fout zou doen.

Wij weten al, dat men vroeger meer betekenis hechtte aan dromen dan tegenwoordig; men geloofde dat de goden op deze manier hun wil bekendmaakten. Hoe belangrijker degene was die droomde, des te meer betekende de droom, en omdat men geloofde dat de farao een zoon van de zonnegod was, ja zelfs een goddelijk wezen, hoe ontzettend belangrijk moesten zijn dromen dan wel zijn!

De jonge farao had al zijn raadgevers, tovenaars en priesters bij elkaar laten roepen, want hij had in de afgelopen nacht inderdaad iets heel bijzonders gedroomd. Maar niemand kon hem de droom uitleggen. Toen herinnerde de opperschenker zich zijn vroegere medegevangene Jozef, die toen zo'n feilloze uitleg had gegeven, aan zijn droom. Misschien was hij de juiste man, misschien wist hij de oplossing? Dus werd Jozef uit de gevangenis gehaald en voor de troon van de farao gebracht.

De farao voelde zich al vlug tot de ernstige jongeman aangetrokken en vertelde hem zelf zijn droom:

'Ik stond aan de oever bij de Nijl en zag zeven dikke koeien uit het water komen. Maar nauwelijks waren ze begonnen gras te eten of er kwamen zeven magere koeien uit het slijk van de rivier te voorschijn en die vraten de zeven dikke koeien op. Ik werd wakker en vroeg me af wat deze droom betekende. Want wie heeft ooit gehoord dat koeien elkaar opeten? Daarna ging ik weer slapen en droomde opnieuw:

Ik zag zeven weelderige korenaren aan één halm groeien, maar direct daarna kwamen er zeven magere en verschrompelde aren op en deze aten de zeven mooie sterke aren op.

Weer werd ik wakker. Ik zei tegen mijzelf: deze dromen moeten iets met elkaar te maken hebben, maar zelf weet ik niet wat ze betekenen. Misschien kun jij me ze uitleggen?'

'Ik zal het proberen, machtige farao', antwoordde Jozef, terwijl hij eerbiedig boog. 'Alleen God weet de juiste betekenis van de dromen. De zeven dikke koeien betekenen zeven jaren van overvloed voor Egypte. Zeven keer zal de Nijl het land overstromen en een dikke laag zwart, vruchtbaar slijk achterlaten, waarop het gras en de tarwe en allerlei gewassen in overvloed kunnen groeien. Maar daarna komen er zeven jaren van hongersnood. De Nijl zal binnen haar oevers blijven, het land zal uitdrogen en er zal geen oogst meer zijn. - Dit is volgens mij de betekenis van uw dromen.'

'Dat is slecht nieuws', zei de farao, 'wat moet er van Egypte worden, wanneer we zeven jaar lang niet kunnen oogsten?'

'Er moeten maatregelen genomen worden', antwoordde Jozef. Hij boog weer. 'Daarom raad ik u aan, mijn koning: bouw grote korenschuren en laat het koren daarin opslaan in de jaren van overvloed. Dan heeft u koren als de slechte jaren komen, en het volk zal u dankbaar zijn!'

'Dat is een goede raad', zei de farao, 'ik ben je erg dankbaar. Ik zal doen, wat je mij aanraadt; je zult van nu af aan mijn vriend zijn en ik zal je

aanstellen als onderkoning.' En meteen liet hij voor Jozef een schitterende mantel halen, die van het fijnste linnen was gemaakt en hij liet hem een gouden ketting om de hals hangen die anders alleen de hoogste ambtsdragers van het rijk en de koninklijke prinsen mochten dragen. Verder gaf hij hem een paleis en enkele tientallen bedienden. Daarna liet hij een glanzende wagen voorkomen, bespannen met prachtige paarden. Jozef moest in deze wagen plaats nemen en werd door de hele stad rondgereden. Herauten gingen voor hem uit. Zij bliezen op zilveren trompetten en riepen: 'Dit is de vriend van de farao, hij is de onderkoning van heel Egypte. Iedereen moet hem gehoorzamen, en wie hem niet gehoorzaamt, zal gestraft worden alsof hij de farao zelf ongehoorzaam is geweest.'

Jozef herkent zijn broers

Wat een geluk! Wat een verandering! Gisteren leefde Jozef nog als een arme gevangene in een kerker en nu was hij bijna de machtigste man van Egypte, bijna zo machtig als de farao zelf, en hij had de leiding gekregen over de regeringszaken van een heel land.

Toch werd Jozef niet hoogmoedig. Maar één keer in zijn leven, als jongen, was hij dat geweest - en daarvoor had hij genoeg moeten boeten. Hij hield zichzelf voor: 'Op deze manier ben ik voor het welzijn van een heel volk verantwoordelijk en ik moet alles doen wat in het belang van het volk is.'

Daarom begon hij direct geweldige korenschuren te bouwen. Ze bleven niet lang leeg, want, zoals Jozef voorspeld had, de oogsten werden in de komende jaren zo overvloedig als ze nog nooit geweest waren. De tarwe deed het bijzonder goed, de dadelpalmen bogen zich onder het gewicht van de vele vruchten, en het vee werd vet op de voedzame weiden. De Egyptenaren zouden graag alles er zonder meer hebben doorgejaagd. Maar Jozef dwong hen om telkens een vijfde deel van de oogst af te geven, dit deel sloeg hij op in de schuren van de farao.

Maar toen de zeven jaar om waren, wat gebeurde er toen? In het binnenland van Afrika viel geen regen, de overstromingen die het Nijldal vruchtbaar maken, bleven uit. Ook in Egypte viel geen regen, hoogstens af en toe een paar druppels en alles verdorde.

Zo was het ook in het tweede, derde en vierde jaar. En zo ging het zeven bittere jaren lang.

Nu kwamen de Egyptenaren naar Jozef toe en smeekten: 'Heer, verkoop ons brood, wij hebben niets meer!'

Jozef opende de schuren en verkocht hun van het opgespaarde koren, maar hij lette erop dat er niet te veel in één keer gegeven werd, want hij wist: de voorraad moet voor zeven jaar toereikend zijn. Iedereen kreeg net genoeg om geen honger te lijden.

Helaas heerste niet alleen in Egypte deze erge droogte. Ook de omliggende landen leden eronder, eveneens Kanaän, waar Jakob woonde.

Ja, hij leefde nog steeds, Jozefs vader, hij was nu al een zeer oude man. Maar hij treurde nog steeds om het verlies van zijn zoon; zijn verdriet lag als een schaduw over het hele gezin.

Omdat Jozef niet meer bij hem was, hield hij nu het meest van Benjamin. Op hem waren de broers niet jaloers. Zij kenden nu geen haat en afgunst meer. Elk spoor ervan was uit hun hart verdwenen. Want de herinnering aan de misdaad die ze eens begaan hadden toen ze Jozef als slaaf verkochten en hun vader hadden voorgelogen dat een wild dier hem verscheurd had, drukte nog zwaar op hen. Wel duizend keer hadden ze deze daad betreurd, natuurlijk hielp dat niets: want Jozef was er niet meer, hij was spoorloos verdwenen, en zij twijfelden eraan of hij nog wel in leven was.

Zo probeerden de broers enigszins aan Benjamin goed te maken, wat ze aan Jozef misdaan hadden. Zij gunden Benjamin de liefde van hun vader van harte en mopperden niet als hij thuis bleef, terwijl zij buiten op de akkers aan het werk waren. Ze merkten wel dat hun vader de jongste niet graag met hen liet meegaan, net alsof hij hen wantrouwde. Waren zij er immers niet bij toen het wilde dier Jozef verscheurde? De broers waren zich wel bewust van dit wantrouwen, het deed hen pijn, maar ze wisten dat ze niet beter hadden verdiend. Dus zwegen ze en deden zwijgend en verdrietig hun werk.

Maar nu kwam die onnatuurlijke droge tijd in Kanaän. Een grote hongersnood kon niet uitblijven.

Alleen in Egypte, zo wist men, was nog koren te koop. Daar stuurde Jakob zijn zoons heen, dan konden ze er koren gaan kopen. 'Maar Benjamin blijft bij mij', voegde hij eraan toe, 'dan kan hem niets overkomen.'

De tien anderen gingen op weg. Toen zij in Egypte aankwamen, werden ze bij de onderkoning gebracht, want alleen hij mocht beslissen aan wie en hoeveel koren verkocht mocht worden. Nederig stonden ze voor de machtige man en vroegen om koren. Geen van hen herkende Jozef. Maar hij herkende zijn broers dadelijk. Ja, dát was Ruben, de sterke Ruben, dát was Juda, dát was Zebulon. En Zebulon dreef de spot met me toen ik om hulp riep, Juda sleepte me naar de put, en die daar stond met de Ismaëlieten te onderhandelen. Jozef voelde het hart in de keel kloppen. Maar hij vroeg rustig: 'Waar komt u vandaan, mannen?'

Zij antwoordden: 'Wij komen uit Kanaän. Onze vader Jakob heeft ons naar u toe gestuurd, wij willen brood kopen.'

'Brood kopen?' viel Jozef hen in de rede, 'dat kan iedereen wel zeggen. Ik denk dat u spionnen bent en niet veel goeds in uw schild voert!'

'God weet dat dat niet waar is!', riepen ze. 'Wij zijn eerlijke mannen, onze vader is in zijn land een geëerd man, over wie men alleen maar goede dingen weet te vertellen, en wij zijn tien broers.'

'Tien?' vroeg Jozef. 'werkelijk maar tien?'

'Nee', antwoordde Juda, 'de elfde, de jongste, is thuisgebleven.'

'Zo', meende Jozef, 'het lijkt mij wel verdacht, dat u de jongste thuis hebt gelaten. Breng ook hem hier, dan zal ik u koren verkopen.'

De broers waren erg geschrokken, en Juda fluisterde achter zijn hand: 'Dat is de straf voor onze misdaad tegen Jozef.'

Maar Jozef verstond die gefluisterde woorden en de tranen sprongen hem in zijn ogen, want hij merkte: de broers hebben spijt van wat ze hebben gedaan. Ondanks dat wilde hij zich nog niet bekendmaken en zei: 'Omdat ik uw verdriet zie, zal ik medelijden met u hebben. Ik geef u nu al koren mee. Maar toch sta ik erop, dat u de jongste broer hier brengt, en één van u - hij wees op Simeon - moet hier als gijzelaar achterblijven.'

De tien begrepen niet wat die machtige man ertoe bewoog om zoiets vreemds van hen te verlangen.

Maar wat stond hun te doen? Ze moesten zich wel schikken. Ze trokken dus weer naar Kanaän terug. Daar wachtte de broers een nieuwe verrassing.

Want toen ze de korenzakken openmaakten, vonden ze in iedere zak het zilver dat ze voor het koren hadden betaald. Wat had dat te betekenen? Was het een boze list van die machtige Egyptenaar? Wilde hij de broers van diefstal beschuldigen, als zij, om Benjamin te brengen en Simeon te halen, weer in het land van de Nijl terugkwamen?

Zou hij doen alsof zij het koren niet betaald en zomaar meegenomen hadden? Van deze Egyptenaar kon je immers alles verwachten!

Toen de vader hoorde dat nu ook Benjamin de reis moest maken, snikte hij: 'Dat ik dit nu allemaal op mijn oude dag moet meemaken! Jozef is dood, Simeon is in Egypte gebleven. En nu willen ze me ook nog mijn jongste zoon afnemen!'

'Ach vader!' riep Juda, 'zeg dat toch niet! Ik sta er voor in dat Benjamin weer bij u terugkomt. Ik zal sterven als ik hem niet gezond en wel weer bij u breng.'

'Ga dan maar!' zei Jakob, 'en moge de almachtige God jullie veilig terugbrengen!'

Benjamin bij Jozef

Ondertussen wachtte Jozef zeer ongeduldig op de terugkomst van zijn broers. En werkelijk, op zekere dag werd hem bericht: 'De mannen uit Kanaän zijn er weer.'

Hij ging vlug naar hen toe en zag direct dat Benjamin ook meegekomen was. Hij moest zich inhouden om niet dadelijk op zijn jongste broer toe te lopen en hem in zijn armen te sluiten. Inmiddels kwam Juda naar voren, maakte een buiging en zei: 'Daar zijn wij weer, heer, en deze keer hebben we ook onze jongste broer meegebracht. Maar ook het geld, dat we in onze zakken vonden, hebben we weer meegenomen. We weten echt niet hoe dat erin gekomen was.'

'In orde!' zei Jozef. 'Ik zie, dat u eerlijke mannen bent, daarom wil ik u uitnodigen om bij mij te komen eten.'

Dat was een hele eer voor de elf broers, ze hadden dit niet verwacht. Nu mochten ze met de onderkoning van Egypte, de vriend van de farao, de maaltijd gebruiken.

Ook Simeon was erbij, en zij waren allemaal erg opgelucht en in een goed humeur.

Jozef wilde nu eigenlijk wel meteen vertellen wie hij was. Toch aarzelde hij. Nog één keer wilde hij zijn broers op de proef stellen.

Dus bedwong hij zich en gaf in het geheim opdracht de korenzakken van de elf Kanaänieten te vullen. Maar in de zak van Benjamin liet hij ook zijn zilveren beker stoppen.

De maaltijd was voorbij, het koren betaald, en nu, zo dachten de broers, konden ze in vrede naar huis gaan. Ze hadden nog maar net de stad verlaten en reden in de koele avond met hun ezels langs de oever van de Nijl, of ze hoorden een troep ruiters achter zich, en in een oogwenk waren ze door soldaten omringd. 'Dieven, rovers!' riepen deze, 'u heeft onze heer bestolen. U heeft een zilveren beker meegenomen, ondankbaar gespuis!' De broers verstijfden van schrik. Hoe kon dat nu? Werden zij van diefstal beschuldigd? In hun vertwijfeling riepen ze: 'Breng ons naar uw heer terug. Maak onze zakken maar leeg, zodat u kunt zien dat wij onschuldig zijn. En als er werkelijk een dief onder ons is, die zich vergrepen heeft aan het zilver van onze gastheer, moet hij meteen sterven.'

Ze keerden naar Jozefs paleis terug. Daar werd de ene zak na de andere opengemaakt en leeggeschud. Een berg koren lag op de grond. Eén zak was nog dicht, die van Benjamin.

Op dit moment kwam Jozef achter een pilaar vandaan en beval: 'Schud ook déze zak nog leeg!' Daar viel de mooie zilveren beker op de grond en rolde voor de voeten van Benjamin. De broers schreeuwden van schrik. Alleen Benjamin maakte een gebaar van wanhoop.

Jozef beefde over zijn hele lichaam. Toch wees hij naar Benjamin en riep: 'Dus hij is de dief, hij moet sterven!'

Nu gebeurde er iets bijzonders, iets ongewoons, maar het was toch het beste dat er gebeuren kon. De tien broers vielen voor Jozef op de grond, trokken de haren uit hun hoofd, scheurden hun kleren kapot, bonkten met hun hoofd tegen de stenen treden, en uit het hartverscheurende gejammer dat ze aanhieven, waren steeds weer dezelfde woorden te horen: 'Neem ons leven, dood ons maar! Doch laat Benjamin gaan!'

Jozef kon zich nu niet meer inhouden, hij wankelde naar hen toe en riep ontroerd: 'Hou toch op, ach, mijn broers, hou op. Hebben jullie mij dan niet herkend? Ik ben Jozef, jullie broer!'

De tien broers verstomden, als door de bliksem getroffen. Alleen Benjamin slaakte een kreet van vreugde en vloog de huilende Jozef om de hals. Daarna kwamen ook de anderen: Ruben, Juda, Simeon en Gad - en als laatste zelfs Zebulon; ze omarmden elkaar en snikten van blijdschap.

94

Jakobs dood

Nog nooit was een stoet reizigers zo vlug en zo vrolijk van Egypte naar het noorden getrokken als Jozefs broers. Want het was wat waard om aan de oude vader Jakob het heerlijke nieuws te brengen: dat Jozef leefde - en dat hij zelfs een machtig man was geworden in een van de machtigste rijken van de wereld. De broers hadden kostbare geschenken bij zich en ook nog een uitnodiging van de farao: het zou een eer voor hem zijn om de vader van zijn beste vriend in zijn land te mogen ontvangen.

Hoe Jakob het nieuws opnam? Niemand weet het, want in de bijbel staat hierover maar één zin: 'Zijn hart', zo lezen we, 'bleef er koud onder, want hij kon hen niet geloven.'

Ja, wat zou hij wel gedacht hebben, de oude man, toen hij het ongelooflijke probeerde te begrijpen? Jozef leefde! Twintig jaar lang had hij gerouwd, hoeveel slapeloze nachten had hij niet om Jozef gehuild - en Jozef leefde! Zijn liefste en dierbaarste kind! Kon dat heus waar zijn? Kon er zo'n geluk op de aarde bestaan? Zo zou hij wel eens gedacht kunnen hebben, de beste man. Maar dan zal hij zich wel herinnerd hebben hoeveel geluk en genade hij al in zijn leven ondervonden had. Om te beginnen, kreeg hij het eerstgeboorterecht, daarna vond hij Rachel, toen vergaf zijn broer Esau hem... .

En lang geleden, in die nacht, toen hij een jonge eenzame zwerver was, had hij de hemel zien opengaan en engelen van de ladder naar beneden zien komen, de stralende dienaren van God, die hem met de stem van de Heer toeriepen: 'Wees gezegend!' En nog veel later, in die andere nacht, toen Jakob met de onbekende had geworsteld en zijn nieuwe naam Israël kreeg. Ja, dat had Jakob allemaal meegemaakt. Dat alles had God hem geschonken. God had een verbond met hem gesloten, waarom zou het dan ook niet zijn werk kunnen zijn, dat Jozef inderdaad nog leefde?

Zo probeerde hij zichzelf te overtuigen, de oude man, totdat hij het eindelijk durfde geloven, dat heerlijke nieuws. Toen hij op een morgen uit zijn tent kwam, nog altijd een beetje mank, zei hij tot zijn elf zoons: 'Ik weet nu, dat het waar is. Jozef leeft. Ik wil naar hem toegaan en hem zien - en daarna wil ik in vrede sterven.' Zo gebeurde het ook. De hele familie ging op reis naar Egypte. Jakob reed in een wagen, die de farao hem zelf gestuurd had, zodat de reis voor hem niet te vermoeiend zou zijn. Jozef kwam zijn vader tot in het land Gosen tegemoet. Daar omhelsden zij elkaar en dankten God dat zij weer bij elkaar waren.

Spoedig daarop stierf Jakob. Hij was zeer oud geworden. Voordat hij stierf, zegende hij zijn zoons. En in plaats van aan Ruben, gaf hij aan Juda

95

het recht van de eerstgeborene. Hij kreeg de gróte zegen. Verder kreeg elke zoon een eigen zegen.

Jozef was nog lang onderkoning over Egypte. Zijn broers waren in het land Gosen gaan wonen. Ze noemden zich naar hun vader: de kinderen van Israël.

Slaven van de farao

Lange tijd woonden de kinderen van Israël (de Israëliten) in Egypte: Jakobs zoons en kleinzoons en de zoons van de kleinzoons en daar ook weer de zoons van - ze werden een groot volk. Het krioelde van deze nakomelingen in het land Gosen.

De farao, die Jozef onderkoning had gemaakt, was al lang gestorven. Nu zat er een andere farao op de troon, een kwaadaardige en wantrouwende man, die het niet prettig vond, dat de Israëlieten zich zo uitbreidden.

'Wie weet', dacht hij bij zichzelf, 'wat deze mensen van plan zijn? Op een dag kunnen ze wel eens een verbond gaan sluiten met onze vijanden en ons daarna aanvallen. Ze zijn sterk en voortvarend, ze doen hun werk zingend, het zijn vrolijke mensen, ook al hebben ze alleen maar droog brood te eten. Mijn eigen Egyptenaren zijn juist lui en verwend omdat ze alles hebben. Ze zijn wispelturig en luieren liever, dan dat ze eens flink de handen uit de mouwen steken. Ze kleden zich graag mooi, gaan naar dansfeesten en denken aan niets anders dan aan hun eigen pleziertjes. Zo'n volk is er slecht aan toe als het zulke sterke en ondernemende buren heeft als de Israëlieten! Ik moet iets bedenken, zodat ik ze onder de duim kan krijgen voordat ze ons straks nog de baas worden.

Zo peinsde de farao, er kwam een diepe rimpel tussen zijn borstelige wenkbrauwen. Maar ineens wist hij het! Hij kreeg een goede ingeving. Hij klapte meteen in zijn handen en gaf zijn bevelen. Wat had de farao bedacht om de Israëlieten schade te berokkenen?

Al lang was hij van plan geweest om twee steden aan de rand van de woestijn te bouwen. Twee machtige vestingen, die de grens van zijn rijk nog beter beschermen konden, twee steden met geweldige muren, dikke torens en veel huizen. Deze bouwwerken moesten van bakstenen worden opgetrokken. Daar was leem voor nodig. En waar lagen de beste leemgroeven, waarover de Egyptenaren beschikten? In het land Gosen! En wie woonden daar? De gehate Israëlieten. Dat trof dus goed. De Israëlieten moesten hun akkers en kudden in de steek laten en stenen gaan bakken, duizenden en nog eens duizenden, ja miljoenen stenen. Dan zullen ze niet overmoedig worden, en als ze niet willen, moet de zweep er maar over; en wanneer ze gekweld worden door dorst, honger en de brandende zon, sterven ze maar als de vliegen. Des te beter!

De farao liet zijn hardvochtigste opzichters bij zich roepen en gaf zijn bevelen. Zij rukten met bewapende troepen het land Gosen binnen.

Ze haalden de mannen van hun akkers en bij hun kudden vandaan en dreven hen als slaven voor zich uit naar de leemgroeven toe.

De pientere Mirjam

In die tijd woonde er een klein Israëlitisch gezin in een dorpje aan de oever van de Nijl. De man en de vrouw waren beiden nakomelingen van Levi; ze hadden twee kinderen, een jongen, Aäron, en een meisje, Mirjam. Over de vader van dit gezin weten wij bijna niets. Maar we kunnen er wel bijna zeker van zijn dat ook hij bij zijn vrouw en kinderen was weggehaald en - zoals zovelen van zijn broers en andere familieleden - in de leemgroeven van de farao werken moest, terwijl zijn vrouw en kinderen in kommervolle omstandigheden achterbleven. Ja, Aäron was nog maar pas drie jaar en begreep niet waarom zijn moeder zo vaak huilde.

Maar zijn zusje Mirjam was al tien, ze was een pienter, gevoelig meisje. Zij probeerde haar moeder, zo goed als ze kon, te troosten.

Op een nacht hoorde Mirjam hoe haar moeder zich zuchtend van de ene zij op de andere draaide. Ze kon maar niet slapen.

'Wat is er toch, moeder?' vroeg Mirjam. 'Ben je ziek?'

Eerst gaf de moeder geen antwoord, maar toen zei ze: 'Ach, mijn kleine meisje, je weet toch, dat ik weer een kindje zal krijgen. Laten we hopen en bidden, dat het een meisje wordt.'

'Maar moeder', zei Mirjam, en ze lachte een beetje, 'sinds wanneer wil je een dochtertje? Je hebt toch altijd gezegd, dat je nog zo graag een jongetje wilde hebben? Ook vader wil dat graag, en Aäron en ik willen ook zo graag een broertje.'

Toen zuchtte haar moeder: 'Ach kindje, weet je dan niet wat er gebeurd is? De farao heeft bevolen, dat overal waar bij de Hebreeërs een kind wordt geboren, gecontroleerd moet worden of het een jongetje of een meisje is. Is het een meisje, dan mag het blijven leven, maar is het een jongen, dan moet het bij de moeder weggehaald en in de rivier verdronken worden.'

Mirjam schrok en ze kon even geen woord uitbrengen. Maar toen glipte ze vlug bij haar moeder in bed, sloeg de armen om haar hals en zei: 'Huil maar niet, moeder. Jóuw kind zullen ze niet verdrinken. We zullen het verstoppen. En ik weet ook al waar.' En ze vertelde haar moeder van een klein verlaten vissershutje aan de oever van de Nijl. Pas geleden, toen ze op zoek was geweest naar een weggelopen geitje, had ze het ontdekt. Het lag heel stil en afgelegen. Er kwam daar geen mens. Ja, daar zouden ze het kind, als het een jongen zou zijn, voor de Egyptenaren kunnen verbergen.

En ja hoor! Het was een jongen, gezond, mooi en flink. Samen met haar moeder bracht Mirjam hem naar de afgelegen rieten hut. Daar bleven ze nu wonen, voor iedereen verborgen.

In het begin ging alles goed. Zij aten de vissen die ze vingen en dronken de melk van hun eigen geit. Ze aten wortelen, bessen en kruiden. Er kwam geen mens in de buurt van de hut. Alleen de grote vrachtschepen zagen ze langs varen in de rivier. Het waren roeiboten, of boten die door de wind vooruitgedreven werden. De wind spande hun roodgele zeilen bol.

Maar toen er ongeveer twee maanden voorbij waren, merkten ze, dat ze ook hier niet helemaal onopgemerkt konden wonen. Er zwierven vreemde mensen langs de rivieroevers. En op een keer zagen ze in de verte een stel Egyptenaren voorbijgaan. Nu was het met de rust gedaan. Zodra het kind begon te huilen, wisten ze niet hoe vlug ze de hut in moesten komen om te proberen het stil te krijgen. Dat lukte lang niet altijd. Zijn stemmetje was al zo doordringend, dat het best eens gehoord zou kunnen worden. Als 's nachts de wind door het riet ruiste, schrokken ze wakker en luisterden of er niet een verrader kwam aansluipen. En als ze in de verte de reigers hoorden krijsen, dachten ze al dat ze de Egyptische soldaten hoorden schreeuwen, die naar het jongetje zochten.

Op een dag zei moeder: 'Mirjam, ik hou het hier niet meer uit. Iedere nacht heb ik dezelfde verschrikkelijke droom, dat mijn kleine jongen wordt weggehaald en gedood. Zijn er dan nergens mensen, die ons helpen kunnen? Weet jij er niets op?'

Mirjam antwoordde niet, maar na een tijdje ging ze de hut uit. Ze kwam terug met haar armen vol wilgetwijgen. In een hoekje van de hut ging ze een mandje zitten vlechten.

'Wat doe je daar?' vroeg moeder.

'Ik vlecht een klein bootje voor mijn broertje, moeder, daarin zal hij een grote reis gaan maken.'

'Wat zeg je me dáár nu?', riep moeder. 'Wil je hem te vondeling leggen?'

Mirjam zweeg, maar toen zei ze zacht: 'We móeten wel...' Moeder huilde. Maar tenslotte ging ze naast Mirjam zitten en hielp haar met het vlechten van het mandje.

Toen het klaar was, bestreken ze het met pek en leem, lieten het in de zon drogen, zodat het goed waterdicht was. Daarna bekleedden ze het met doeken, vlochten nog een dekentje en legden het jongetje erin. Lang voordat het licht begon te worden, gingen ze op weg. Ze liepen een heel eind langs de rivier. Mirjam ging voorop, zij droeg het mandje. Van tijd tot tijd riep moeder: 'Mirjam, Mirjam! Sta eens stil, ik geloof dat dit een goed plaatsje is!'

Maar Mirjam luisterde niet, ze liep door.

Langzamerhand werd het lichter. In het riet begonnen de eenden te snateren en in de verte glansde de rivier in het vroege morgenlicht.

Moeder riep weer: 'Mirjam, Mirjam, waar loop je toch helemaal naar toe? Als we nog verder gaan, komen we in de tuin van de farao.' Nu bleef Mirjam staan en toen moeder haar had ingehaald, nam ze haar hand en fluisterde: 'U heeft gelijk. Ja, daar vóór ons liggen de tuinen van de farao. Maar daar wil ik nu juist naar toe. Moed houden, moeder! Ik ben hier met opzet naar toe gegaan om het geluk een handje te helpen. Wie weet wat er nu gebeuren gaat.'

Op dat moment kwam de zon op. Ze zagen een fantastisch mooi dal voor zich liggen, waarin prachtige bomen stonden. De rozestruiken zaten vol bloemen. De rododendrons en de mimosa bloeiden. Tussen het riet liep een stenen trap naar beneden, die uitkwam bij de rivier.

Nu zei Mirjam: 'Hier is de juiste plek.' Ze pakte het mandje en waadde ermee door het riet dat langs de rivieroever stond. Daar zette ze het neer. Ze kuste het kindje nog één keer en ging terug. Moeder liep langs de oever heen en weer, strekte haar armen naar het mandje uit en riep: 'Mijn zoon, o mijn lieve zoon!'

Mirjam trok haar moeder mee en troostte: 'Wees maar stil, lieve moeder, ga nu naar huis. Ik zal hier blijven staan om te zien wat er met hem gebeuren gaat.'

Eerst wilde moeder niet, maar tenslotte liet ze zich toch overhalen. Ze ging weg en Mirjam verstopte zich achter de struiken.

Het was nu al midden op de dag. Het werd steeds warmer. Ineens zag Mirjam door de struiken allerlei kleuren. Lachend en pratend kwamen er wel tien vrouwen langs het kiezelpad aangelopen.

Voorop liepen een paar dienstmeisjes. Ze droegen doeken en kussens. Zij werden gevolgd door enkele mooi uitgedoste dames. De stoet werd afgesloten door de dochter van de farao, die een sierlijke, met purperen franje afgezette, parasol droeg.

Mirjam dook in elkaar en hield haar adem in, want ze passeerden haar rakelings. De eerste vrouwen waren al op de trap; de dochter van de farao wilde haar kleren al uitdoen om te gaan baden.

Maar juist op dat ogenblik begon het kind in zijn mandje te huilen.

Meteen stonden de vrouwen stil; Mirjam zag, dat de prinses een bevel gaf, de dienstmeisjes legden dadelijk hun kussens neer en begonnen het riet te doorzoeken. Al vlug kwamen ze met het mandje bij de oever terug. Ze zetten het voor de prinses neer en alle hofdames kwamen erbij staan. Mirjam, die een beetje Egyptisch verstond, hoorde hoe ze riepen: 'Een kind! O, wat een mooi, lief kind! Hoe is dat hier gekomen?'

Alleen de dochter van de farao zweeg. Haar gezicht stond heel ernstig. Ze boog zich over het mandje en het leek alsof ze het kind wilde aan-raken. Eindelijk zei ze: 'Dit is vast en zeker een Hebreeuws jongetje, dat door zijn ouders te vondeling is gelegd, omdat het anders niet in leven zou blijven, want mijn vader heeft het bevel gegeven alle pasgeboren zoons van dat volk om het leven te brengen.'

De hofdames zwegen verschrikt. Enkelen weken achteruit, alsof er een slang in het biezen mandje lag.

Maar de dochter van de farao ging verder: 'Deze jongen zal blijven leven, zowaar als ik hier sta!' Zij was allesbehalve gelukkig met de onmenselijke bevelen van haar vader - en bovendien had ze zelf geen kinderen.

De hofdames begonnen weer te fluisteren en te smoezen. Mirjam zag hen met elkaar overleggen. Een dienstmeisje pakte het jongetje uit het mandje en liet het aan de prinses zien. Zij keek hem nog één keer aandachtig aan, tenslotte kwam er een lach op haar mooie gezicht, dat anders altijd zo treurig en ernstig was. 'Ik zal je Mozes noemen', zei ze, dat betekent: "uit het water getrokken".'

Daarna strekte ze haar beringde hand naar het jongetje uit en streelde zijn wang. 'En nu', zei ze, 'moeten we een moeder voor je zoeken, die je voeden kan. Maar later zal ik zelf je moeder zijn.'

Toen Mirjam dit hoorde, sprong ze uit haar schuilplaats te voorschijn en liep naar de prinses toe. Ze voelde het hart in de keel kloppen, toch ging ze heel dapper voor de dochter van de farao staan en zei: 'Ik hoorde, prinses, dat u een verzorgster voor deze baby zoekt. Ik weet wel iemand, een Hebreeuwse vrouw. Zij woont hier niet zo ver vandaan. Wilt u, dat ik haar voor u haal?'

De dochter van de farao keek Mirjam aan, ze keek heel ernstig. Mirjam zag dat ze niet meer zo jong was.

'Jij bent zeker zijn zusje?' vroeg ze, maar ze wachtte het antwoord niet af. 'Goed, haal die vrouw maar hier.'

Dat liet Mirjam zich geen tweemaal zeggen. Ze rende weg. Ze hoefde niet lang te lopen of ze had haar moeder ingehaald. Lachend en huilend tegelijk viel ze haar om de hals en vertelde wat er allemaal gebeurd was. Samen gingen ze nu terug naar de tuin van de farao. De moeder mocht het jongetje meenemen. De dochter van de farao gaf haar iets waaraan men kon zien dat dit jongetje van nu af aan van de prinses was en dat niemand het daarom kwaad mocht doen.

Mozes wordt een prins

Zo was de rust in het kleine gezin, dank zij Mirjam, teruggekeerd hoewel het gemis van de vader zich nog altijd even pijnlijk deed voelen. Mirjam had veel op het spel gezet. Maar daardoor had ze bereikt dat Mozes mocht blijven leven!
Mirjam en haar moeder waren de eerste tijd erg gelukkig, maar dat duurde niet lang. Want de dagen vlogen voorbij. Mozes groeide vlug en al spoedig kon hij staan en lopen, en iedere dag opnieuw moesten ze eraan denken dat het uur waarop ze voor altijd afscheid moesten nemen van hem, steeds dichterbij kwam. Elke eerste dag na nieuwe maan kwam een hofdienaar informeren hoe de zoon van de prinses het maakte. Zo'n bezoek was gewoon te veel voor de moeder, en alle geschenken die de man meebracht, konden haar niet troosten.
Toen de jongen vier jaar was, reed er een prachtige koets voor, die met glanzende schimmels was bespannen. En in de koets zat de dochter van de farao, die gekomen was om Mozes te halen.
Mirjam en haar moeder stonden haar voor de deur op te wachten. De koningsdochter gaf hun een beloning voor de goede zorgen. Ze ging de hut echter niet binnen, want het was in die tijd ondenkbaar dat een prinses het huis van een arm gezin betrad.
De knecht, die met haar meegekomen was, haalde kleren voor Mozes uit de wagen: een met gouddraad geborduurd pakje, dat van het fijnste linnen was geweven, een hoofdband, zoals alleen een prins dragen mocht, en een paar schattige schoentjes.
Mirjam nam de kleren aan en ging ermee de hut in. Daar stond de kleine Mozes, op blote voetjes en met een simpel hemdje aan.
Mirjam deed hem het hemdje uit en trok hem het met gouddraad geborduurde pakje aan. Ze drukte hem tegen zich aan en fluisterde: 'Zeg me

eens, Mozes, ben jij een Israëlitisch kind of een Egyptenaartje?' De jongen antwoordde, wat zijn zusje hem al honderd keer voorgezegd had: 'Ik ben een echte Israëliet, ik wil niets anders zijn.'

'Goed', zei Mirjam, terwijl ze hem de hoofdband om deed, 'en geloof je in de God van Israël, die met onze vaderen Abraham, Isaäk en Jakob gesproken heeft en altijd voor ons zorgt, of geloof je in al die andere goden, die de mensen hier vereren, zoals stieren, katten en vogels en waarvan ze beelden maken?'

Mozes antwoordde: 'Ik geloof in de ene God, de God van Abraham, Isaäk en Jakob.' 'Goed', zei Mirjam en zij trok hem de gouden sandalen aan, 'en wat heeft God aan Abraham en Isaäk en Jakob beloofd?' De jongen antwoordde: 'Hij heeft een verbond met hen gesloten en gezegd: jullie heb ik uitverkoren en Ik zal jullie nooit verlaten.' 'Goed', zei Mirjam weer, terwijl ze hem kuste op zijn voorhoofd. Toen zei ze tegen hem: 'Ga nu maar!' Mozes klom in de wagen van de prinses. Al gauw waren ze uit het gezicht verdwenen.

Mozes keek zijn ogen uit, toen hij in het paleis van de farao kwam, en de hoge pilaren en grote zalen zag en waaiers van struisvogelveren, en de troon gemaakt van marmer en goud, en al die honderden bedienden, die overal rondliepen en glimlachend voor hem bogen. Mozes begreep er niets van, het leek net een verwarrende droom.

Toen hij de volgende morgen wakker werd, stonden er al twee slaven bij zijn bed met een heerlijk ontbijt. Daarna werd hij in het bad gedaan, gewassen, gezalfd, gemasseerd en tenslotte aangekleed. Zelf hoefde hij niets te doen, niet eens de riempjes van zijn sandalen vast te gespen.

In het begin vond Mozes dat wel leuk, maar al gauw vond hij er niets meer aan. Hij begon zich te vervelen en verlangde naar huis terug. Als hij eens in het zand wilde spelen, of - en daar ben je toch een jongen voor - een kuil wilde graven, riepen de bedienden meteen: 'Een koninklijke prins mag zich niet vuil maken!' En toen hij eens uit de mand een gewoon gerstebroodje kaapte dat voor het personeel was bestemd, werd dat hem dadelijk afgepakt: een koninklijke prins mocht geen gewoon brood eten. Hij kreeg honingkoeken en andere lekkere hapjes. En toen hij in een boom wilde klimmen - zoals hij dat thuis zo vaak had gedaan - kwamen er meteen een paar kinderjuffrouwen aanlopen, die schreeuwden: dat mag niet! Want hij zou er wel eens uit kunnen vallen en zijn nek breken! Mozes huilde vaak om deze dingen.

Maar wat hij helemaal niet begreep, was dat de koningsdochter zo weinig naar hem omkeek. Had zij niet gezegd, dat zij zijn moeder wilde zijn? Zijn echte moeder was altijd bij hem geweest. Zij had steeds tijd voor hem gehad. Maar de dochter van de farao - de voornaamste vrouw van het land - was altijd met andere dingen bezig. Ze hád bezoek of ze ging op bezoek. Of ze was bezig met het passen van nieuwe kleren. Waarom had ze dan gezegd, dat ze zijn moeder wilde zijn?

Over dit alles dacht de kleine Mozes vaak na en hij had er erg veel verdriet van. Langzamerhand begon hij eraan te twijfelen of het medelijden en de liefde van de dochter van de farao wel echt waren geweest, toen zij hem destijds opviste uit de Nijl. Waarschijnlijk was het zomaar een opwelling van haar, dacht hij; ja, misschien had ze het alleen maar gedaan om haar vader, de farao, te ergeren; omdat hij de Hebreeërs zo onderdrukte, had zij misschien juist een Hebreeuws jongetje tot prins gemaakt. Dáárom was hij bij zijn echte moeder vandaan gehaald.

Deze gedachten speelden door het hoofd van de jonge Mozes. Hij kreeg een hekel aan de rijken en machtigen. Hij voelde zich erg verdrietig, zó verdrietig zelfs, dat hij nergens meer zin in had. Spoedig daarop werd hij erg ziek. Toen hij weer beter was, kon hij niet meer zo goed praten, hij stotterde een beetje.

Mozes vlucht naar Midjan

Jaren gingen voorbij. Nog altijd woonde Mozes aan het hof van de farao. Hij was nu geen kind meer, maar een jonge man. Hij had veel geleerd, hetzelfde dat ook andere echte prinsen moeten leren: lezen en schrijven, paardrijden en vechten. Ook de wetten van het land beheerste hij volkomen.

Maar ondanks dit alles, was hij zijn vroegste kinderjaren niet vergeten. Iedere keer als er aan het hof over de Hebreeërs gesproken werd, spitste hij de oren, want hij wist dat hij een zoon van dit volk was, en dit volk leefde in ellende en werd onderdrukt door de mensen met wie hij dagelijks omging. Deze gedachte vergalde al zijn pretjes. Zijn hart kromp ineen als hij aan zijn volk dacht. Daarom was hij maar het liefst alleen en hij bemoeide zich niet met het kruiperige gedoe van vleiers en flikflooiers. Steeds vaker verliet hij het hof van de farao en zocht de streek op waar zijn volk woonde.

Op een dag kwam hij ook bij de leemgroeven, waar de Israëlieten stenen moesten maken, want nog altijd waren de twee nieuwe steden die de farao wilde bouwen, niet klaar. En nog altijd waren er miljoenen stenen nodig om al de muren, torens en huizen van de grond te krijgen.

Mozes kwam bij de rand van de grote leemgroeve en keek naar beneden. Het was al een heel dal geworden, diep en breed. Het krioelde daar van bruingebrande, gebogen magere figuren.

De één stak het leem af, de ander vermengde het met het hakstro, weer anderen deden de stenen in kisten, nog weer anderen sleepten ze de helling op. De zon brandde fel op de zwoegende en zwetende slaven. Grote mannen, zo sterk als beren, liepen met hun knallende zwepen tussen de Israëlieten door.

Wanneer een Hebreeër maar even wilde uitrusten of op adem komen, kwam er meteen zo'n opzichter aan en sloeg er met zijn zweep op los. Toen Mozes dat zag, werd hij verschrikkelijk kwaad, balde zijn vuisten en kreunde: 'Mijn volk, mijn arme volk, wanneer worden jullie hiervan verlost?'

Ineens zag hij twee mensen dicht in zijn buurt: een oude Hebreeuwse man, die een stapel stenen droeg en nauwelijks meer verder kon, en achter hem een Egyptenaar, die hem meedogenloos voor zich uitdreef. Nu kon Mozes zich niet meer inhouden. Hij keek vlug om zich heen of iemand

hem zag, sprong toen op de Egyptenaar toe en stak hem met zijn zwaard. De opzichter viel achterover op de grond. De oude Hebreeër liet zijn stenen vallen en staarde Mozes met open mond aan. Als Mozes nu gedacht had dat de Hebreeër hem zou bedanken, omdat hij hem van zijn beul bevrijd had, vergiste hij zich wel heel erg. De Hebreeër stootte een rauwe kreet uit, trok zich aan zijn grijze haren en rende weg.

Nu pas begreep Mozes, wat hij gedaan had. Hij had een Egyptische opzichter gedood. Daar stond een zware straf op, ook als een prins dat deed. Vlug groef hij een kuil in de aarde, schoof de dode erin, bedekte hem met zand en vluchtte snel.

Toch ging hij al de volgende dag naar dezelfde plek terug. Hij kon het niet verdragen dat zijn volk zo verschrikkelijk onderdrukt werd. Er zijn toch zo ontzettend veel Israëlieten, dacht hij, zouden zij de Egyptenaren dan geen weerstand kunnen bieden wanneer ze zich samen sterk maakten? Maar toen hij weer aan de rand van de leemgroeve stond, zag hij iets dat hem niet zinde. Hij merkte namelijk, dat de Hebreeërs, in plaats van elkaar te helpen en een front te vormen tegen de opzichters, het elkaar maar moeilijk maakten. Ze kibbelden en maakten ruzie, en liepen elkaar hinderlijk voor de voeten. Mozes kon zich weer niet beheersen, hij liep naar hen toe en zei: 'Waarom doet u zo vervelend tegen elkaar? U bent toch allemaal Israëlieten?'

De ruziemakers lieten elkaar nu met rust en keerden zich samen tegen Mozes. 'Wie ben jij eigenlijk?' vroeg de één. 'Ben jij niet degene die gisteren een Egyptische opzichter heeft gedood? Jij kunt maar beter maken dat je wegkomt en bemoei je voortaan niet meer met ons, want daar zou je wel eens spijt van kunnen krijgen.'

Mozes schrok, nu hij bemerkte dat bekend geworden was wat hij gedaan had. Hij liep vlug weg en keerde naar het paleis van de farao terug.

Maar hij was nog pas bij het voorportaal, of zijn trouwste dienaar kwam vanachter een pilaar op hem af: 'O, prins, u moet vluchten', fluisterde hij, 'vlucht, zo snel als u kunt, want men heeft de farao verteld, dat u voor de Hebreeërs gekozen hebt en zelfs een Egyptische opzichter gedood. De farao is woedend en heeft gezworen, u te laten wurgen.'

Toen schrok Mozes nog meer en hij vluchtte het paleis uit. Nu was hij geen prins meer, maar een arme achtervolgde vluchteling. Hij verliet Egypte en zwierf naar het zuidoosten, steeds verder, totdat hij in het land Midjan bij de golf van Akaba aankwam.

Daar leefde een volk van schaapherders. Een van hen was zo vriendelijk om hem in zijn huis te nemen. Van nu af aan woonde hij dus tussen herders en werd zelf ook herder.

De brandende doornstruik

Weer gingen er jaren voorbij. Mozes was intussen een volwassen man geworden. Maar hij kon het verleden niet vergeten: de tijd, dat hij aan het hof van de farao gewoond had en waarin hij de hoogmoed, de tirannie en de wreedheid van de machtigen had leren kennen. En ook zijn eerste kinderjaren, toen hij in een armzalig hutje had gewoond, verzorgd door een liefdevolle moeder, was hij niet vergeten. Hij herinnerde zich zijn grotere broer, Aäron, nog. Maar het best herinnerde hij zich zijn zus, Mirjam. Hoewel er al zoveel jaren voorbijgegaan waren, kende hij nog steeds een paar spreuken en gebedjes, die zij hem geleerd had en waarin over de ene God gesproken werd, die zijn voorvaders tot de stamvaders van het uitverkoren volk gemaakt had. Mozes leefde hier in Midjan tussen heidenen, net zoals hij in Egypte tussen de heidenen geleefd had, en van niemand had hij in al die jaren meer over de God van Israël gehoord. Ondanks dat, probeerde hij soms nog wel die oude gebeden op te zeggen, als hij alleen met zijn schapen door het land Midjan trok. En de Heer hoorde en zag Mozes.

Maar God keek ook naar de andere Israëlieten, die nog altijd in het land Gosen woonden en nog steeds verdrukt werden door de Egyptenaren, en de Heer trok zich hun lot aan en besloot hen te redden.

Op een dag toen Mozes weer eens met zijn schapen over de vlakten van Midjan zwierf, kwam hij met zijn kudde bij de berg Horeb. Plotseling zag hij de vlammen van een vuur. Ze sloegen uit een doornstruik en laaiden hoog op.

Eerst vond Mozes dit helemaal niet vreemd, want het kwam wel vaker voor dat het droge struikgewas door een bliksem werd getroffen en dan in brand vloog. Maar na een poosje brandde het vuur nog even fel als in het begin. 'Dat is vreemd', dacht Mozes, 'de doornstruik zou nu toch al lang uitgebrand moeten zijn. Ik ga eens kijken wat er met dat vuur aan de hand is.' Hij liet zijn schapen in de steek en naderde de vlammen. Toen hij vlak bij de struik was, hoorde hij een stem: 'Mozes, Mozes!' Mozes keek om zich heen. Wie riep hem daar? En weer hoorde hij: 'Mozes!'

Nu merkte hij dat de stem uit de brandende doornstruik kwam, en hij stamelde: 'Hier ben ik!' De stem ging verder: 'Kom niet dichterbij! Trek je schoenen uit, want de grond waarop je staat, is heilig!'

Mozes deed vlug zijn sandalen uit en liet zich op de knieën vallen. Hij durfde niet opkijken, omdat hij bang was Gods gezicht in de vlammen te zien.

Toen sprak de stem weer: 'Ik ben de Heer, de God van je vaderen en Ik heb gezien in wat voor ellendige omstandigheden mijn volk leeft. Het heeft nu wel genoeg geleden. Ik wil het bevrijden uit de macht van de Egyptenaren. Ik wil het uit Egypte naar een ander land brengen, een mooi en vruchtbaar land, waar het vredig en veilig wonen is. En ik heb jou, Mozes, uitgekozen, om je volk uit de slavernij te bevrijden.'

Hoe zal Mozes zich gevoeld hebben toen hij deze woorden hoorde? Had hij zich al niet duizendmaal afgevraagd op welke manier hij zijn volk kon helpen? Maar - wie was hij? Een arme vluchteling, die bij heidenen woonde en de God van zijn vaderen slechts kende uit een paar gebeden, die hij als klein kind geleerd had. Dus stamelde hij: 'O Heer, wie ben ik, dat ik dit zou kunnen doen? Ik weet niet eens hoe U heet.'

De vlammen laaiden steeds hoger op, en de stem sprak: 'Mijn naam is Jahwe, dat betekent: Ik zal er zijn voor ú. Ga heen Mozes, en vertel je volk dat Ik hen redden zal.'

Mozes verborg het gezicht in de handen en kreunde: 'O Heer, Heer, heb medelijden met mij. U heeft tegen mij gesproken. Maar wanneer ik nu naar mijn volk ga en zeg wat U mij gezegd heeft, zullen zij mij dan wel geloven?'

God antwoordde: 'Wat ligt daar naast je? Een staf? Pak hem op en gooi hem dan op de grond!'

Mozes keek, en... inderdaad, daar lag een herdersstaf naast hem. Mozes pakte hem op en gooide hem op de grond. Maar nauwelijks lag de staf daar weer, of hij kronkelde. De staf was veranderd in een slang. Mozes sprong op, want hij was bang voor slangen en bijna was hij ervoor op de loop gegaan. 'Pak de slang nu bij de staart', zei de Heer, 'en til haar op.' Mozes aarzelde even, maar omdat hij niet ongehoorzaam wilde zijn, overwon hij zijn angst, pakte de slang aan het puntje van haar staart beet en tilde haar op. Toen werd ze hard en stijf en hij hield weer een gewone staf in zijn hand.

'Jij hebt het teken gezien', zei de Heer, 'je moet dit ook aan je volk laten zien, zodat ze geloven dat Ik echt tot je gesproken heb. Wanneer ze je dan nóg niet geloven, neem een kruik met water en giet die leeg op de grond. Het water zal in bloed veranderen.'

Nu, Mozes was bereid om naar zijn volk te gaan en alles te doen wat God hem bevolen had. Hij stond op, deed een paar stappen, maar toch keerde hij zich nog één keer om en zei, kijkend naar de vlammen, die nog steeds hoog oplaaiden: 'Vergeef me, Heer, maar waarom zendt U nu juist mij? U weet toch, dat ik niet gemakkelijk spreek. Wanneer ik tot al die mensen het woord moet richten, zal ik stotteren, en zij zullen

mij uitlachen. Stuur toch iemand, die beter uit zijn woorden kan komen dan ik!'

Er sprongen vonken uit de brandende struik, de vlammen knetterden hevig, en Gods stem klonk boos: 'Waarom twijfel je? Ik heb je toch gemaakt zoals je bent, en Ik, de almachtige, zal bij je zijn. Waarom ben je nu eigenlijk nog bang?'

Weer viel Mozes op zijn knieën. De Heer ging verder, nu op zachtere toon: 'Je herinnert je je broer Aäron toch wel? Hij is begaafd en een goed spreker, ook voor een grote menigte. Je moet hem maar uitleggen wat hij zeggen moet, en hij zal dan wel het woord doen. Zo zal hij je mond en tong zijn. Zorg ervoor, dat je broer door de farao wordt ontvangen. Voor zijn ogen moeten jullie de wonderen doen die Ik je heb laten zien, en zeg dan tegen de koning van Egypte: 'Onze God is de enige echte God, en Israël is zijn uitverkoren volk.'

Op dat ogenblik doofden de vlammen en de doornstruik stond daar alsof hij nooit in brand had gestaan.

Mozes stond op, pakte zijn staf en dreef zijn schapen naar huis.

De volgende morgen al, nam hij afscheid van zijn vrienden in Midjan en keerde naar Egypte terug.

Negen plagen

Spoedig daarop stonden de beide broers, Mozes en Aäron, voor de troon van de farao en smeekten hem of hij de Israëlieten uit Egypte wilde laten weggaan om op een heilige plaats in de woestijn een offer aan de Heer te brengen.

Maar de farao zei tegen hen: 'Wat bezielt jullie Hebreeërs? Het lijkt wel alsof jullie overmoedig geworden zijn! Was ik soms te goed voor jullie? Ik zal jullie leren wat het betekent de farao boos te maken!' En hij gaf bevel de Israëlieten nog harder te laten werken dan ze tot nu toe gedaan hadden.

Nu moet je weten: om stenen te maken, heb je stro nodig, zodat het leem goed bij elkaar gehouden wordt. Steeds was het stro door de Egyptenaren naar de leemgroeven gebracht waar de Israëlieten werkten. Maar van nu af aan moesten de Israëlieten het stro zelf halen en toch moesten ze evenveel stenen afleveren als eerst. Dat was onmogelijk.

Hoe ze zich ook haastten, het ging boven hun krachten en bij honderden bezweken ze.

Toen Mozes en Aäron zagen dat hun verzoek het volk alleen maar nog grotere ellende had bezorgd, verzamelden ze moed en gingen opnieuw naar de farao. Deze keer hadden ze de staf meegenomen die God aan Mozes had gegeven. Aäron droeg hem, want hij moest ook het woord doen; toen de farao weer tegen hen te keer ging, gooide hij de staf op de grond, en voor de troon van de farao kronkelde een slang.

De farao schrok, maar hij beheerste zich meteen weer en riep zijn tovenaars bij elkaar. Deze moesten laten zien, dat ook zij hun stokken in slangen konden veranderen. Daar kwamen ze aangelopen met hun puntmutsen op en hun fraaie tovermantels aan. Zij gooiden hun stokken neer, en werkelijk, ook deze bewogen zich. Maar deze slangen waren veel kleiner dan die van Aäron. En de slang van Aäron kroop naar hen toe en at al de andere slangen op.

Maar toch bleef de farao weigeren. Hij liet de Israëlieten niet weggaan. Mozes en Aäron verlieten het paleis, maar terwijl ze wegliepen, hoorden ze de stem van God: 'Het hart van de farao is hard! Maar hij zal weten, dat Ik de Heer ben en alle macht bezit!' En Hij gebood de beide broers om met de staf op het water van de Nijl te slaan.

Aäron gehoorzaamde. Nauwelijks had hij met zijn staf het water aangeraakt, of een rode wolk dreef in de groene rivier. Het was net alsof iemand er een vat rode verf in had leeggegoten. De rode wolk breidde zich steeds meer uit en het water van de hele rivier veranderde in bloed. De vrouwen, die aan de oever hun was deden, gilden het uit en renden weg. De vissers gooiden hun fuiken opzij en eenden, zwanen en meeuwen stegen krijsend op uit de afgrijselijke bloedrivier. Niet alleen het water van de Nijl was in bloed veranderd, maar ook al het water in de putten en bronnen, in de kruiken en vaten. Niemand kon hiervan ook nog maar een slok drinken.

De Egyptenaren liepen jammerend naar de farao en klaagden: 'Heer, hoe komt dit? Wij moeten nu wel van dorst omkomen.

Een ander zou zich wel wat van die klachten hebben aangetrokken. Maar de farao was bikkelhard, niet alleen voor de Israëlieten, maar ook voor zijn eigen volk, en hij spotte met hen en zei: 'Doe toch zoals ik! Ik drink toch ook geen water, ik drink alleen maar wijn!'

De plaag duurde zeven dagen. De vissen gingen dood en mens en dier leden een verschrikkelijke dorst. Daarna veranderde de Nijl weer in water, en ook de bronnen bruisten weer helder. Maar nu kwam de volgende plaag.

Een leger kikkers kwam uit de moerassen te voorschijn, honderden, duizenden, miljoenen kikkers en padden overspoelden akkers en wegen. Ze drongen de huizen binnen, kropen in de bedden en zelfs in de ovens. De mensen walgden van al die dieren en sloegen zoveel kikkers dood als ze maar konden. Maar er kwamen er steeds meer.

De farao liet Mozes en Aäron roepen en zei: 'Dit is jullie werk. Maak dat die beesten weer verdwijnen. Daarna wil ik met jullie praten.'

Mozes antwoordde: 'Geeft u nú toe, dat onze God machtig is? Morgen zullen de kikkers verdwenen zijn.'

Inderdaad: de volgende dag stierven de dieren of gingen naar de rivier en de moerassen terug, waar ze vandaan gekomen waren. Maar de farao piekerde er niet meer over, met Mozes en Aäron te praten, en hij liet ze, toen ze kwamen, al bij de poort van het paleis terugsturen.

Nu kwam de ene plaag na de andere over het ongelukkige land. Zwermen muggen en steekvliegen kwamen opzetten en vielen de mensen en het vee aan. Tot overmaat van ramp veroorzaakten ze een besmettelijke ziekte, die de kudden van de Egyptenaren behoorlijk uitdunde; maar het vee van de Israëlieten bleef gezond.

Langzamerhand scheen de farao verstandiger te worden, hij beloofde van alles. Maar nauwelijks was de plaag verdwenen, of de koning verhardde zich weer en stuurde de broers Mozes en Aäron weg.

Op Gods bevel nam Mozes roet in zijn handen, ging voor het paleis van de farao staan, zodat de farao hem goed kon zien, en blies het roet de lucht in. Een zwarte regen viel niet alleen in het voorportaal van het paleis, maar heel Egypte werd ermee bedekt. Iedereen die met het roet in aanmerking kwam, kreeg vreselijke zweren. Geen enkel middel hielp tegen deze zweren. Zelfs de tovenaars van de farao werden ziek.

De koning zelf sloot zich op in zijn vertrekken, niemand mocht bij hem komen. God liet Mozes zijn staf naar de hemel opheffen en meteen stak er een vreselijke storm op. Het begon te onweren en te hagelen. Toen het onweer ophield, lag het hele land er geteisterd bij; alleen Gosen was gespaard gebleven.

Toen de farao dit hoorde, schrok hij en was nu bijna zo ver, dat hij de Israëlieten wilde laten wegtrekken, waar ze ook maar naar toe wilden. Hij begreep, dat zijn hele rijk verwoest zou worden als hij bleef weigeren. De God van die slaven was wel erg machtig.

Toch kon hij het niet over zijn hart verkrijgen om toe te geven. Daarom zei hij: 'Deze Hebreeërs zijn slaven en moeten altijd slaven blijven!'

Nu kwam er zó'n grote menigte sprinkhanen vanuit de woestijn aangevlogen, dat de zon erdoor verduisterd werd. De wolk sprinkhanen liet zich vallen, en in de bomen en struiken wemelde het van die vraatzuchtige dieren. In een oogwenk aten zij alle bladeren en halmen op. Hongerig trokken ze verder op zoek naar groen. Opnieuw gingen de Egyptenaren naar hun koning en jammerden: 'Moeten wij allemaal sterven, alleen omdat u deze Hebreeërs niet laat gaan? Heb medelijden met uw volk!' Tandenknarsend van woede beval de farao om Mozes en Aäron te halen. ''t Is nu genoeg', zei hij, 'trek weg waarheen je wilt, maar alleen de mannen mogen gaan! De vrouwen en kinderen moeten hier blijven.' 'Dat kan toch niet uw bedoeling zijn', zei Mozes, 'wat zouden wij voor afgrijselijke mensen zijn als we onze vrouwen en kinderen zomaar zouden achterlaten en alleen wegtrekken.' 'Dan niet!' schreeuwde de farao woedend, en hij joeg Mozes en Aäron naar buiten.

Ondertussen had de westenwind de sprinkhanen uit het Nijldal verjaagd en de Schelfzee ingedreven, waar ze verdronken. Maar meteen kwam er een nieuwe plaag over Egypte. Drie dagen lang leek het alsof de zon niet opkwam. Over het hele rijk lag zo'n dik wolkendek, dat er geen straaltje zonlicht doorheen kon dringen. Het was zo donker, dat men geen hand voor ogen kon zien, maar bij de Israëlieten was het licht.

De farao stond op het dak van zijn paleis en keek uit over zijn donkere land. Daar beneden lag de hoofdstad. Daar waren de rovers, die nu uit hun schuilhoeken te voorschijn waren gekomen om van de lange donkere nacht te profiteren, want niemand kon hen nu immers pakken!

De kreten van de mensen die overvallen en beroofd werden, stegen op; het leek wel alsof er hyena's in zijn tuin tekeer gingen.

Hij riep vanaf het dak naar beneden: 'Haal Mozes en Aäron! Ik zal de Hebreeërs laten gaan!'

Tussen walmende fakkels werden de twee mannen het paleis binnengebracht. De farao ontving hen in zijn troonzaal, waar het anders licht was, zodat je overal de bonte schilderijen kon zien hangen, maar nu was het er donker, het leek wel een huiveringwekkende grafspelonk. 'U heeft het gehoord', begon hij, zijn stem beefde, 'ik buig me voor uw wil, zodat deze duisternis van ons weggenomen wordt.'

'Eindelijk', zei Mozes, 'heeft u de hand van de Heer gevoeld. Hij aleen is koning.'

De duisternis trok op, het eerste streepje daglicht drong door het raam naar binnen. Maar toen Mozes en Aäron weg wilden gaan, riep de farao hen nog één keer terug: 'Begrijp me goed, Hebreeërs', zei hij, u mag wegtrekken, mannen, vrouwen en kinderen; maar het vee moet hier achterblijven.'

'Wat bent ú halsstarrig!', zei Mozes, 'u weet heus wel dat dat niet mogelijk is. Waarvan moet ons volk leven als het geen kudden meer heeft? En wat moeten we aan onze God offeren, als we onze dieren in Egypte achterlaten?'

Toen schreeuwde de farao: 'Ga weg! Verdwijn uit mijn ogen! En zorg ervoor dat ik u nooit meer zie, ander zal ik u doden!'

Mozes antwoordde: 'Daar kunt u van op aan.'

En hij ging met Aäron voor de laatste keer het paleis van de farao uit.

De laatste plaag

Grauw schemerde het morgenlicht over Egypte, de donkere wolken trokken weg. Tussen de door de storm verwoeste oevers, voer een schip met zwarte zeilen de Nijl af.

Met dat schip waren Mozes en Aäron op weg naar het land Gosen, waar de Israëlieten woonden. Aäron was op het dek gaan liggen en sliep. Maar Mozes stond voor op de boeg en keek uit over de rivier. Hij was moe en uitgeput, toch wilde hij niet uitrusten. Hij had medelijden met het land, dat zoveel te verduren had gehad, alleen maar omdat de koning zo hardvochtig en koppig was geweest en zich niet aan zijn woord had gehouden. Maar toen dacht hij aan het eindeloze lijden waaronder zijn volk gebukt moest gaan, en zijn hart brandde van verlangen om dat volk te bevrijden.

God zei tegen Mozes: 'Ik wil nog één plaag over de farao en Egypte brengen; deze zal zó erg zijn, dat de Egyptenaren jullie niet alleen laten wegtrekken, maar ze jullie zelfs zullen dwingen om het land uit te gaan. Ik zal mijn doodsengel zenden en uit alle gezinnen van de Egyptenaren zal de eerstgeboren zoon sterven. In elk huis zal de oudste zoon sterven zowel in het paleis van de farao, als in het nederigste hutje. Daar zal heel het land over rouwen, zoals dat nog nooit gebeurd is en zoals dat ook nooit meer zál gebeuren. Maar de Israëlieten zal Ik sparen.'

'Ach Heer', vroeg Mozes, vervuld van schrik. 'Hoe zal dat gebeuren?'

Toen sprak God: 'Let goed op, Mozes, wat Ik nu tegen je ga zeggen! Ga vlug naar de Israëlieten en vertel hun: 'Het uur van de bevrijding is

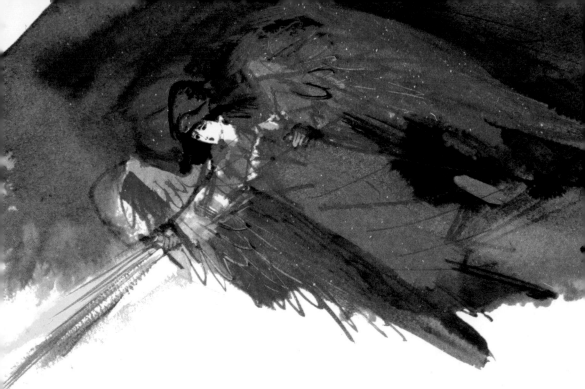

aanstaande. Op de tiende van deze maand moet iedere huisvader een gezond lam van het mannelijk geslacht nemen en tegen de avond slachten. Met het bloed van het lam moet hij de drempel en de post van de deur bestrijken. Dan moeten de gezinnen het gebraden vlees eten met ongezuurd brood erbij, maar niemand mag bij deze maaltijd gaan zitten. Deze maaltijd moet men staande gebruiken, volledig gekleed om op reis te gaan, klaar om te vertrekken, met schoenen aan de voeten en de wandelstaf in de hand. Dit is het paasfeest, het lentefeest: de voorbijgang van de Heer. Het is de dag van de bevrijding.'

Zo sprak God tegen Mozes.

Alles gebeurde zoals God gezegd had: de Israëlieten maakten zich klaar voor de reis. In de laatste nacht aten ze van het lam, iedere vader met zijn gezin. Hun drempels en deurposten waren met bloed bestreken. Buiten ging de doodsengel voorbij, het vlammende zwaard in de hand, en als hij een deur vond die niet met bloed bestreken was, ging hij naar binnen en doodde de oudste zoon. Hier werd de zoon van een arme boer ziek en zonk stervend in elkaar op zijn bed van stro, dáár lag de kroonprins te sterven op zijn praalbed. Er was niet één Egyptisch huis waar geen dode jongen was.

Er steeg een klagelijk gejammer op in heel Egypte, en de verschrikkelijke tijding ging van mond tot mond: 'Dit heeft de God van de Hebreeërs gedaan, omdat de koning Gods volk niet heeft laten wegtrekken.'

En alle Egyptenaren, die aan de grens van het land Gosen woonden, kwamen naar de Israëlieten toe en riepen: 'Ga weg, ga toch weg van ons, anders zullen we allemaal nog sterven.'

De Israëlieten vertrekken uit Egypte

Nu was de grote en langverwachte dag aangebroken: het volk Israël verzamelde zich voor de uittocht uit Egypte. Allemaal kwamen ze, met duizenden stroomden ze samen. Het was een reusachtig lange stoet. Mozes ging voorop, samen met Aäron en Mirjam. Ze verlieten het land waarin ze vierhonderddertig jaar gewoond hadden.

Hun doel was Kanaän, het land waarvan God gezegd had dat Hij het aan de nakomelingen van Abraham wilde geven, en waarvan beweerd werd dat het bijzonder vruchtbaar was. Het vloeide over van melk en honing.

Ze rekenden uit, dat ze twee of drie maanden onderweg zouden zijn. De meesten vonden dit al heel erg lang. Wat zouden ze wel gezegd hebben, als iemand hun voorspeld had dat ze wel veertig jaar onderweg zouden zijn?

En dat maar enkelen van hen, die nu vol moed op weg gingen, het heerlijke land met eigen ogen zouden zien?

Ook Mozes had hier geen flauw idee van. Hij had andere zorgen aan zijn hoofd. Voor de wegtrekkende stoet uit lag de woestijn. Het zou moeilijk zijn om voor zoveel mensen in die streek eten te vinden.

Maar nog banger was Mozes voor de farao. Zó goed kende hij de wrede en trouweloze farao nu wel, dat hij er niet op durfde hopen, dat deze zonder meer genoegen zou nemen met het vertrek van de Israëlieten. Wat zou er gebeuren als hij er een leger opuit stuurde om hen te achtervolgen? Mozes was er wel zeker van, dat de farao dat zou doen, daarom liet hij de Israëlieten niet langs de kortste weg gaan, maar leidde hen eerst naar het zuiden, naar de Rode Zee. De Heer ging voor hen uit en wees de weg. Maar terwijl Mozes, die grote, stoere man, met zijn al wat grijzend haar, daar zo voortstapte, merkte hij, dat er een jongen naast hem liep, een jongen van ongeveer een jaar of zestien. Deze bleef maar steeds bij hem en daarom vroeg Mozes: 'Wie ben jij?' De jongen antwoordde: 'Ik ben Jozua, de zoon van Nun.'

'En wat wil je van mij?'

'Ik wil alleen uw reiszak maar dragen, Mozes.'

Mozes glimlachte een beetje en had bijna al de riemen van zijn schouders willen laten glijden, waaraan zijn reiszak hing. Maar hij bedacht zich en zei streng: 'Het is beter, dat je de reiszak van je vader of moeder draagt.'

Jozua zweeg en bleef een poosje achter. Maar toen dook hij weer naast Mozes op en liet zich niet meer afschepen. Jozua had veel bewondering voor Mozes en was vastbesloten, in zijn buurt te blijven lopen. Na een poosje mocht hij werkelijk de reiszak van Mozes dragen. Hij schepte ook water voor hem als ze bij een put kwamen en 's nachts sliep hij naast hem in het zand.

Op een dag stak er een zandstorm op in de woestijn, die alle sporen uitwiste. Nu wist Mozes niet meer welke weg hij moest inslaan. Bezorgd speurde hij om zich heen; maar toen trok Jozua hem aan zijn arm en wees naar een wolk, die stralend wit en helder aan de horizon stond. 'Ik geloof dat we die kant uitmoeten', zei Jozua.

Mozes zag het nu ook. Deze wolk was geen gewone wolk. Het was een wolk in de vorm van een zuil, een wolkkolom. Ze bleef voor hen uitgaan, haar gedaante veranderde niet door de wind. Heel langzaam ging de wolk voor de Israëlieten uit en wees hun de weg. Als de avond viel en de nacht aanbrak, bleef de wolk steeds zichtbaar. Dan was het alsof er een vuur in brandde: de wolkkolom was veranderd in een vuurkolom. Nu wist Mozes: ja, het was de Heer, die in deze wolk voor zijn volk uitging.

De Egyptenaren verdrinken in de Schelfzee

's Morgens kwam er een verschrikkelijk bericht: de Egyptenaren achtervolgden hen met een geweldige legermacht. Daar had je het al! De omweg, die Mozes gemaakt had, was voor niets geweest. En het ergste was nog: vóór de Israëlieten lag de zee, zodat ze niet eens konden vluchten.

Zij die de moed meteen al verloren, gingen naar Mozes en verweten hem: 'Waarom hebt u ons uit Egypte laten wegtrekken? Nu zullen we omkomen!'

Maar Mozes liep naar het strand, en legde de staf die God hem gegeven had, op de golven.

'Wat doet mijn meester nú?' dacht Jozua. 'Waar is dit voor nodig? Het zou toch beter zijn als hij ons het bevel zou geven om onze zwaarden te trekken?'

Maar er gebeurde iets wonderlijks. Jozua geloofde zijn ogen niet. De zee vloeide terug, ja, ze spleet in tweeën: naar rechts en naar links pakte het water zich golvend samen. Het vloeide echter niet terug, maar stond stil, alsof het van glas gemaakt was, alleen boven op die muur van water bruiste nog wat schuim. Zo ontstond er een pad, een droog pad midden tussen het water door - en dit pad leidde naar de overkant. Zo vlug als ze konden, trok het volk Israël tussen de watermuren door, over de droge bodem van de zee. Maar achter hen stapelden de wolken zich op, waardoor de achtervolgers hen niet meer konden zien, totdat de laatste man de overkant bereikt had. Toen werd het nacht.

De Egyptenaren waren nu bij het strand gekomen en zagen in het licht van de vuurzuil wat er gebeurd was. Velen van hen waren erg bang en riepen: 'We willen terug! Deze Hebreeërs hebben een veel te machtige beschermgod! Wat heeft het voor zin om tegen hen te strijden?' Maar de farao hield voet bij stuk: hij wilde de achtervolging doorzetten.

Toen nu 's morgens de wolk verbleekte, gaf de farao het bevel op te trekken, en de eerste ruiters stuurden hun wagens de zee in.

Ondertussen wachtten de Israëlieten op de andere oever op de dingen die gebeuren zouden.

Mozes beklom een rotsklip, waarvanaf hij een wijd uitzicht had.

'Ze komen eraan', riep Jozua. 'Ziet u wel, Mozes? Ze komen!'

Het hele leger van de Egyptenaren bevond zich nu op het pad in de zee tussen de hoge watermuren. Duidelijk zagen ze de speren blinken, en het vaandel, dat de wagen van de farao kenmerkte, zagen ze op en neer gaan.

Nu stak Mozes zijn staf in de hoogte: een siddering trok door het water van de zee. En met een ontzettend geraas stortten de watermassa's ineen. Een duizendvoudig gejammer steeg op. Was het het geschreeuw van de Egyptenaren, of kwam het van de Israëlieten, die het verschrikkelijke gebeuren vanaf de oever konden zien? Een brede streep kokend schuim liep dwars over de Schelfzee. Mensen, paarden en kapotte wagens tolden in het rond. Nog één keer kon men een vlag boven het water uit zien steken, daarna was er niets meer zichtbaar dan alleen het golvende water. Het volk van God was gered. Toen zongen de Israëlieten een loflied ter ere van God.

Het regent brood uit de hemel

Ze trokken verder de woestijn in, de geheimzinnige wolkkolom ging nog steeds voor hen uit. Er zou nog heel wat gebeuren dat het geduld en de moed van de Israëlieten op de proef zou stellen. Er waren talloos veel mensen die eten en drinken moesten, en ook het vee moest gevoerd worden. Weliswaar kwamen ze steeds weer bij oases en groene vlakten, waar mens en dier zich verfrissen en verzadigen konden. Maar hoe zwaar viel het hen als ze dwars door een van de kale rotsgebergten of een van de eenzame woestijnen trokken.

Nog steeds liep Jozua trouw naast Mozes, maar ook sloot hij zich wel bij anderen aan en dan luisterde hij naar de dingen die de mensen met elkaar bespraken. Daarna voegde hij zich weer bij Mozes. Daar kwam hij weer aan; Mozes zag meteen dat Jozua bedroefd was. 'Wat heb je?' vroeg hij. 'Zijn ze weer aan het mopperen?' 'Mopperen?' antwoordde Jozua. 'Ach, Mozes! Zij mopperen niet alleen, maar het zijn oproer- kraaiers. Weet u wat ze zeggen? Ze zeggen dat het uw schuld is dat zij nu in deze vervloekte woestijn zijn, waar ze allemaal zullen omkomen. Sommigen hebben het er zelfs over, rechtsomkeer te maken en naar Gosen terug te trekken, want daar bij de vleespotten van Egypte beviel het hun veel beter.'

Mozes verborg het gezicht in de handen. 'Hoe is het mogelijk?' zuchtte hij toen. 'Zóveel wonderen heeft God voor dit volk gedaan. En ondanks dat, geloven ze niet in Hem!' De toestand werd bepaald kritiek, toen kleine groepjes zich afscheidden om op hun eigen houtje de weg naar Gosen terug te gaan. Mozes bad tot God en vroeg: 'O Heer, geef hun brood, al zou U het uit de hemel moeten laten regenen!'

Jozua was verbaasd bij het horen van dit gebed en hij dacht: God is wel machtig, maar wat Mozes nú vraagt, is toch niet mogelijk.

Toen hij de volgende morgen wakker werd, zag hij iets merkwaardigs: de woestijn zag er heel anders uit. Op het zand, zo ver als je maar kijken kon, lag iets wits, iets glanzends, een kleed van miljoenen dunne, kleine schilferachtige blaadjes. Jozua pakte er eentje op, draaide het om en om - en stak het in zijn mond. Het smaakte als brood en was een beetje zoet.

'Brood!' riep Jozua, hij liep tussen de tenten en wagens heen en weer en riep steeds maar weer: 'Brood, er is brood uit de hemel gevallen!'

De slapers werden wakker, sprongen op en aten er gulzig van. Mozes beval ieder, zoveel brood te verzamelen, als hij voor één dag nodig meende te hebben. Hij noemde het brood: manna.

De stoet trok verder door de woestijn. Weer kwamen er moeilijke dagen. Deze keer was er geen water. Weer merkte Jozua hoe het volk mopperde en hoe gemakkelijk men tegen Mozes in opstand kwam. Opnieuw vielen er boze woorden. In het geheim werd er tussen de verschillende groepjes gesmoesd en gefluisterd. Toevallig hoorde Jozua dat een paar het plan hadden om Mozes te stenigen.

Hij liep vlug naar Mozes toe en riep: 'Doe uw zwaard om, Mozes, en geef ook mij een zwaard! Ze willen u doden! Maar zo lang ik leef, zal er geen haar van uw hoofd gekrenkt worden.' En hij drukte zich tegen Mozes aan, kuste hem en huilde.

Mozes bleef kalm en zei: 'Kijk eens om, Jozua. Zie je die berg in de verte? Dat is de berg Horeb, waar God de eerste keer aan mij verschenen is. Geloof je nu heus, dat Hij mij aan de voet van zijn berg zal laten sterven? Ik ga er morgen naartoe en ik zal er water uit de rots slaan.'

Zo gebeurde het. Mozes nam de oudsten van het volk Israël mee en liep naar de voet van de heilige berg. Hij hief zijn staf op en sloeg toen op de rots.

Meteen stroomde er water uit.

De tien geboden

Nu waren de Israëlieten al drie maanden onderweg. Aan de voet van de berg Sinaï sloegen ze hun tentenkamp op. De Sinaï was een hoge, gespleten rotsklip. De top was niet te zien. Want een donkere wolkkolom hing boven de berg. Maar wás het eigenlijk wel een wolkkolom? Nee. Als een reusachtige onweersbui breidde ze zich steeds uit, vuurstralen schoten door de wolk heen en de donderslagen klonken als duizenden bazuinen.

Iedereen bukte zich en verwachtte doodsbenauwd het allerergste. Maar Mozes maakte aanstalten om de berg te beklimmen.

'Wat doet u?' vroeg Jozua angstig. 'U kunt de berg toch niet beklimmen in dit onweer?'

'God heeft me geroepen', zei Mozes. 'Zou ik Hem dan niet gehoorzaam zijn?' Maar hij zag bleek, want ook hij was bang.

'Zorg ervoor', zei hij, 'dat niemand mij volgt op mijn tocht. Toen ging hij weg. Jozua keek Mozes na, totdat hij in de onweerswolken verdwenen was.

Daarna ging hij samen met Aäron de berg afzetten, opdat niemand de rotsen, die trilden en schudden van de donder, zou naderen.

Ondertussen was Mozes met vrees en beven de onderste ravijnen door-geklauterd. De top van de berg doemde nu voor hem op. Op die top vond hij twee grote stenen tafels.

Nu begreep Mozes waarom de Heer hem naar boven had geroepen. De dag van de wetgeving was aangebroken. God wilde zijn wil bekend-maken: hij, Mozes, moest de wet schrijven op die stenen tafels en aan zijn volk overbrengen.

Mozes nam de stift, klaar om te schrijven. Het geraas van de donder zweeg, de storm hield zijn adem in, en uit de oneindige ruimte weerklonk een stem: 'Ik geef een wet, aan jou, aan het volk Israël en aan alle andere volken van deze aarde, want de gehele aarde is van Mij.

1. Ik ben uw bevrijder, de God die u verlost heeft uit de slavernij van Egypte.
   U zult in Mij geloven en naast Mij geen andere goden hebben.
2. U zult mijn naam eren.
3. U zult de zevende dag van de week voor Mij apart houden.
4. U zult uw vader en uw moeder eren.
5. U zult niet doodslaan.
6. U zult trouw zijn in het huwelijk.
7. U zult niet stelen.
8. U zult niet liegen en kwaadspreken.
9. U zult niet naar de vrouw van uw naaste verlangen.
10. Ook zult u niet verlangen naar de bezittingen van een ander.

Dit zijn de tien geboden, die ik je geef, Mozes, aan jou en aan alle mensen op aarde. Daal nu de berg af en vertel ze aan mijn volk!'

Toen zweeg de stem. Mozes stond op. De twee stenen tafels waren volgeschreven, maar hij kon zich niet herinneren dat hij dat zelf had gedaan. Gods vinger had zijn hand geleid. Eerbiedig nam hij de stenen tafels in zijn armen om er de berg mee af te dalen.

Hij wist niet, dat zijn gezicht straalde als de zon.

Hij wist ook niet, hoe lang hij op de top van de berg Sinaï geweest was. Was het een uur - of een hele dag - of misschien wel een week?

De dans om het gouden kalf

In werkelijkheid was Mozes veertig dagen lang op de berg Sinaï gebleven, langer dan een maand dus. Het volk zou wel denken, dat hij dood was. Eerst had het geduldig gewacht, maar toen werd het onrustig. Wat was er met hun leider gebeurd? Was hij door de bliksem getroffen? Was hij naar beneden gestort? Of - het was haast niet te geloven, maar toch ging het praatje van mond tot mond - was Mozes ervandoor gegaan?

In ieder geval was Mozes verdwenen en het volk voelde zich in de steek gelaten en alleen; net als kinderen die alleen thuis zijn en niet weten wanneer hun ouders thuiskomen, deden zij allerlei dingen die niet mochten. Ze herinnerden zich, dat hun vroegere overheersers, de Egyptenaren, stieren en kalveren als goddelijke wezens vereerden en hun grote offers brachten in tijden van nood. Toen kwamen enkelen op de gedachte: misschien is het niet zo dwaas om beelden van dieren te aanbidden. Misschien moeten ook wij zo'n beeld maken en vereren! Wie weet of zo'n god ons helpt?

Jozua merkte wel wat er aan de hand was. Hij schrok ook. Ook hij begreep niet, waarom Mozes zo lang op de berg bleef. Ook hij had al vaak gedacht: misschien is hij wel dood! Hij was bang en verdrietig.

Jozua ging naar Aäron en zei: 'Heeft u gehoord, wat de mensen van plan zijn? Ze willen een gouden kalf maken en dat als god vereren.'

'Ja, helaas', antwoordde Aäron. 'De dwazen! Het lijken wel kleine kinderen. Maar misschien is het beter dat ze hun hoop op een afgod vestigen en bij elkaar blijven, dan dat ze wanhopig worden en zich in de woestijn verspreiden.' En Aäron liet aan Jozua een kist vol gouden ringen, armbanden en kettingen zien, die men hem al gebracht had. Aäron moest ze smelten en er een gouden kalf van maken.

Maar Jozua wilde hier niets mee te maken hebben. Hij verliet het tentenkamp en ging naar de berg Sinaï. Vanuit de verte zag hij hoe de Israëlieten voorbereidingen troffen om het beeld te kunnen maken. De smeltoven was al gebouwd, een kunstvaardig man had het model van een kalf gevormd, er werd een afdruk van gemaakt en daarna kon het gegoten worden. Het volk wachtte in spanning af of het werk zou lukken.

Eindelijk stond daar het goddelijk beeld helemaal klaar. Tussen de tenten steeg een luid gejubel op. Vrouwen en meisjes versierden zich en ook de mannen en kinderen trokken feestkleren aan. Er werd een feestmaal klaargemaakt. En tenslotte danste het totaal misleide volk om het gouden kalf.

Jozua hield het niet langer uit om hier aan de voet van de berg te blijven zitten. Hij klom over de omheining, die hij met Aäron gemaakt had, klauterde door een van de rotskloven naar boven en kroop daar in een grot. 'Hier wil ik wachten', dacht hij, 'totdat Mozes terugkomt, en als hij niet terugkomt, wil ik hier sterven.'

Het werd nacht. In het kamp ging het feest nog door. Steeds wilder klonk het gezang, steeds uitgelatener dansten ze rondom het afgodsbeeld.

Daar hoorde Jozua voetstappen! Er kwam iemand de berg af. Hij stormde zijn schuilplaats uit: iets dat licht uitstraalde kwam naderbij. Toen het heel dichtbij was, herkende Jozua het glanzende gezicht van Mozes. 'U bent het!' riep hij. 'Wat bent u lang weggebleven!'

Mozes bleef staan. Hij hield de tafels waar de wet op was geschreven, omhoog en keek neer op het tentenkamp, waar het vreugdevuur hoog oplaaide. Jozua had de moed niet om hem de waarheid te vertellen. 'Er is krijgsgeschreeuw in het kamp', stotterde hij.

'Krijgsgeschreeuw?' herhaalde Mozes, en zijn ogen begonnen te gloeien. 'Ik hoor noch overwinningskreten, noch jammerklachten. Maar wat ik wél hoor, is feestgezang!'

'Trek het u niet aan', smeekte Jozua. 'Ach, was u maar niet zo lang weggebleven, Mozes! Uit angst, alleen maar uit angst, hebben zij dit kwaad gedaan. Begrijp het toch!'

Maar Mozes was hem al voorbij en naar het kamp afgedaald.

Blinkend stond het gouden kalf daar. Een waanzinnige menigte danste er joelend omheen.

Mozes tilde de tafels waar de wet op geschreven was, hoog op en smeet ze woedend stuk op de rotsen. Toen liep hij tussen de dansende massa door naar het gouden kalf, rukte het van zijn voetstuk en wierp het omver.

Ogenblikkelijk waren ze allemaal stil, zelfs het geringste geluid verstomde. Het duurde even voordat Mozes een woord kon uitbrengen. Toen riep hij: 'Geef me een knuppel!' Toen iemand hem bevend een knuppel aanreikte, nam hij die en begon op het omgevallen beeld te slaan. Hij sloeg steeds harder, totdat het geheel in splinters uiteenviel.

De volgende dag werd het volk verschrikkelijk gestraft. De hoofdschuldigen moesten sterven. Alleen met de grootste moeite kon Aäron zijn houding enigszins goedpraten.

Slechts Jozua had het vertrouwen van Mozes ten volle verdiend.

Veertig jaar in de woestijn

Weer beklom Mozes de berg Sinaï. Maar wat was hij deze keer terneergeslagen. Had hij de eerste keer de majesteit van God gevreesd, nu vreesde hij de toorn van de Allerhoogste, want zijn volk had vreselijk gezondigd.

Zou de Heer hen vergeven? Mozes hoopte het maar - ondanks alles!

En kijk! Weer waren er twee stenen tafels boven op de berg. Voor de tweede keer mocht hij de tien geboden opschrijven. Toen zei God tegen hem: 'Ik had je met je volk een heerlijk land willen geven. Ik had je daarnaartoe willen voeren zonder dat er een haar van je hoofd gekrenkt zou worden. Maar nu loopt alles anders: veertig jaar lang moeten jullie rondzwerven en alle ontberingen van deze barre woestijn ondergaan. En ook dan nog zal de poort naar Kanaän niet zo maar openstaan; om het beloofde land binnen te komen, moet er gestreden worden. Niets zal zomaar geschonken worden. En dit moet ik je ook nog vertellen, Mozes: eens zul jij zelfs aan Mij twijfelen! En daarom zul jij Kanaän niet binnengaan. Bij de grens zul je sterven. Anderen zullen je volk in zijn toekomstige vaderland binnenvoeren, jij niet.'

Mozes huilde, maar hij boog zich voor de Heer en zei: 'Heer, U weet alles. Uw wil zal gebeuren en uw naam zal tot in eeuwigheid geprezen worden.'

De jaren gingen voorbij, en zoals God van tevoren gezegd had, zwierf het volk Israël in de woestijn rond. Steeds maar weer zochten ze naar de schaarse stroken groen, die hier en daar in de eenzame woestijnzee verscholen lagen. Daar kon het vee wat gras eten en daar stonden ook wel eens wat dadelpalmen, waarvan ze wat vruchten konden plukken. Maar wat betekende dat eigenlijk voor zo'n grote menigte? De Israëlieten leden honger en dorst, en veel van hen, die eens zo welgemoed uit Egypte vertrokken waren, waren al gestorven. Zij hadden hun laatste rustplaats in de woestijn gevonden. Maar er waren ook kinderen geboren op deze zwerftochten. Een nieuwe generatie groeide op.

Mozes lette erop, dat er geen nieuwe godsdienst opdook. Hij deed al het mogelijke om het volk wat liefde bij te brengen voor de tien geboden. Hij gaf zijn volk ook nog andere geboden, die het leven tot in de kleinste bijzonderheden regelden. Ja, hij dacht daarbij zelfs aan de toekomst, als het volk Israël weer een vaste woonplaats had en ze hun akkers weer gingen bebouwen. Ook voor die tijd zorgde Mozes. Daarom gaf hij een wet, waarin hij verbood de grenzen van de akkers te verplaatsen, zodat de één rijk zou worden ten koste van de ander. Wie in strijd met die wet zou handelen, zou zwaar gestraft worden. Ook stond er een zware straf op het beroven van weduwen en wezen. De vreemdeling moest men gastvrij ontvangen in zijn huis. De armen moesten delen in de oogst van de akkers en de wijnbergen, opdat ook zij hun dagelijks brood zouden krijgen. Grote zorg besteedde Mozes aan de gezondheidstoestand van zijn volk. Wie een besmettelijke ziekten kreeg, moest zich verwijderen en in een apart daarvoor ingericht kamp op genezing wachten. En omdat Mozes wist dat het in landen waar het water kostbaar is, niet altijd even goed gesteld is met de hygiëne, schreef hij precies voor, wanneer en hoe vaak men zichzelf en zijn kleding moest wassen.

Deze grote man zorgde voor zijn volk als een trouw en liefdevol vader. Hij maakte nog meer voorschriften: de mannen uit de stam van Aäron wees hij aan om priester te worden. Hij bouwde een heilige tent, waarin het kostbaarste dat Israël bezat, de stenen wetstafels, in een prachtige kist van acaciahout werden bewaard. De tent werd 'tabernakel' genoemd, de kist: 'ark van het verbond'.

Jozua hielp Mozes bij al deze dingen. Steeds hechter werd de vriendschap tussen de jongeman en de nu hoogbejaarde Mozes. Steeds vertrouwelijker besprak Mozes zijn zorgen met Jozua, één keer nam hij hem zelfs mee de berg Sinaï op. Ook Jozua moest ondervinden, hoe de Heer zich aan zijn schepselen openbaart.

Daarna kwamen er nieuwe zorgen en problemen. Weer moest het volk van Israël een eenzame woestenij doorkruisen. Onder iedere doornstruik, in iedere rotsspleet, lagen kleine, roodgevlekte slangen, giftige adders. Hun beet was net een messteek; wie gebeten werd, werd ziek en kreeg hevige pijn.

Mozes was de wanhoop nabij. Gisteren waren er wel honderd, maar vandaag waren er al driehonderd mensen gestorven door de beet van die boosaardige adders en er kwamen er steeds meer.

Mozes bad tot God. Hij smeekte Hem het volk, dat duidelijk berouw toonde, niet nog langer te straffen. God hoorde het gebed van Mozes en Hij beval: 'Maak een koperen slang, bevestig die aan een paal. Wie naar die slang opkijkt en vertrouwt dat hij beter wordt, zal genezen, maar wie dat niet gelooft, moet sterven.'

Mozes gehoorzaamde. Hij liet vlug een slang van metaal gieten en aan een paal vastmaken. De zieken liet hij naar de paal brengen en - inderdaad - allen, die vol verwachting naar het beeld opkeken, werden genezen.

Ondanks al deze wonderen gebeurde het steeds weer en helaas maar al te vaak, dat het volk ontevreden was en tekeer ging. Tal van jaren aten zij al het manna. Eerst waren ze blij geweest met dat brood uit de hemel, maar nu mopperden ze: 'Altijd moeten wij maar hetzelfde eten. Het manna hangt ons de keel uit!'

Hoe lang zouden ze nu nog in die vervloekte woestijn moeten rondzwerven? Waarom trekken we niet gewoon naar het noorden, naar Kanaän?, zo vroegen ze zich af. Ze waren het eindeloze getob moe geworden, zelfs

Mozes had er genoeg van.

Zijn baard was nu al helemaal wit en zijn lange figuur wat gebogen. Al lang geleden waren zijn zus en zijn broer gestorven. De voorbeeldige Mirjam, die gedanst had van vreugde toen Israël uit Egypte trok, rustte in een eenzaam rotsgraf; ook Aäron, die eens het woord bij de farao had gedaan, lag in de woestijn begraven. Mozes treurde om hen en om zoveel anderen, en zo gebeurde het wat God voorzegd had: ook hij, de leidsman van Israël, begon in stilte te wanhopen. Niemand wist het, ook de trouwe Jozua niet, alleen God wist wat er in Mozes omging. Daarom echter was de Heer niet boos op Mozes, maar Hij wachtte totdat Mozes zelf zijn twijfel overwonnen had. Toen sprak God met hem als een vriend: 'Nu heb je zelf ervaren, dat je niet de juiste man bent om mijn uitverkoren volk naar het beloofde land te leiden. Je bent er te oud voor geworden en je hebt te veel doorstaan. Een jongere man moet het in jouw plaats doen: Jozua. Maar Ik wil je, voordat je sterft, een dienst bewijzen. Je zult het land dat Ik je volk zal geven, mogen zien vanaf de berg Nebo. Je zult het dan van het begin tot het einde in al zijn pracht kunnen aanschouwen. Dan kun je in vrede je ogen sluiten.'

Toen Mozes die woorden hoorde, wist hij, dat hij niet lang meer zou leven. Hij beklom met Jozua de berg Nebo. Daar legde Mozes aan Jozua de handen op, zegende hem en benoemde hem tot de leidsman over Israël. Toen beklom hij de top van de berg en keek uit over het uitgestrekte land, dat aan hem en aan Israël beloofd was. Ach, hoe mooi was het wat Mozes daar zag: groen en bloeiend openden zich voor hem de dalen, blinkende tarweakkers en veelbelovende wijngaarden; de rivier de Jordaan, zag hij, schitterde als een lint van zilver; heel ver aan de blauwe horizon meende hij de berg Moria te zien liggen, waarop honderden jaren later de stad Jeruzalem zou verrijzen.

Lange tijd stond Mozes daar en kon er maar niet genoeg van krijgen. Verrukt ging zijn blik van heuvel tot heuvel. Voor ieder korenveld en voor iedere groene boom zou hij God hebben willen danken. Tenslotte knielde hij neer. Daar lag hij aan de grens van het land, voorover in het stof.

Toen stond hij op en liet zich door Jozua ondersteunen. Zwijgend gingen ze weg. Ze daalden af naar het land Moab. Spoedig daarop stierf Mozes. Hij was honderdtwintig jaar geworden. Maar niemand kent de plaats van zijn graf, tot op de dag van vandaag.

Jozua brengt zijn volk in het beloofde land

Nu had Jozua dus zijn vriend en vader verloren. En hij wist het: een geweldige opdracht stond hem te wachten. Hij moest met grote vastberadenheid optreden en iedere dag bereid zijn om zijn leven op het spel te zetten. Ook hij had, samen met Mozes, vanaf de berg Nebo, het beloofde land zien liggen: vanuit de verte leek het een vredige, bloeiende tuin, maar in werkelijkheid - dat wist Jozua wel - werd het door een heel stel oorlogszuchtige volksstammen bewoond, die er niet over zouden peinzen om hun land met Israël te delen. Deze volken hadden sterke muren om hun steden. Ze hadden veel dappere soldaten en doortastende aanvoerders. Ze zouden hun woonplaatsen verdedigen, ze zouden niet dulden dat de Hebreeërs zich naast hen zouden vestigen. Voordat het zover was, zou er een zware strijd gestreden moeten worden.

Maar Jozua bleef hoopvol, hij was moedig en dapper en vertrouwde op God; bovendien had hij het vechten al geleerd, want ook in de jaren dat ze in de woestijn rondzwierven, was Israël soms door Bedoeïenenstammen overvallen en hadden ze zich moeten verdedigen. Al eerder waren er een aantal verspieders op uitgestuurd die het volk zouden kunnen bemoedigen. Zij zouden wat vruchten van het land meenemen, om te bewijzen hoe goed het daar was. Dan konden de Israëlieten zelf zien, dat het werkelijk de moeite waard was om voor dat vruchtbare land Kanaän te vechten. En wat hadden ze staan kijken, toen de mannen terugkwamen! Ze gingen zwaar gebukt onder de last van druivetrossen, sappige granaatappels en zware, volle korenaren. Wat hadden die arme, uitgemergelde woestijnzwervers, die niet veel gewend waren, staan watertanden bij het zien van al die rijkdom! Ja, dit land wilden zij veroveren, dit land, dat overvloeide van melk en honing. Zij wilden er wel meteen op losstormen, en net zolang strijden, totdat zij dit prachtige land hun eigendom konden noemen.

Toch hadden zij aan al hun moed en hun dapperheid niets gehad, als God de weg niet gebaand had en hen door nieuwe wonderen geholpen. Toen zij bij de Jordaan kwamen en naar een doorwaadbare plaats of een brug uitkeken, spleet zich het water van de rivier in tweeën, zoals eens het water van de Schelfzee en konden ze droogvoets naar de overkant trekken. Toen ze bij een moeizame en langdurige belegering van de vesting Jericho er al niet meer op durfden hopen ooit over die machtige muren heen te komen, beval God hun om zes dagen lang telkens zes keer, met de ark om de stad te trekken en op de zevende dag zeven keer. Dan moesten de bazuinblazers op hun horens blazen en het hele volk moest

een luid overwinningsgeschreeuw aanheffen.

Zo gebeurde het ook; toen de bazuinen schalden en er uit alle kelen een enorm gejuich opklonk, wankelde de stadsmuur, de torens stortten in, en de verdedigers, die in de stad waren, werden levend begraven onder de steenmassa's. Kort daarna, toen er een geweldige stofwolk uit het puin opsteeg, stormden de Israëlieten naar voren, klommen door de openingen in de vernielde muren en drongen de stad binnen. Tijdens weer een ander gevecht gebeurde het zelfs dat de zon bleef stilstaan om de Israëlieten net zolang licht te geven, totdat ze hun vijanden hadden overweldigd.

Zo nam het uitverkoren volk het land in bezit, dat de Heer aan hen beloofd had. Sommige volksstammen gaven zich vrijwillig over. Met hen sloot Jozua vriendschap. Op hun beurt hielpen de Israëlieten die volken weer als ze zelf in het nauw werden gedreven.

Maar de verovering van het land duurde heel wat jaren. Jozua zelf was al een oude man geworden. Hij was grijs en zag er moe en verweerd uit. Voordat hij stierf, verdeelde hij het veroverde land onder de twaalf stammen waaruit het volk van Israël bestond. Iedere stam ging terug op een van de twaalf zoons van Jakob en noemde zich dan ook naar een van die zoons. Zo had je de stam van Benjamin, de stam van Levi, de stam van Gad en ga zo maar door. De stam van Juda was echter de voornaamste van allemaal. Want op zijn stam rustte de belofte, dat het hele mensdom door één van zijn nakomelingen gezegend zou worden.

Voordat Jozua stierf, vertelde hij het volk nog eens nadrukkelijk dat het zich aan Gods geboden moest houden en trouw en eensgezind moest blijven. Toen sloot ook deze sterke held zijn ogen en volgde Mozes in de dood.

Zware tijden

Nu zou het volk Israël kunnen genieten van het heerlijke land, dat God aan hen gegeven had. Nu was het vrij en er was geen tiran meer, die het onderdrukken kon. Israël had veel wonderen beleefd en heel vaak had God zich aan hen in zijn heerlijkheid geopenbaard. Ondanks dat alles begon het volk God al heel spoedig te vergeten.

Hoe was dat mogelijk?

Rondom het nieuwe vaderland van Israël woonden andere volken, die vreemde goden dienden, allerlei afschuwelijke en valse afgoden of Baäl; ook de manier waarop deze goden gediend en geëerd werden, was verfoeilijk. Er werden rumoerige feesten gegeven, waarbij men zich laveloos dronk aan bedwelmende dranken en net zolang danste totdat men bewusteloos in elkaar zakte. Er werden mensenoffers gebracht en er gebeurden nog veel meer vreemde en slechte dingen. Eigenlijk hadden de Israëlieten zich geschrokken van deze feesten moeten afkeren. De Israëlieten merkten echter op, dat de mensen die zulke dingen deden, heel gewiekst, handig en ondernemend waren. Ze hadden mooie huizen, droegen prachtige sieraden en hippe kleren en aten de fijnste lekkernijen. Deze luxe vervulde de Israëlieten met jaloezie. Zij vonden, dat zij in hun grove linnen kielen en met hun plompe schoenen aan, met hun sobere maaltijden in hun kleine, eenvoudige huizen, echt dom en achtergebleven waren. Zo kwamen ze er al gauw toe om de heidenen te bewonderen; gretig keken ze toe wanneer zij hen om hun afgoden zagen dansen. Integendeel! Inplaats van zich af te keren, kwamen ze steeds dichter en dichterbij. Tenslotte begonnen ze mee te dansen en aan Baäl te offeren. God zag, dat zijn volk Hem de laatste tijd steeds meer ontrouw werd. Had Hij het vergeefs uit de macht van de Egyptenaren bevrijd? Had Hij vergeefs een weg door de Schelfzee en door de Jordaan gebaand? Was het voor niets geweest, dat Hij manna uit de hemel had laten regenen? Was Hij, de allerhoogste, vergeefs als wolkkolom veertig jaar lang voor zijn volk uitgetrokken tot aan de grens van Kanaän? Het zag er wel naar uit. God besloot, dat Hij dit volk tot bezinning moest roepen, en dat kon alleen maar gebeuren als Hij het zou straffen. Zo kwam het dat er nu zware tijden voor Israël aanbraken. Nieuwe vijanden stonden op en kwamen over de grenzen van de plaatsen waar de twaalf stammen woonden. Het waren afgrijselijke vijanden; de meest afschuwelijke van hen vormde wel een krijgsvolk uit het noorden, de Filistijnen.

Er ging bijna geen dag voorbij, waarop er niet iets verschrikkelijks werd verteld: hier was een kudde gestolen, daar een dorp platgebrand. Vooral

tegen de oogsttijd kwam het roversgespuis opdagen. Het stal de schoven van de akkers, nam het beste vee mee, en wat het achter moest laten, stak het in brand.

Behalve de Filistijnen kwamen de Moabieten, de Midjanieten en nog andere volksstammen. Tenslotte scheelde het niet veel meer, of Israël zou door zijn vijanden onder de voet gelopen en totaal vernietigd worden

Gideon

God wees dappere en vrome mannen uit Israël aan - één keer zelfs een vrouw, de moedige profetes Debora, om ervoor te zorgen dat het volk zijn God weer gehoorzaam werd. En als zij weer leefden zoals God het wilde, hielp Hij zijn volk weer. De man die Hij uitkoos om zijn volk te leiden, vervulde Hij met zijn Geest en gaf hem zijn kracht. Zo kon die man het volk Israël weer verlossen van de vijanden die het onderdrukten.

In die tijd leefde Gideon, een moedige jongeman. Hij was een eenvoudige boerenjongen, die zijn akker bewerkte en het koren dorste. Het was oogsttijd en daarom verwachtte men een inval van vreemde rovers. Gideon zag, hoe zijn familie angstig haar boeltje bij elkaar pakte en naar het gebergte trok om zich daar te verschuilen en de strooptocht van de vreemde rovers af te wachten. Verdriet en woede maakten zich van Gideon meester. Hij hoorde de stem van God, die hem beval het volk moed in te spreken en het te bewijzen, dat de goden van de vijanden niets anders waren dan dode, uit hout gesneden beelden.

Op een nacht trok hij erop uit en sloeg zo'n beeld van Baäl in stukken.

Toen het morgen was geworden, liepen de mensen naar Gideons vader en eisten: 'Dood uw zoon, want hij heeft zich aan Baäl vergrepen!' Nu had de vader natuurlijk kunnen antwoorden: 'Mijn zoon heeft goed gehandeld.' Maar dat durfde hij niet te zeggen, want dan zou het hem waarschijnlijk slecht vergaan zijn.

Daarom gaf hij dit slimme antwoord: 'Als Baäl een god is, zal hij zichzelf wel wreken.' Dat sloeg aan bij de mensen en nu wachtten ze erop, dat Gideon zou worden gestraft. De bliksem zou hem nu wel treffen, of wie weet, werd hij wel melaats. Maar omdat er niets van dat alles gebeurde en Gideon volkomen gezond en opgewekt bleef, begonnen veel Israëlieten aan de macht van de beledigde Baäl te twijfelen. Ze verzamelden zich om Gideon heen en smeekten deze door God geroepen man, hun leider en richter te willen zijn. Toen spoedig daarop bekend werd dat er een groep vijandelijke Midjanieten in aantocht was, had zich een leger van 30.000 Israëlieten rondom Gideon gevormd. Maar God zei tegen Gideon: 'Je moet niet met 30.000 man tegen de Midjanieten gaan vechten, want dan geloven de mensen, dat ze overwinnen omdat ze zélf zo sterk zijn. Stuur alle lafaards naar huis, dan zul je overwinnen!'

Vreemd, dacht Gideon, je zou toch zeggen: hoe sterker het leger, des te zekerder de overwinning! Maar hij gehoorzaamde de stem van de Heer en stuurde van de 30.000 man tweederde weg; nu bestond zijn leger nog uit 10.000.

Maar de Heer zei tegen hem: 'Nog steeds zijn er te veel. Breng je mannen naar een waterbron en laat ze daar drinken. Allen die op de rand knielen en uit de holte van hun handen drinken, moet je wegsturen. Maar degenen die het water met hun tong opslurpen zoals een hond, die moet je bij je houden!'

Gideon gehoorzaamde weer. Hij zag dat de meesten het kostelijke vocht met hun handen opschepten en voorzichtig dronken. Er waren er maar weinig, namelijk slechts driehonderd, die het water als een hond opslurpten. Dit waren de ruigste en meest voortvarende krijgers, een kleine, maar dappere groep, die geen enkele vrees kende.

Met deze driehonderd man trok Gideon de Midjanieten tegemoet. Hij gaf aan elk van hen een grote stenen kruik, een fakkel en een hoorn om op te blazen. Dat was een zeldzame uitrusting, maar Gideon wist wat hij deed: zonder dat iemand iets merkte, slopen de Israëlieten in het holst van de nacht naar het vijandelijke leger. De brandende fakkels staken ze eerst in de kruiken, zodat niemand de vuurgloed kon zien. Toen ze vlak bij de vijand gekomen waren, gaf Gideon een teken: hij sloeg zijn kruik kapot, zwaaide met zijn fakkel en blies op zijn hoorn. Zo deden alle mannen, precies tegelijk. De ramshorens schalden, de fakkels zwaaiden in het rond, zodat de vonken wegsprongen. De Midjanieten renden hun tenten uit. Maar omdat ze door de vuurgloed werden verblind, herkende de één de ander niet. Iedereen geloofde, dat de vijand al het eigen kamp was binnengedrongen. Zo vielen ze elkaar met zwaarden en lansen aan en de een doodde de ander.

Op deze manier had Gideon zijn volk van de plaag van de roversbenden bevrijd. Veertig jaar werd Israël met rust gelaten door zijn vijanden. Gideon zorgde ervoor, dat men in het hele land weer alleen de ene God diende.

Simsons wraak en dood

Een andere grote held was Simson. Hij zag eruit als een reus en was zo sterk als een beer. Al heel vroeg, toen hij nog een kind was, werd hij al aan God opgedragen. Dit betekende o.a. dat hij geen sterke drank mocht gebruiken en dat zijn haar niet geknipt mocht worden. Zijn grote kracht school in zijn mooie lange haarlokken.

Op een dag werd Simson aangevallen door een jonge leeuw. Hij greep de leeuw bij zijn muil en rukte het roofdier in stukken. Een poosje later

139

kwam hij op dezelfde plek terug en zag een bijenzwerm in het lichaam van de leeuw. Ze hadden daar hun honingraten gemaakt. Zonder een spoortje vrees voor de bijen nam hij een handvol honing en at die op. Ofschoon Simson een vrome en goede Israëliet was, had hij toch een zwak punt: bij het buurvolk, de Filistijnen, waren veel aardige meisjes, en voor deze meisjes had Simson een bijzondere voorliefde. Hij wilde met één van die Filistijnse meisjes gaan trouwen, maar werd door haar en haar familie erg vervelend behandeld.

Op het bruiloftsfeest gaf Simson het volgende raadsel op aan de gasten: 'Uit de eter kwam vlees en uit de sterke komt zoetigheid.' Simson dacht daarbij aan de leeuw die hij gedood had. 'Als jullie het binnen zeven dagen raden', zei Simson, 'zal ik jullie dertig stel kleren geven, maar als jullie daar niet in slagen, moeten jullie aan mij dertig stel kleren geven.'

En toen de gasten dit raadsel niet konden oplossen, gingen ze naar Simsons vrouw en kwamen het via haar te weten. Het antwoord op het raadsel was: 'Wat is zoeter dan honing? En wat is sterker dan een leeuw?' Simson was woedend. 'Als mijn vrouw het jullie niet verteld had, dan zou je het nooit geraden hebben', zei hij.

Toen ging hij naar Askelon en doodde daar dertig mannen. Hij nam hun kleren af en gaf deze aan de mannen die het raadsel hadden opgelost. Simson ging terug naar het huis van zijn vader, zo boos was hij op zijn vrouw. En de vrouw trouwde met een ander.

Een poosje later ving Simson driehonderd vossen, bond ze twee aan twee met hun staarten aan elkaar en stak brandende fakkels aan de staarten vast. Hij joeg ze in de richting van de korenakkers. Zo vernielde hij de oogst van de Filistijnen.

Een andere keer sloeg hij duizend Filistijnen dood met de kaak van een ezel.

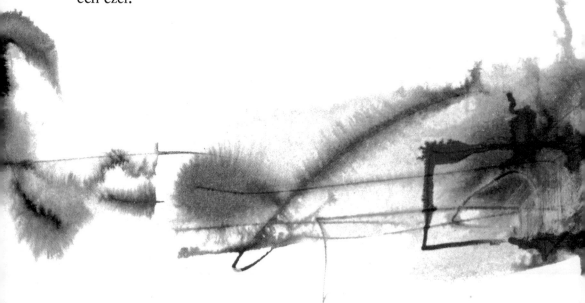

Steeds weer probeerden de Filistijnen hem te vangen. Toen hij weer eens een Filistijns meisje bezocht, sloten ze vlug de stadspoorten, zodat ze hem konden overvallen. Maar Simson greep de poort bij haar beide posten, rukte ze met grendel en al los en droeg ze weg.

De Filistijnen begrepen, dat ze de reus niet met geweld te pakken konden krijgen en daarom beraamden ze een list: een mooie vrouw moest hem in de val lokken. Zij moest hem het geheim van zijn buitengewone kracht aftroggelen.

De geraffineerde Delila moest hiervoor zorgen. Nauwelijks had Simson de mooie Delila gezien, of hij was al verliefd op haar. Elke dag zocht hij haar op. Al vlug begon ze hem te vleien en vroeg: 'Ach lieve Simson, zeg me toch eens, waarom ben je zo sterk?' Lange tijd wilde Simson zijn geheim niet verraden: dat een aan God gewijde man zijn haar niet mocht laten afknippen en dat daarin zijn kracht school. Hij verzon allerlei uit-

vluchten voor Delila en vertelde het haar niet. Maar tenslotte bezweek hij voor haar vleierijen en vertrouwde haar zijn geheim toe.

Nog diezelfde avond knipte Delila zijn haar af, terwijl hij sliep. Wat een ramp! Nu was hij geen aan God gewijde man meer. Hij was zijn kracht kwijt. De Filistijnen overvielen hem en maakte hem tot hun slaaf. Zijn lot was vreselijk. Ze staken hem de ogen uit en lieten hem in de gevangenis de molen draaien. Steeds moest hij maar in een kringetje lopen en de zware molensteen laten draaien om het koren voor zijn vijanden te malen.

Maar dat was nog niet erg genoeg. Op een dag was er bij de Filistijnen een groot diner, een vrolijk en luidruchtig feest. Toen ze al flink dronken waren, lieten ze de arme blinde Simson halen. Ze wilden hem plagen en bespotten. De één liet hem struikelen, een ander bood hem iets te drinken aan en gooide hem, toen Simson zijn droge lippen al aan de rand van de beker had gezet, de wijn in zijn gezicht. Dit maakte de blinde man razend. Met de kracht van de wanhoop omklemde hij de pilaren waar het gebouw op steunde. Hij bad tot God en vroeg: 'O Heer, denk aan mij en geef me voor één keer mijn kracht terug!'

Ineens was hij sterker dan ooit. De pilaren kraakten en braken in tweeën. Met donderend geraas stortten het dak en de balken naar beneden. En zo werd Simson samen met zijn vijanden begraven.

Koning Saul

Nee, zo kon het niet verder gaan! Wat had het volk Israël eigenlijk aan de grote helden die het voortbracht: Gideon, Simson en al de anderen, was het zelf niet innerlijk verdeeld en in twaalf stammen gesplitst? Tegen de vijanden die rondom woonden, konden ze niet op. Ze waren weerloos tegen de roofzucht van hen die steeds maar weer, nu eens hier, dan weer daar, het beloofde land binnenvielen. Het was duidelijk: de stammen van Israël moesten zich nauw aaneensluiten en daarom hadden ze een koning nodig. Ja, een koning! Zo dachten velen erover in die tijd. Waarom zou nu juist Israël geen koning hebben, zoals andere volken? De meeste Israëlieten verwachtten daar veel van: een koning, die over hen zou regeren, ja, dan zouden ze met sterke hand verdedigd worden!

Alleen de wijze, oude Samuël, die in die tijd richter was, dacht er anders over.

Hij wist dat het uitverkoren volk maar één Heer en meester had, God zelf.

En dat het altijd gevaarlijk is om alle macht in de handen van maar één enkel mens te leggen. Toen de mensen bij hem kwamen en hem, als de meest achtenswaardige man in het land, smeekten om een koning te kiezen, aarzelde hij en zei: 'Vrienden, waarom willen jullie één enkel mens dienen? God zelf is jullie koning. Kunnen jullie je een betere koning wensen?'

Ze antwoordden: 'Wat hebben wij aan een Heer die we niet kunnen zien of horen? Nee! Geef ons een vorst, die een mens is als wij.' Samuël waarschuwde nog een keer: 'Denk toch goed na! Een koning zal veel dingen van jullie verlangen. Hij zal jullie je zoons afnemen om hen soldaat te maken. Hij zal jullie belasting laten betalen, en als het een hardvochtig man is, zal hij jullie vernederen en knechten.'

Maar de mensen wilden niet naar Samuël luisteren en riepen: 'Toch willen wij een koning! Wij willen niet anders leven dan de overige volken!' Samuël werd heel verdrietig, want hij zag, dat het volk Israël nog altijd niet begrepen had, dat het hun opdracht was, anders te zijn dan de volken rondom. 'Goed', zei de oude, wijze profeet. 'Ik zal doen wat jullie verlangen. Ik zal een koning zoeken en hem zalven.'

Van nu af aan keek Samuël uit naar een geschikte man, maar het was niet gemakkelijk om iemand te vinden. Toen ontmoette hij op een dag een onbekende man, die hem direct opviel. Het was een knappe, lange man. Hij maakte bovendien nog een dappere en een vurige indruk. Het was Saul, de zoon van Kis, uit de stam Benjamin. Hij was in deze omgeving omdat de ezelinnen van zijn vader weggelopen waren. Nu was hij ze aan het zoeken. Samuël liet Saul bij zich in huis komen en gaf hem een ereplaats.

De hele middag en avond sprak Samuël met Saul. Hij vond hem bescheiden, verstandig en vroom. En de volgende morgen zei Samuël tegen Saul: 'God heeft je uitgekozen om koning over heel Israël te worden.' Daarna goot hij gewijde olie over Sauls hoofd, zalfde hem tot koning en vroeg om Gods zegen. Saul was erg verbaasd en kon het haast niet geloven. Hij was erop uit getrokken om een paar weggelopen ezelinnen te zoeken en had een heel koninkrijk gevonden! Wat een ongelooflijk en onverdiend geluk!

Maar toen er spoedig daarna oorlog uitbrak en Saul plotseling duizenden mannen moest aanvoeren, toen hij de jubelende menigte hoorde en alleen maar eerbiedig gebogen hoofden en hem toezwaaiende handen zag, veranderde hij langzamerhand: zijn bescheidenheid sloeg om in trots, zijn dapperheid veranderde in eigenzinnigheid. De macht steeg hem naar zijn hoofd. Hij verbeeldde zich, dat hij kon bevelen wat hij maar wilde en

dat alles wat hij deed altijd goed was. Zo stuurde hij zijn mannen zonder eten de strijd in en verbood hun om ook maar iets te gebruiken voordat de strijd voorbij was. Dat was een dwaze maatregel. Hij slaagde er weliswaar in om de vijand op de vlucht te jagen, maar zijn soldaten waren te zeer verzwakt om de vijand te kunnen achtervolgen.

Bij een andere gelegenheid vergreep hij zich aan een deel van de krijgsbuit; één keer deed hij iets dat alleen een hogepriester mag doen; zelfs wilde hij zijn zoon Jonatan de doodstraf geven voor een kleine ongehoorzaamheid. Het volk slaagde er slechts met de grootste moeite in, om het leven van de zoon te redden. Zo bleek dat Saul een mens vol blinde hartstochten was en dat hij vol wraakzuchtige gedachten zat.

Langzamerhand kreeg Samuël er spijt van, dat hij deze man tot koning van Israël gezalfd had. Hij ging naar hem toe en zei: 'God vindt je niet meer geschikt om koning te zijn. Hij heeft de zegen, die Hij je gaf, teruggenomen. Jij zult niet lang meer koning zijn!'

Saul schrok erg en smeekte om vergeving. Samuël gaf hem die: voor deze ene keer nog. Toch verliet hij Saul en wilde hem niet weer zien. Hij had er veel verdriet van, dat hij deze man had uitgekozen om koning te zijn, deze man, die het niet waard was geweest.

144

De jonge David

Op een dag zei de Heer tegen Samuël: 'Hoe lang zul je nog verdrietig zijn om koning Saul? Er is al weer een nieuwe koning opgestaan in Israël! Ga naar de stad Betlehem en zoek daar naar het huis van een man die Isaï heet. Eén van zijn zoons heb Ik tot koning uitgekozen.'

Samuël gehoorzaamde en ging op weg naar Betlehem. Daar ontmoette hij de zoons van Isaï, één voor één.

Meteen toen hij de eerste zoon zag, dacht Samuël al: dát is de juiste. Want deze jongeman was net zo fier en fors als Saul. Maar de Heer fluisterde tegen Samuël: 'Let op, verkijk je niet op dat mooie uiterlijk. Dit is niet de man die Ik uitgekozen heb.'

Ook de tweede was een knappe jongeman, maar ook hij was niet de juiste.

Zo kwamen ze alle zeven bij Samuël. Tenslotte vroeg hij aan hun vader: 'Zeg me eens, heeft u niet nóg een zoon?' Isaï lachte een beetje en antwoordde: 'Ja, ik heb er nog één, de kleine David. Hij is nog maar een jongen.' 'Waar is hij?' vroeg Samuël. 'Waarschijnlijk op het veld bij de schapen', zei Isaï.

'Laat hem halen!' zei Samuël.

Ondertussen lag David onder een moerbeiboom ergens in het veld; hij speelde op zijn herdersfluit. Naast hem zat een vrouw met wit haar. Zij spon wol op een klos. Haar gezicht was met honderden rimpels doorgroefd, maar haar ogen stonden helder. Vol liefde rustte haar blik op de fluitspeler die aan haar voeten zat. Hij hield op met spelen en vroeg: 'Grootmoeder, vertel mij eens een verhaal van toen u jong was!'

Hij noemde de oude vrouw 'grootmoeder', maar in werkelijkheid was ze al zijn overgrootmoeder, de grootmoeder van zijn vader Isaï. De vrouw lachte en vroeg: 'Wat voor een verhaal moet ik jou nu nog vertellen, mijn jongen, je kent alle verhalen al.' 'Goed', zei David, 'dan zal ik u uw eigen geschiedenis vertellen. U bent geboren in het land Moab. Dus bent u geen Israëlitische vrouw en vroeger kende u de God van Israël niet. Maar op een dag ontmoette u een jongeman waar u veel van ging houden. Het was een man uit ons volk en hij was alleen maar naar Moab getrokken omdat hier hongersnood heerste. Ook zijn ouders en zijn broers waren daar. De twee broers trouwden met Moabitische meisjes. U was de ene, en de andere was Orpa.'

'Dat klopt', zei de oude vrouw. 'Tot nu toe heb je alles goed verteld.'

'U leefde daar heel gelukkig', ging David verder, 'maar op een dag gebeurde er iets heel verdrietigs. Uw schoonvader stierf, daarna stierf uw zwager en tenslotte ook uw man. Ineens stond u als vrouwen helemaal alleen: u, Orpa en uw schoonmoeder, de lieve oude Naomi.'

'Ja', zuchtte de oude vrouw. 'Zo was het.'

David vertelde verder: ' "Ik kan niet meer hier bij jullie blijven", zei Naomi. "Ik moet terug naar het land van mijn volk, naar Israël. Brengen jullie mij een eind weg en ga dan terug, naar jullie ouders." Zo vertrok u en op de grens tussen Israël en Moab nam Naomi afscheid van u en van Orpa. En Orpa ging terug, ze huilde. Maar u, u wilde niet teruggaan. U bleef bij Naomi. Waarom? Waarom deed u dat eigenlijk?'

'Ja, waarom?' zei de oude vrouw peinzend. 'Kon ik je dat maar uitleggen, David. Uit liefde voor Naomi? Ja. Ik had zo'n medelijden met haar. Maar er speelde misschien toch ook nog wat anders mee. Je hebt het daarnet zelf nog gezegd, David. Ik was een heidin uit Moab. En ik had me tot op dat moment niet tot de enige God, de God van Israël bekeerd. Maar toen ik aan de grens van Moab stond, schoot mij te binnen wat mijn lieve man eens gezegd had: "Wij, Israëlieten hebben de belofte gekregen, dat in één van onze nakomelingen het hele mensdom gezegend zal worden." Dat was het, wat mij deed besluiten om bij Naomi te blijven. Diep in mijn hart hoopte ik deel te krijgen aan deze belofte. Begrijp je dat, David?'

'O ja. Ik geloof het wel', antwoordde David en hij zat even voor zich uit te staren. 'En toen ging u dus met Naomi mee?' 'Ja, ik ging met haar mee. Het was een moeilijke tijd voor ons, we moesten onze honger stillen met de aren die op de akkers waren blijven liggen.' 'Tot op de dag dat de rijke Boaz u in de gaten kreeg', viel David haar vrolijk in de rede. 'Hij vond u erg aardig en u werd zijn vrouw.'

'Maar zo vlug ging dat allemaal niet', zei Ruth, en ze bloosde een beetje. 'Jouw overgrootvader nam niet zó maar een beslissing. Je moet niet denken, dat hij mij meteen aansprak of direct zijn genegenheid voor mij liet blijken. Eerst zei hij tegen de mannen die het koren tot schoven bonden, dat ze maar veel aren moesten laten vallen, zodat ik ze kon oprapen. Op deze manier wilde hij me helpen. Ik verwonderde me er al over, dat de mannen op zijn akkers zo slordig waren, totdat ik eindelijk merkte dat Boaz op een afstandje steeds maar naar mij stond te kijken. Ja, David, jouw overgrootvader was een onvergetelijke man. Hij nam ook Naomi bij zich in huis. Zo had zij nog een goed leven tot aan haar dood.'

'Toen', besloot David, 'kreeg u een zoontje, Obed. De vader van mijn vader Isaï, en ik ben nu uw jongste kleinzoon.'

Hij sprong op en kuste zijn overgrootmoeder op de wang. 'Heeft u er weleens spijt van gehad, dat u met Naomi bent meegegaan?' 'Nooit!'

146

zei Ruth. 'En u gelooft nog steeds in die belofte?' vroeg David.
'Natuurlijk', zei Ruth.
'Hoewel de belofte tot nu toe niet in vervulling is gegaan', merkte David op. Toen glimlachte de oude vrouw, Ze legde haar wol weg, en vouwde de handen in haar schoot. 'Je bent nog jong, David', zei ze, 'en de jeugd is ongeduldig. Meer dan duizend jaren zijn voorbijgegaan sinds God aan onze vader Abraham de belofte gaf. Misschien duurt het nóg wel honderden jaren voordat ze wordt vervuld. Maar wat maakt dat uit? We mogen er verlangend naar uitzien. Is dat niet heerlijk? En ieder van ons, ook ik, en ook jij, kan een klein twijgje zijn aan de stamboom van de belofte.'
'Meent u dat?' vroeg David opgewonden, zijn ogen schitterden. Maar voordat hij nog meer kon vragen, wees de oude vrouw naar beneden, naar het dal. Ze zei: 'Kijk eens mijn jongen, daar komt een knecht van je vader. Ik geloof dat hij jou komt halen.'

Even later stond de jonge David voor de profeet Samuël.
'Daar is hij', zei vader Isaï, 'dat is onze jongste.'
Samuël stond van zijn stoel op. 'Jij bent het dus', zei hij en strekte zijn bevende handen naar David uit. 'Kom bij me en laat me je dan zegenen.' David was verbaasd, maar hij knielde en boog zijn hoofd. Toen nam de oude man zijn oliekruik en sprenkelde een paar druppels olie op Davids hoofd, en tot zijn grote verbazing hoorde David hem fluisteren: 'Gezegend ben jij met de kracht van de Heer, jij, toekomstige koning van Israël.'

David en de reus Goliat

In het daarop volgende jaar ging Davids wens werkelijk in vervulling; hij verliet zijn schapen, hing zijn harp om zijn schouder en trok naar het hof van de koning, omdat men daar een harpspeler nodig had. Ja, men had er één nodig, heel dringend en om een zeer bijzondere reden: koning Saul leed sinds enige tijd aan een erge ziekte. Elke dag had hij wel een zwaarmoedige bui. Dan wilde hij niemand zien, at niets, dronk niets, zat zomaar donker voor zich uit te staren en verroerde zich niet. Niets kon hem helpen, alleen muziek. Dat vrolijkte hem een beetje op, dus was een harpspeler aan het hof erg welkom. Steeds als Saul zich zo zwaarmoedig voelde, moest David op de harp spelen. Omdat hij dat heel mooi deed en steeds weer een nieuwe melodie bedacht, was David al gauw onmisbaar.
Maar aan dat spelen kwam plotseling een einde, want op zekere dag brak er weer oorlog uit. Koning Saul maakte zich klaar om op te trekken tegen de oude vijand van zijn volk, de Filistijnen. David, die nog te jong was om aan de strijd deel te nemen, werd naar Betlehem teruggestuurd. De twee legers lagen tegenover elkaar. De Filistijnen hielden de berghelling aan de ene kant van het dal bezet, de Israëlieten hadden zich op de berghelling aan de overkant gelegerd. Het dal tussen hen in was zanderig. Er groeiden alleen een paar armzalige terpentijnbomen. Saul waagde het niet om als eerste de Filistijnen aan te vallen. Ook de Filistijnen namen een afwachtende houding aan. Zo gingen er enkele weken voorbij. Onder de Filistijnen bevond zich een man, die wel zo lang als een boom was, een echte reus. Hij heette Goliat. Hij was erg sterk, maar nogal dom en bovendien ijdel. Hij dacht dat hij onoverwinnelijk was in de strijd. Ook de andere Filistijnen dachten er zo over. Zij waren trots op

deze reus en elke dag pronkten zij met hem in het dal. Dan moest hij daar uitdagend rondlopen om de Israëlieten bang te maken. Het was werkelijk een schrikaanjagende man om te zien, deze Goliat. Op zijn hoofd droeg hij een grote bronzen helm met een enorme helrode helmpluim erop. Hij had een zwaar pantser aan en zijn lans was zo lang en dik als een weversboom. Terwijl hij daar zo trots tussen de twee legers rondliep, rammelde hij met zijn harnas, zwaaide met zijn zwaard door de lucht en riep: 'Kom maar op, jullie honden, jullie slaven van die belachelijke Saul. Wie van jullie waagt het met mij te vechten? Ik zie dat jullie te laf zijn. Geen wonder, want ik, Goliat, ben niet te verslaan!'

Zo hoonde hij elke dag opnieuw. Ook bespotte hij de ene almachtige God, die Israël aanbad: 'Een god', riep hij, 'een god waarvan geen beelden zijn, wat is dat voor een zielige figuur?'

Bleek van woede luisterden de Israëlieten naar deze schandalige taal. Maar wie waagde het om die kerel zijn vuile mond dicht te slaan? Niemand, want niemand kon die geweldenaar de baas. Totdat op een dag de jonge David in het kamp kwam. Kwam hij als soldaat? Nee, helemaal niet. Hij kwam met een zak vol brood en kaas. Zijn vader had hem daarmee naar het kamp gestuurd. In het leger van koning Saul dienden twee broers van David. Voor hen was de proviand bestemd, want die twee mochten geen honger lijden. David moest alleen de zak maar afgeven en dan naar huis terugkeren.

Op dat ogenblik gaf Goliat weer een van zijn voorstellingen in het dal. David hoorde hem schelden. Een hevige woede maakte zich van hem meester, en hij riep: 'Broers, hoe kunnen jullie dit verdragen? Is er dan niemand van ons, die met die vleesklomp durft te vechten? Dan zal ik het doen. God zal mij helpen!'

'Jij?' vroeg een oude soldaat, die de littekens van vroegere gevechten droeg. 'Jou zal hij met zijn vlakke hand als een vlieg doodslaan.' En zijn broers deden daar nog een schepje bovenop: 'Maak dat je wekomt, kleintje. Ga vlug terug naar je schapen. Het is niet goed dat kinderen staan te kijken wanneer er wordt gevochten.' En nog een ander spotte: 'Je hebt zeker gehoord, dat onze koning Saul een hoge beloning heeft gezet op het hoofd van Goliat? De overwinnaar zal met zijn oudste dochter mogen trouwen. Jij wilt zeker de schoonzoon van de koning worden?' En ze lachten David allemaal uit.

David beet zich op de lippen en dacht: 'Het moet wel ver met mijn volk gekomen zijn als koning Saul zulke beloftes doet, om zo iemand te vinden die die opschepper er eens goed van langs geeft. Mij kan het niet schelen of ik een beloning krijg of niet, maar ik wil met Goliat vechten.' En hij zei tegen de anderen: 'Lach mij nu maar uit. Nú mag je nog lachen, maar morgen zal blijken, dat ook deze reus het kan verliezen.'

Nog diezelfde avond hoorde koning Saul, dat er een jonge man in het kamp was gekomen, die de strijd tegen Goliat aandurfde. Koning Saul liet hem halen en bij zich in de tent brengen. Toen hij David vroeg, wie hij was, antwoordde hij: 'Kent u mij dan niet, mijn koning? Ik ben David, de zoon van Isaï. Voordat deze oorlog uitbrak, was ik uw harpspeler.' 'Mijn harpspeler?' Over het sombere gezicht van koning Saul gleed een verbaasde glimlach. 'Was jij dat heus - ?' En de mooie liederen schoten de koning weer te binnen. De liederen, die hij in zijn paleis zo vaak had horen spelen, iedere keer als hij zo zwaarmoedig was geweest - en als niets die sombere buien had kunnen verjagen, alleen de muziek van die jongen. 'Jij was dus die harpspeler?' herhaalde de koning en pakte Davids handen. 'En jij wilt nu met de reus vechten? Hoe haal je het in je hoofd? Blijf liever bij me en speel wat op de harp.'

'Ach, mijn koning', antwoordde David, 'laat toch de moed niet zakken voor die ene Filistijn. Ik weet dat ik hem kan overmeesteren. Ik heb vaak genoeg met wilde dieren gevochten en ik ben niet bang. Er moet een einde komen aan zijn gespot met God, - met uw God, koning Saul, en ook met mijn God.'

Saul liet Davids handen los en zijn gezicht stond weer somber. 'Uw God', had die jongen gezegd, maar Saul wist: deze God had hem als koning van Israël afgewezen en de zegen van hem afgenomen. Daarom was hij immers steeds zo somber.

Na een poosje zei Saul: 'Goed, jij mag proberen om tegen Goliat te vechten. Maar je moet een wapenuitrusting hebben voordat je in het strijdperk treedt.' Dus bracht men een pantser, een helm, een zwaard en een paar beenplaten. Ja, alles wat bij de uitrusting van een soldaat hoort. Maar niets paste: de helm was te groot en zakte tot op zijn neus. Ook het pantser was te groot en veel te zwaar en te stijf, en met de beenplaten kon David geen stap verzetten. 'Breng een kleinere uitrusting', beval Saul. Maar de foerier antwoordde: 'Dit is al de kleinste die we hebben.'

Toen gooide David de hele rammelende troep van zich af en riep: 'Neem maar mee, ik heb het allemaal niet nodig. Ik zal morgen in mijn herders-pak vechten. God beschermt mij beter dan het zwaarste harnas.'

En zo gebeurde het de volgende morgen, dat de jonge, tengere David, blootshoofds en met alleen maar zijn linnen kiel aan, over de wallen van het kamp klom om met de opgetuigde reus, die rammelde van al het koper, te vechten. In zijn hand hield David een stok, en in zijn herders-tas zaten vijf gladde kiezelsteentjes en een slinger.

Goliat was al te voorschijn gekomen en stond al weer te brallen. Toen hij David zag, was hij met stomheid geslagen. Maar toen veranderde zijn gezicht, hij liep rood aan en opende zijn mond zo wijd, dat men alleen nog maar een groot, zwart gat zag: en hij bulderde van het lachen! Wat kwam daar over de wallen geklauterd? Een dwerg! Wilde die met hem, de geweldige Goliat, vechten? Hahahaha! En dan ook nog zonder zwaard en zonder speer. Hahahaha! - met alleen een stok! Maar plotseling verstomde het gelach: Goliat raakte buiten zichzelf van woede. Zijn ogen fonkelden en hij riep: 'Denk je misschien, dat ik een hond ben, die je wég kunt jagen? Kom maar dichterbij, miezerige muis die je bent, ik verpletter je met één klap, ik zal je armzalige lichaam aan de vogels voeren!' Maar David liet zich niet van de wijs brengen. Hij bleef tussen de terpentijnbomen staan en antwoordde: 'U heeft een geweldige wapenuitrusting, arme Filistijn. Toch heb ik medelijden met u. Want God, de allerhoogste, waar u zojuist de spot nog mee dreef, zal mij helpen. Dan zullen we eens zien wie er sterker is, ú met uw helm, zwaard en ijzeren pantser, of ik!' Toen nam hij een van de steentjes, legde die in zijn slinger, zwaaide ermee boven zijn hoofd en wég schoot het steentje...

De kiezelsteen raakte Goliats voorhoofd, precies tussen de rand van zijn helm en zijn wenkbrauwen. Goliat schreeuwde, kromp ineen en viel naar voren. Met veel kabaal stortte hij neer. De steen had zijn schedelbeen doorboord.

Een paar seconden was het stil in het dal van de terpentijnbomen. Van weerskanten waren de legers, die zo vijandelijk tegenover elkaar lagen, de wallen overgeklommen om naar het gevecht te kijken. Aan de ene kant de Filistijnen, aan de andere kant de Israëlieten. Allemaal stonden ze als aan de grond genageld.

Hoe was het mogelijk? Goliat bewoog zich niet meer. Toen brak er een verschrikkelijk geschreeuw los. Jubelkreten van de Israëlieten en angstkreten van de Filistijnen. De Filistijnen stormden de heuvels af en maakten dat ze wegkwamen. Ze vluchtten naar het kamp terug en renden via het kamp naar de buitenste poort, de stad uit! De Israëlieten sprongen van hun wallen, vlogen het dal door, liepen de kampwallen van de Filistijnen omver en sneden hun vijanden achter het kamp de weg af. Zo versloegen ze het vreemde leger en joegen de overmoedige veroveraars het land uit.

's Avonds, toen de strijd voorbij was, ging David naar het lichaam van Goliat, om hem van zijn wapenrusting te ontdoen. Dit was in die tijd de gewoonte. Hij had de helm al van Goliats hoofd afgenomen en was bezig de riemen van zijn pantser los te maken, toen er een jongeman naar hem toe kwam. Hij kwam net uit de strijd terug, dat kon je wel aan hem zien, want zijn kleren waren met bloed besmeurd en zijn gezicht zat vol vuil en schrammen. Maar in zijn haar zat een smalle gouden band. Dit was het teken, dat hij een koninklijke prins was. 'Laat me je helpen!' zei de jongeman tegen David. 'Je hebt vandaag iets geweldigs gedaan.' David zweeg. De ander ging verder: 'Mijn vader Saul zal je belonen. Hij heeft het zelf gezegd: van nu af aan zul je altijd bij ons wonen en zijn eerste wapendrager zijn. Maar ik - ik wil dat je mijn vriend wordt.'

'Graag!' zei David en hij keek de jongeman blij aan. 'Jij bent zeker Jonatan, de zoon van de koning.'

Ja, hij was echt de zoon van de koning, dezelfde die door zijn trouweloze vader ter dood veroordeeld was en alleen maar gespaard was gebleven door de smeekbeden van het volk. Hij maakte een vriendelijke, eerlijke indruk. Hij en David konden het goed met elkaar vinden. Zij gingen van elkaar houden als twee broers.

Saul wordt jaloers

Het gebeurde zoals Jonatan had gezegd: koning Saul was in het begin erg aardig tegen David. Hij was hem dankbaar. Hij gaf hem echter niet zijn oudste dochter tot vrouw, zoals hij beloofd had. Maar David gaf ook niet veel om deze prinses. Wel werd hij verliefd op de kleine Michal, de jongste dochter van Saul, een lief, charmant meisje.

En de zoon van de koning, Jonatan, was het liefst dag en nacht in de buurt van David. Hij was niet bij hem vandaan te slaan.

Eerst vond koning Saul dit allemaal best. Maar ondanks zijn grote overwinning op de Filistijnen kon hij niet meer vrolijk zijn. Nog steeds drukte de vloek van de oude Samuël, die inmiddels was gestorven, op hem: hij, Saul, was als koning van Israël door God verworpen. Dat betekende dus, dat ergens in het land een man leefde, die God uitgekozen had om in de toekomst koning te worden en die hem, wie weet hoe vlug al, van de troon zou stoten. Maar wie was deze man? In het begin dacht Saul nog niet aan David. Maar op een dag hoorde hij buiten een lied zingen, waarin zowel zijn naam als die van David werden genoemd. Daar hoorde hij van op! 'Koning Saul heeft duizend vijanden overwonnen, maar David wel tienduizend!'

Plotseling stak, als een kleine giftige slang, een hevige jaloezie bij Saul de kop op. Wat? Die herder uit Betlehem zou een grotere held zijn dan hij, de koning? Durfde het volk dat zomaar buiten op straat te zingen? Wilde het volk David misschien tot koning maken? Was hij misschien de door God uitgekozen toekomstige koning? Er vlamde een vreemd vuur op in Sauls ogen. Zijn hart bonsde wild. De jaloezie verteerde hem.

Toen hij weer eens in de troonzaal zat en David bij hem op zijn harp zat te spelen, pakte hij zijn speer en wierp hem met kracht in de richting van David. Het scheelde maar een haartje of de speer had Davids hoofd geraakt. Vlak naast David was de speer diep in de muur gedrongen.

David vluchtte het paleis uit. Hij ging naar Jonatan en nam hem in vertrouwen. 'Jouw vader staat me naar het leven, ik weet niet waarom. Want zo waar als ik leef, hij heeft geen knecht die hem trouwer dient dan ik.'

Toen Jonatan dat hoorde, schrok hij erg en wilde wel meteen naar zijn vader gaan om met hem te praten. Maar David wist dat dat niet helpen zou. Hij had in Sauls blik een onverzoenlijke haat zien branden.

Zijn vrouw Michal hielp hem vluchten.

Nog één keer ontmoetten de vrienden elkaar even buiten de stad. Dit moest in het diepste geheim gebeuren. Verdrietig namen ze afscheid en zworen elkaar eeuwige trouw. Jonatan keerde als een gehoorzame zoon naar zijn rampzalige vader terug, en David koos het bittere lot van een vluchteling. Met enkele trouwe kameraden, die hem niet in de steek konden laten, ging hij de woestijn in en verborg zich in het gebergte.

Davids edelmoedigheid

Op een dag zat David met zijn vrienden in een grot. Ze wachtten tot het avond werd, zodat ze verder konden trekken. Want zolang het nog niet donker was, konden ze zich niet buiten de grot begeven. Ze waren te weten gekomen, dat de koning zelf op weg was gegaan om David gevangen te nemen.
Opeens hoorden ze getrappel, gekletter van wapens en een bevel: 'Afstijgen! De koning is moe, hij wil hier uitrusten.'
David sloop naar de uitgang van de grot en keek voorzichtig naar buiten. Daar zag hij een groep soldaten van hun muilezels afstijgen. Hij zag ook de koning. De soldaten van koning Saul legden zich neer in de schaduw van de bomen, maar koning Saul kwam naar de grot toe. Hij zocht blijkbaar een nog koelere plaats. Zachtjes sloop David weer de grot in.
Koning Saul bukte zich in de opening. Met een diepe zucht legde hij zijn mantel op de grond, ging er languit op liggen en viel direct in slaap.
Achter in de grot hadden de mannen heel stil gezeten. Maar nu stootten ze David aan en fluisterden: 'Dood hem toch, die vijand van je! Hij ligt daar helemaal weerloos. Dit is een prachtige gelegenheid. Nooit zul je een betere kans krijgen. Wel, waarom aarzel je nog?'
Maar David bewoog zich niet. Tenslotte stond hij op en liep naar de slapende Saul toe. Daar lag hij, de koning van Israël, die door God verlaten was. Hij was slecht en onrechtvaardig. Een verschrikkelijke ziekte verwoestte zijn geest. Toch was hij de gezalfde van God, de vader van Jonatan en Michal.
David dacht: 'Nee, ik zal hem niet doden. Zijn leven is mij heilig. Als God heeft besloten om hem van de troon te stoten, zal Hij dat wel op een andere manier doen.' Toch greep hij zijn zwaard en zijn vrienden achter in de grot hielden hun adem in. Nu zou David toeslaan! Maar nee! David knielde zachtjes neer en sneed een stukje van Sauls mantel af. Daarna stak hij zijn zwaard weer bij zich en sloop terug.
Na een poosje werd Saul wakker, hij wreef zijn slaperige ogen uit, gaapte en stond op. Hij pakte zijn mantel op en ging de grot uit.
Op dat ogenblik sprong David te voorschijn, liep koning Saul achterna

en riep: Mijn heer en mijn koning!' Saul draaide zich om. Toen hij David herkende, trok hij zijn zwaard.

David viel voor zijn voeten en riep: 'Heer, waarom gelooft u, dat ik uw vijand ben? Kijk eens hier! Herkent u dit stuk stof in mijn handen? Het is van uw mantel. Terwijl u sliep, heb ik het afgesneden. Ik had u kunnen doden. Ik heb het niet gedaan. Ziet u nu, dat ik uw vijand niet ben?'

Toen koning Saul deze woorden hoorde, trilde hij over zijn hele lichaam. Hij bekeek zijn mantel - ja, hier ontbrak een stuk, en dat hield David in zijn hand. Was dat mogelijk? Had David hem werkelijk laten leven, terwijl hij hem had kunnen doden?

Koning Saul was ontroerd en begon te huilen. Hij omhelsde David en beloofde hem geen kwaad te doen. Maar David kende koning Saul te goed. Hij kon zich eenvoudig niet houden aan zijn goede voornemens. Daarom ging David niet met Saul naar de stad terug, maar bleef voorlopig nog in de woestijn.

De heks van Endor

David had er goed aan gedaan door in de woestijn te blijven. Want spoedig nadat hij Saul ontmoet had, kreeg de koning weer een van zijn zwaarmoedige buien. Deze keer duurde het langer dan ooit tevoren. Saul begon te razen en tieren. Hij werd de schrik van zijn omgeving. Zelfs het feit dat David hem in de grot gespaard had, stemde hem alleen maar bitter. Zó ver was het al met hem gekomen, dat hij David benijdde om zijn edelmoedigheid; hij haatte hem er zelfs om, dat hij er bewust van afgezien had, zijn handen te bezoedelen aan het bloed van de koning.

In deze toestand nam Saul een wanhopig besluit. Hij had al lang geleden alle tovenarij en waarzeggerij verboden en op overtreding van dit gebod een zware straf gezet. Maar nu wilde hij zelf naar een heks toegaan die toverkracht bezat.

Bij Endor woonde een oude vrouw, van wie hij wist dat ze geesten kon bezweren en de zielen van gestorven mensen kon oproepen. Naar haar ging Saul op weg. Hij vermomde zich, want hij wilde niet herkend worden. Zo kwam hij bij haar binnen.

'Wat wilt u van mij?' vroeg de heks aan de haar onbekende man.

Ja, wat wilde koning Saul eigenlijk van haar? Hij kon haar haast geen antwoord geven, want hij had in drie dagen al niets meer gegeten en gedronken, hij stond te wankelen op zijn benen. Eindelijk mompelde hij: 'Roep de geest op van Samuël!'

'Van Samuël?' riep de heks geschrokken. 'Wee mij! Ik geloof, dat u mij op de proef wilt stellen. U bent toch koning Saul? En heeft u niet zelf het toveren en het bezweren van geesten verboden?' Maar Saul antwoordde alleen: 'Roep Samuël!'

Ja, hij wilde de oude wijze profeet zien, dezelfde die hem eens tot koning had gezalfd. Nu was hij dood, maar Saul hoopte uit de mond van de gestorven Samuël eindelijk zijn vonnis te weten te komen.

Nog steeds vertrouwde de heks Saul niet en ze aarzelde om met de bezwering te beginnen.

Toen zei de vrouw: 'Ik zie een geest uit de aarde te voorschijn komen.' 'Hoe ziet hij eruit?' vroeg Saul. Ze zei: 'Het is een oude man, gehuld in een mantel.'

Het was Samuël. 'Wat wil je van mij?' zei hij.

Saul viel op de knieën en riep: 'O, Godsman, geef me raad. Ik weet niet meer wat ik moet doen, help me toch!'

Samuël antwoordde: 'O, ongelukkige, jij kunt niet meer geholpen worden. Morgen zul je sterven.'

Saul liet zich in zijn volle lengte op de grond vallen en verroerde zich niet meer. De verschijning verdween weer. Maar Saul lag daar nog steeds zonder zich te bewegen.

De heks kreeg medelijden met koning Saul. Ze gaf hem wijn en water te drinken en maakte ook een maaltijd voor hem klaar. Deze versterking, die de heks hem aanbood, zou de laatste maaltijd van Saul zijn. Want de volgende dag vond de strijd tegen de Filistijnen plaats. Koning Saul werd verslagen, en de trouwe Jonatan werd door de vijand gedood.

Toen koning Saul geen raad meer wist, smeekte hij zijn wapendrager hem te doden. Deze weigerde dat bevel. Toen stortte koning Saul zich in zijn eigen zwaard.

Koning David

Toen David het bericht kreeg van de vreselijke dood van Saul, brak hij in luid gejammer uit. Maar nog dieper werd hij getroffen door het bericht van de dood van zijn beminde vriend Jonatan. Om de dood van een echte broer had hij geen heviger verdriet kunnen hebben. Om de gestorvene nog trouw en vriendschap te bewijzen, liet hij onderzoeken waar zijn enige zoontje was. Hij liet het kind bij zich brengen. Helaas was het arme kind aan beide voeten verlamd en kon zich alleen met twee krukken voortslepen. David nam het kind bij zich en beschouwde het als een eigen zoon.

Nu werd David, omdat Saul dood was, koning over Israël. Eerst kon hij alleen rekenen op de stam van Juda. Maar na een poosje wilden ook de andere stammen hem als hun heerser erkennen. Voor de eerste keer sinds Jozua waren nu bijna alle stammen van Israël weer met elkaar verenigd. Koning David regeerde wijs en rechtvaardig. Hij liet bij de berg Moria - of Sion - een mooi paleis bouwen en dit prachtig inrichten. Maar ondertussen verwaarloosde hij de eredienst voor God allerminst. God, aan wie hij alles te danken had.

'Dat kan toch niet', zei hij op een dag, 'ik woon in een cederhouten paleis en ik loop over marmeren tegels, maar de ark, het grootste heiligdom van

ons volk, staat nog steeds in een eenvoudige tent. We willen de ark hierheen halen en ook daar een passend huis voor bouwen.'

De ark, waarin de wetten lagen die God aan Mozes had gegeven, werd op
feestelijke wijze naar de Davidsstad gebracht. Voorop liepen bazuinblazers, daarachter liep het volk, dat zich met kransen van olijftakken
en bloemen had getooid.

David greep zijn harp, waar hij zo vaak voor Saul op had gespeeld en zijn
hart liep over van dankbaarheid aan God. En ter ere van God, de allerhoogste, begon hij zelfs te dansen.

Maar God wilde niet, dat David voor Hem een tempel bouwde.

David en Batseba

De jaren gingen voorbij. David was al weer een hele tijd koning over Israël. Zijn roem was groot en hij was bij het volk geliefd. Zijn vijanden hadden achting voor hem. Al lieten ze het niet helemaal na om zo nu en dan eens een kleine inval in het land te doen, toch heerste er over het algemeen vrede, en David kon onbezorgd leven.

Maar hoe gaat dat, wanneer iemand alleen maar geluk ondervindt en door heel het volk bejubeld en geëerbiedigd wordt? David werd trots en overmoedig. Hij legde zich geen enkele beperking meer op, ook niet als hij iets wilde dat niet goed was.

Zo gebeurde het op een dag, dat hij vanaf het terras van zijn paleis in een aangrenzende tuin keek. Daar was een vrouw zich aan het wassen. Deze vrouw was erg mooi, en David wilde haar graag ontmoeten. 'Zij moet mijn vrouw worden', dacht hij. Maar toen hij haar bij zich liet komen, bleek Batseba - want zo heette zij - al getrouwd te zijn. Haar man heette Uria. Hij was officier in het leger van David. Maar David kon er niet toe komen om Batseba op te geven.

Een tijdje later kwam Uria met verlof thuis uit de oorlog tegen de Ammonieten. Toen zijn verlof voorbij was en hij naar het leger terugging, gaf David hem een brief mee voor Joab. Het was een verzegelde brief. Uria dacht, dat in deze brief bevelen van de koning zouden staan, in verband met de oorlogsvoering. Maar in deze brief stond iets heel anders. Hij bevatte het doodvonnis over Uria, want David had aan zijn veldheer Joab de volgende opdracht gegeven: 'Zet de officier Uria op een plaats waar hij wel móet sneuvelen.'

Dat was een schandelijke list, een afschuwelijke daad. Zodra Uria vertrokken was, schaamde David zich al over zijn gemene streek. Maar nu was het te laat. De niets vermoedende Uria gaf de verzegelde brief aan Joab, en al de volgende dag stuurde Joab hem het heetst van de strijd in. Uria stierf, met pijlen doorboord, als een dappere soldaat voor zijn trouweloze koning.

Toen dit bericht Jeruzalem bereikte, wist iedereen wat er gebeurd was, en een vroom en moedig man, de profeet Natan, ging naar de koning toe en zei: 'Mijn heer, u staat bekend als een wijs en rechtvaardig rechter. Zeg mij eens hoe u in het volgende geval zou handelen: Er was eens een rijk man, die alles had, grote kudden, veel huizen, en een heleboel knechten. Naast hem woonde een arme man, die niets anders bezat dan één enkel lammetje. Hij droeg het in zijn armen, warmde het aan zijn borst en gaf het van zijn eigen brood te eten. Op een dag had de rijke man een

stuk vlees nodig om aan zijn gasten voor te zetten. Hij zag het lammetje, nam het van de arme man af en doodde het. Zegt u nu eens: hoe heeft de rijke man die arme stakker behandeld?'

David antwoordde: 'Hoe kunt u dát nu nog vragen? Schandalig is het wat die rijke man gedaan heeft. Hij moet gestraft worden.' - 'U bent zelf die man!' antwoordde de profeet, 'want u heeft van Uria het enige afgenomen dat hij had: zijn vrouw en zijn leven.'

David begreep nu hoe groot zijn schuld wel was, hij trok de haren uit zijn hoofd en begon te snikken. Ook Batseba, die Davids vrouw al was geworden, schaamde zich en huilde.

Het eerste kind dat David en Batseba kregen, werd ziek en stierf. Dat was de eerste straf die hen beiden trof, maar al spoedig volgde er een nog ergere straf, die David bijna het leven en zijn troon zou kosten.

De opstand van Absalom

Koning David had, zoals het in die tijd de gewoonte was, meerdere vrouwen, die hem verscheidene zonen hadden geschonken. Een van hen - hij heette Absalom - was een knappe en vurige jongeman, van wie David heel erg veel hield. Bij alle wedstrijden was hij de eerste. David vond het heerlijk om naar deze jongen te kijken wanneer hij, terwijl zijn lange haren golfden op de wind, een hardloopwedstrijd hield met andere jongens.

Maar zoals het vaak in een gezin gaat waar verscheidene halfbroers en halfzussen met elkaar opgroeien: Absalom kreeg ruzie met een van zijn broers en sloeg hem zelfs dood.

Koning David was nu geen jonge man meer. Zijn haar was al grijs, zijn rug was al een beetje gebogen. Zo kwam het, dat veel Israëlieten met de gedachte speelden: David moet zijn kroon nu maar afstaan aan één van zijn zoons. En omdat Absalom zo'n innemend iemand was, schonken zij hem hun sympathie; tenslotte werd hij door een deel van het volk tot koning uitgeroepen.

Toen men koning David deze slechte tijding bracht, schrok hij erg. Het merkwaardige gebeurde, dat deze dappere vorst, die zoveel heldendaden had verricht en zelfs de reus Goliat had verslagen, deze keer niet wilde vechten. Nee, hij wilde niet tegen zijn eigen zoon vechten! En inplaats van Jeruzalem te verdedigen, verliet hij de hoofdstad van zijn rijk. Hij stuurde zijn trouwe dienaren weg en liet zelfs de ark achter bij zijn opstandige zoon. Hij geloofde wel, dat het Gods wil was dat hij toegaf, en zeker dacht hij daarbij ook aan zijn eigen zonden. Nu kwam de straf.

Maar David had geen rekening gehouden met de trouw van zijn aanhangers. 'U bent onze koning!' zeiden ze. 'Wij willen geen rebel dienen, ook al is dat uw eigen zoon, Absalom.'

Nu moest het tóch nog tot een gevecht komen. Toen David zag dat een veldslag niet meer te voorkomen was, verzamelde hij zijn soldaten om zich heen en smeekte hun: 'Nu het niet anders meer kan, ga dan maar en vecht in naam van God! Maar let erop dat mijn zoon Absalom niets overkomt. Als u hem ziet, ontzie hem en breng hem bij mij, zodat ik me met hem verzoenen kan.'

De aanvoerders verwonderden zich over dit verzoek, maar zij beloofden de koning te gehoorzamen en trokken ten strijde.

De veldslag duurde de hele dag. Koning David zat bij de poort van de stad Machanaïm, waar hij zich teruggetrokken had en wachtte het verloop van de strijd af.

Zo nu en dan kwam er een bode, om hem te vertellen dat het leger van David aan de winnende hand was; maar inplaats van blij te zijn, stelde David steeds weer die ene vraag: 'Hoe gaat het met mijn zoon Absalom?' De soldaten ergerden zich daaraan en vroegen: 'Heer, wat bezielt u toch? Wij vechten voor u, en u vraagt steeds maar naar uw zoon, die u ontrouw is geworden!'

Toen riep David: 'Begrijpen jullie mij dan niet? Wát hij ook gedaan mag hebben, hij is en blijft mijn kind, ik wil niet dat er iets ergs met hem gebeurt.'

Het werd avond; de aanhangers van David hadden de overwinning behaald. Ze brachten veel gevangenen mee. Maar Absalom was er niet bij. Steeds angstiger vroeg David telkens weer naar zijn zoon. 'Waar is hij, waar blijft hij? Waarom brengen jullie hem niet bij me?' Maar niemand gaf antwoord, want niemand durfde hem de waarheid te vertellen. Wat was er gebeurd? Absalom was op de vlucht geslagen. Hij reed op zijn muildier door een eikenbos. Daar bleef hij met zijn lange haar aan de takken van een boom hangen, terwijl het muildier onder hem vandaan liep. Absalom kon niet loskomen. Zo vonden ze hem, de soldaten van zijn vader, de koning. Enkelen wilden hem sparen, maar Joab, de veldheer van David, was niet te vermurwen; hij nam drie speren en stootte die in de borst van de trouweloze prins.

Toen koning David eindelijk de waarheid hoorde, begon hij hevig te huilen en te jammeren.

'Ach, mijn zoon! Mijn zoon! O, was ik maar in jouw plaats gestorven!'

Zo werd het overwinningsfeest een rouwplechtigheid. Diep bedroefd keerde koning David naar Jeruzalem terug. Daar leefde en regeerde hij nog veel jaren, maar de echte vreugde was voorgoed verdwenen.

De geschiedenis van koning Salomo

Koning David stierf op hoge leeftijd. Zijn zoon Salomo volgde hem op. Eindelijk, na honderden jaren, kwam er nu een tijd van vrede voor het volk Israël. Salomo was zo machtig, dat geen vijand het waagde om zijn land binnen te vallen. Maar hij was niet alleen machtig, hij was ook rijk, terwijl men tot ver buiten de grenzen van zijn land over zijn wijsheid sprak. Eens had God hem in een droom gevraagd: 'Salomo, wat wil je, dat Ik je geven zal?' En God was blij geweest met het antwoord van Salomo: 'O God, geef mij een wijs en verstandig hart om mijn volk te kunnen leiden en om te weten hoe ik handelen moet in moeilijke zaken.'

Koning Salomo liet een prachtige tempel op de berg Sion bouwen. De tempel was van de duurste materialen gemaakt. Met zuiver goud waren de muren overtrokken. Binnenin bevond zich een klein vertrek, waarin de ark werd gezet. Het heette het heilige der heiligen, en niemand mocht daar binnengaan - ook de koning niet. Slechts één keer per jaar mocht de hogepriester het betreden om een zoenoffer te brengen.

Koning Salomo hield er een grote hofhouding op na en liet ook zijn paleis prachtig inrichten. Hij droeg alleen maar met goud bewerkte gewaden, zijn kroon, zijn mantel, en zelfs zijn schoenen zaten vol edelstenen. Van heel ver kwamen vreemde vorsten bij hem hun opwachting maken. Ook een machtige Arabische vorstin, de koningin van Seba, bezocht hem en vroeg hem om raad.

In de tijd was de koning de hoogste rechter. Er was geen wijzer en rechtvaardiger rechter dan de zoon van David. Bijna niemand lukte het de koning om de tuin te leiden, ook niet wanneer men nóg zo slim was: Salomo doorzag het.

Op een dag kwamen er twee vrouwen bij hem; zij hadden twee baby's bij zich, twee jongetjes, het ene leefde en het andere was dood. Allebei wilden ze het levende jongetje hebben. De één beweerde: 'Het is mijn kind', de ander schreeuwde: 'Nee, dat dóde kind is van jou!'

Wie had er nu gelijk?

De twee vrouwen woonden samen in een huis en hadden kort tevoren allebei een zoontje gekregen. Maar één van de moeders drukte haar kind in haar slaap dood. Toen zij merkte wat er gebeurd was, wist ze niets beters te doen dan stilletjes op te staan, het andere kind stiekem weg te nemen en het dode kindje naast de andere vrouw onder de dekens te schuiven. Daarna glipte zij met het levende kindje in haar bed terug.

Toen de moeder van wie het kind gestolen was, de volgende morgen wakker werd en het dode kind naast zich vond, gilde ze het uit. Maar de echte moeder van het dode kind beweerde: 'Zij heeft haar jongen in de slaap doodgedrukt; het dode kind is van haar, het levende kind van mij.'

Onder hevig geweeklaag kwamen beide vrouwen voor de rechterstoel van koning Salomo. Allebei verklaarden ze: 'Het levende kind is mijn zoon!' Hoe moest de koning nu oordelen?

De koning keek van de ene vrouw naar de andere. In de ogen van de ene vrouw las hij onmetelijk veel verdriet en wanhoop, maar de ogen van de andere vrouw stonden hard en koud en de angst van het slechte geweten sprak eruit. De koning dacht: 'Deze liegt. En ik zal het bewijs leveren.'

Hij zei tegen de vrouwen: 'Daar u allebei aanspraak maakt op het levende kind, is er maar één oplossing. Hij wenkte een soldaat en beval: 'Hak deze zuigeling in tweëen en geef iedere vrouw de helft. Dan zullen ze allebei tevreden zijn.'

Maar nauwelijks had de koning deze woorden gesproken, of de echte moeder liet zich voor zijn voeten op de grond vallen en schreeuwde:

'Nooit o koning, nooit mag dit kind doormidden gehakt worden. Ik wil het niet meer, geef het dan maar aan de ander, maar laat het kind leven, ik smeek het u!'

Toen velde Salomo zijn oordeel: 'Nu zie ik, wie van u beiden de waarheid heeft gesproken. U bent de moeder van deze jongen, uw liefde heeft dat bewezen. Maar zij heeft gelogen en zal gestraft worden.'

Zo'n wijze rechter was Salomo. De jaren dat hij regeerde moeten het volk Israël tot aan de dag van vandaag zijn bijgebleven als jaren van geluk en voorspoed.

Toch valt het niet te verzwijgen, dat ook deze wijze en vrome koning grote fouten maakte. Hij had veel vrouwen, onder hen bevonden zich enkele heidinnen, dochters van vorsten van naburige landen, zelfs de dochter van de farao was erbij. Zij brachten allemaal hun eigen goden mee naar Jeruzalem en wilden daar geen afstand van doen. Salomo vond het goed, dat ze die goden dienden. Zo kon het gebeuren, dat naast de prachtige tempel van God, de allerhoogste, in het vrouwenpaleis van de koning offers werden gebracht en wierook werd gebrand voor de heidense afgoden.

Dat was geen goed voorbeeld voor het volk, dus behoeven we er ons niet over te verbazen, dat het na de dood van Salomo weer bergafwaarts ging. Nieuwe twisten brachten weer scheiding tussen de twaalf stammen van Israël, nieuwe vijanden staken hun kop op. Weer had Israël zijn hoge opdracht verwaarloosd. Overal in het land werd de heidense Baäl aanbeden; tenslotte kwam de dag waarop zelfs de tempeldeuren werden gesloten.

Elia bidt om vuur uit de hemel

Maar ook in deze donkere dagen dacht God aan wat Hij eens tegen Abraham gezegd en aan Jakob en Mozes beloofd had. Deze belofte was weliswaar door de meesten vergeten, maar zij bleef toch als een vonkje tussen de grauwe ashopen gloeien. Niemand had er erg in. Er ging nog niets van uit. Maar als zo'n vonkje aangewakkerd wordt, kan het weer een helder oplaaiende vlam worden. En zoals Gods adem eens Adam, de aardman, het leven inblies, zo wakkerde ook nu de adem van God het vonkje van het geloof aan, dat in de ashopen van zijn volk verborgen lag. Er begon een geweldige vlam te branden, die licht gaf in de donkere nacht welke over Israël hing.

Deze vlam brandde eerst alleen maar in het hart van één enkele man: Elia. Deze Elia geloofde in God en dit geloof gaf hem de moed om naar koning Achab te gaan. Na koning Salomo waren er tal van andere koningen geweest. Israël was intussen in twee stukken verdeeld: er was het noordelijk rijk Israël en het zuidelijk rijk Juda.

Achab nu was koning over Israël. Elia ging naar hem toe en zei hem midden in zijn gezicht: 'U dient God, uw Schepper, niet meer, u bent Hem ontrouw geworden, want u aanbidt die afschuwelijke afgod Baäl. Gods straf zal niet uitblijven.'

'Wat?' vroeg Achab. 'Wie bent u eigenlijk, dat u mij zo durft te bedreigen?' 'Ik dreig u niet', antwoordde Elia, 'maar u heeft God beledigd en zijn geduld is op! Een verschrikkelijke droogte zal over dit land komen en mens en dier zullen van dorst bezwijken.'

Achab werd woedend en wilde Elia gevangen laten nemen, maar Elia vluchtte en op Gods bevel ging hij naar de woestijn en hield zich daar schuil.

168

Wat voorspeld was, gebeurde. Vanaf de dag, dat Elia bij Achab was geweest, viel er geen regen meer. Ook Elia begon de droogte te merken in zijn afgelegen schuilplaats. De schaarse planten, die in de woestijn groeiden, verdorden, en de enkele wortels, waar Elia van eten kon, verschrompelden in de zanderige bodem. Er stroomde nog wel een beekje, maar ook dit droogde in de loop van de tijd uit. Maar God liet zijn trouwe knecht niet in de steek. Elke dag brachten twee raven hem vlees en brood. Toen er helemaal geen water meer in de beek was, zei de Heer tegen hem: 'Verlaat nu het land Israël en ga de grens over naar de stad Sarefat. Daar zal Ik voor je zorgen.'

'Ach Heer', zei Elia, 'moet ik naar dat heidense land gaan?'

'Jazeker', antwoordde God, 'ook onder de heidenen leven goede mensen.' Elia gehoorzaamde en ging naar Sarefat. Maar ook hier was geen regen gevallen en de mensen leden honger en dorst.

In het kleine stadje woonde een arme weduwe met haar enige zoon. Ze hadden nog maar weinig eten in huis, een beetje meel in de pot en een klein beetje olie in de kruik voor hun laatste maaltijd. De weduwe zei tegen haar zoon: 'Nog één keer kan ik een koek bakken, dan moeten we van honger sterven, als er tenminste geen wonder gebeurt.'

Ze ging de stad uit om wat hout te sprokkelen voor het vuur in het fornuis. Daar zag zij Elia naar zich toe komen. Hij vroeg haar: 'Wilt u mij wat te eten geven?' Zij antwoordde: 'Bent u geen Israëliet? Zo waar als God leeft, ik heb haast niets meer voor mijn kind en voor mijzelf. Hoe moet ik dat nu nog met ú delen?' Elia antwoordde: 'Wees maar niet bang, want vanaf deze dag zal uw meelpot niet leeg raken en in uw oliekruik zal genoeg olie blijven, totdat het weer zal gaan regenen.'

De vrouw geloofde Elia en nam hem mee naar haar huis. Ze deelde het brood met Elia en het gebeurde zoals hij gezegd had: de volgende dag was er weer nieuw meel in de pot en weer nieuwe olie in de kruik. Ze leefden er alledrie van en hadden geen honger.

Intussen regende het nog steeds niet. Alle beekjes en bronnen droogden op, het land lag dor en verschroeid onder de gloeiende zon. Steeds weer was de hemel blauw, elke dag opnieuw. De mensen vloekten al als ze 's morgens uit hun huizen kwamen en zagen: ook vandaag is er geen wolkje aan de hemel, ook vandaag zal het niet regenen. Het uitgezaaide koren verdorde in de droge akker, de wijnstokken groeiden niet, de bomen lieten hun blad vallen, kaal en kleurloos zagen ze eruit.

'Zo kan het niet langer', zei koning Achab tegen zijn bedienden. 'Wij hebben geen brood meer en er is geen voer voor het vee. Ga het land in en zoek of er nog ergens gras en tarwe te vinden is. Maar niemand vond ook maar het minste voedsel. Toen nu de hofmaarschalk vlak bij Sidon was, kwam hij Elia tegen. Verheugd begroette hij hem.

'Waar is de koning?' vroeg Elia. 'Ik wil met hem spreken.'

'O, alstublieft', zei hij, 'past u op voor koning Achab! Hij gelooft dat u Israël vervloekt hebt en dat alleen daarom deze droogte over ons ge-komen is. Als hij u ziet, zal hij u laten doden - en mij ook.' Maar Elia liet zich niet afschrikken en tenslotte was de hofmaarschalk bereid om Achab te gaan zeggen: 'Elia is gekomen om met u te spreken.'

Noning Achab sprong van zijn troon af. 'Elia? Hoe durft hij...?'

Toen hij Elia zag binnenkomen, riep hij hem woedend tegemoet: 'U hebt Israël in het ongeluk gestort! Het is uw schuld dat we zo zwaar moeten lijden. Uw vloek heeft ons te gronde gericht!'

'U vergist zich, mijn koning', antwoordde Elia. 'Uw eigen zonden hebben deze nood over ons gebracht. Omdat u Baäl aanbidt, heeft God de hemel gesloten. Gelooft u mij niet? Ik stel voor u het bewijs te leveren. Breng alle priesters van Baäl samen op de berg Karmel. Ook ik zal daarheen gaan. De priesters moeten daar hun voorbereidingen treffen om een offer te brengen. Ook ik zal een offer brengen. Dan mogen zij om een wonder bidden - en ook ik zal bidden om een wonder. Dan zullen we zien wie machtiger is: de Baäl, die u aanbidt, - of de God, die mij ge-zonden heeft.'

Koning Achab dacht even na. Tenslotte zei hij : 'Goed, dat zullen we doen.' Hij liet de Baälpriesters bij elkaar roepen - een groep van meer dan vierhonderd man - en hij beval hun op de berg Karmel een offer te gaan brengen. Onder hevig geschreeuw gingen ze aan het werk. Er had zich veel volk verzameld. Ook koning Achab was aanwezig.

En de Baälpriesters namen het offerdier, slachtten het en legden het op het altaar. Toen kwam Elia naar voren en riep: 'Nu mogen de Baäl-priesters hun god aanroepen en vragen of hij hun vuur uit de hemel wil geven, dat het offer zal verteren. Als dat gebeurt, dan is Baäl machtig en mag u hem verder blijven dienen. Maar als er geen vuur te zien is, dan zal ik mijn God aanroepen, de God van Abraham, Isaäk en Jakob, en Hem om vuur vragen - en dan zult u zelf kunnen beslissen, wie de ware God aanbidt.'

'Goe', schreeuwde het volk. 'Ja, dat is goed!' En tegen de Baälpriesters riep het: 'Begin maar!'

Dat lieten die priesters zich geen twee keer zeggen. Ze begonnen met hun ritueel. Ze draaiden in het rond, rekten zich uit en gingen als bezetenen tekeer, want dat vonden ze nu eenmaal de beste manier van bidden. Dit wilde gedoe duurde urenlang. Elia keek naar hen - en ook het volk keek oplettend, maar er gebeurde niets. Sommige Baälpriesters wilden er al mee ophouden, maar Elia liep op hen toen en zei: 'Ga door! Roep wat luider, dan zal uw god misschien naar u luisteren. Misschien slaapt hij wel en moet hij eerst goed wakker worden!'

Deze spottende woorden brachten de afgodendienaars tot nog grotere razernij. In hun bezetenheid verwondden zij zich zelfs met hun messen. Maar het was allemaal vergeefs: uit de blauwe hemel kwam geen vuur. Nu was het al bijna avond. De priesters van Baäl lagen uitgeput en hijgend op de grond. Elia riep het volk bij zich. Hij nam twaalf stenen, bouwde van deze stenen een altaar en zei: 'Deze stenen zijn voor de twaalf zonen van Jakob opgericht. Begiet het offer met water - nee - niet één keer, maar drie keer!' Zo deden ze. En toen gebeurde er iets, dat niemand van de aanwezigen vergat zo lang als hij leefde. Elia breidde zijn armen uit, keek naar boven en riep: 'Mijn Heer en mijn God: laat dit volk weten dat U God bent, laten zij U toch eindelijk erkennen!'

Het knetterde in de lucht, zoals dat gebeurt als de bliksem erdoor schiet; en uit de blauwe hemel schoot een vuurstraal naar beneden. Hij flitste niet als een bliksemstraal, maar het leek meer op de vlam van een fakkel, die langzaam naar beneden komt. Het volk schreeuwde en week achteruit - maar daar sloegen de vlammen al uit het altaar van Elia. Het water dat ze erover hadden gegoten siste, de brandstapel vlamde op, en het vuur verbrandde alles, zelfs de stenen!

Nu sidderden de mensen en vielen eerbiedig ter aarde. Zelfs koning Achab was op zijn knieën gevallen. Aan de andere kant stonden de Baäldienaars en keken met van schrik verbleekte gezichten naar wat er gebeurde.

Er kwam beweging in de menigte. De profeet Elia gaf een bevel. De Baälpriesters werden naar het dal bij de beek Kison gebracht en vonden daar hun einde.

Nu keerde Elia zich tot koning Achab en vroeg: 'Wat zegt u nu, koning? Erkent u, dat God alleen machtig is? Laat vlug inspannen en rijd zo hard als u kunt van deze plaats weg, want ik hoor het ruisen van de regen al!' 'Van de regen?' herhaalde Achab verwonderd en hij keek naar boven, naar de blauwe lucht.

In het noordwesten was een klein onbeduiden wolkje te zien. En terwijl Achab in zijn wagen klom, vulde de hemel zich met steeds meer en steeds grotere wolken. Daar vielen de eerste druppels al en kletsten in het stof. Koning Achab reed weg. Spoedig was zijn wagen aan het oog onttrokken door de vreselijke stortregen. Het hele land lag gehuld in hevige regenbuien. De rivieren begonnen weer te stromen en de bronnen te klateren. Twee dagen later zagen de dalen weer groen en alles bloeide en groeide weer en op Israël rustte weer een zegen.

En Achab was 21 jaar koning, toen er een oorlog uitbrak tussen Israël en Aram Tijdens de veldslag raakte Achab gewond door een pijl. Hij vocht

nog een hele tijd door, maar 's avonds stierf hij en men begroef hem in Samaria.

Elia stelde op Gods aanwijzing Elisa als zijn toekomstige opvolger aan. En Elisa hielp Elia, die veel wondertekens deed, bij alles. En toen Elia heel oud geworden was, ging hij samen met Elisa naar de Jordaan. Zij staken deze rivier over en liepen al pratend verder. Opeens kwam er een vurige wagen uit de hemel aanrijden, die bespannen was met paarden en deze nam Elia mee. Voor de ogen van Elisa nam God Elia op in zijn heerlijkheid. En Elisa ging terug naar Jericho en verrichte sindsdien óók vele wonderen.

Tobit en Tobias

(Ontleend aan het apocriefe Boek Tobit, anders genoemd Tobias.)

Ongeveer duizend jaar voor de geboorte van Christus ontstond aan de rivieren de Eufraat en de Tigris weer een groot rijk, het rijk van de Assyriërs. De koningen van dit rijk waren erg machtig, bouwden grote steden en veroverden alle omliggende landen.

Hun soldaten verschenen ook in het beloofde land. Ze dreven de mensen als vee bij elkaar en namen hen als gevangenen mee. Eindeloos was de treurige stoet die door de woestijn naar het noordoosten trok.

De mensen liepen met kettingen aan elkaar gebonden, mannen, vrouwen en kinderen; bij veel van hen werden zelfs ringen door de neus of door de lippen getrokken, en aan deze ringen werden ze door ruwe oppassers meegesleurd. Al lukte het de Assyriërs niet om Jeruzalem in te nemen, omdat op het laatste ogenblik de pest in hun leger uitbrak, des te erger gingen ze tekeer in het land Samaria.

Onder de ongelukkigen was ook een vrome man die Tobit heette. Het was een wonder, dat hij met zijn vrouw die lange tocht, naar de Assyrische hoofdstad Ninevé, overleefde. Daar kwam hij geleidelijk op verhaal en later kon hij zelfs met zijn werk een klein vermogen bij elkaar brengen. Maar hij zag, dat veel van zijn volksgenoten verderop in de diepste armoede leefden. Hij hielp hen en deelde van zijn eigen bezit uit, zoveel als hij missen kon. Helaas werden ook veel Israëlieten wegens een gering vergrijp ter dood gebracht. Dit trok Tobit zich heel erg aan; hij vond het vooral verschrikkelijk dat de dode lichamen voor de stadsmuur werden gegooid om daar door roofdieren te worden opgegeten. Tobit ging erheen en begroef de lijken. Hij moest dat stiekem doen, want het was verboden, en Tobit waagde zijn eigen leven ermee. Op een dag werd hij betrapt en streng gestraft. Hij werd niet ter dood gebracht, maar alles wat hij bezat, werd van hem afgenomen.

Maar er kwam nog meer ellende. Op een dag lag hij tegen de muur van zijn huis te slapen, toen hij in zijn ogen de uitwerpselen van een zwaluw kreeg. Zijn ogen werden dof en vlekkerig. Tobit werd blind.

Zijn vrouw werd verbitterd. Ze zei tegen hem: 'Dat heb je nu van je vroomheid en van je goede werken! Waar blijft de beloning van God? Wij zijn zo arm, dat ik de hele dag voor vreemde mensen moet spinnen en weven, om tenminste een stukje droog brood op tafel te hebben.' Zo jammerde de vrouw en zij maakte hem allerlei verwijten.

Tobit werd daar erg verdrietig om. Toen hij erover zat te peinzen hoe hij zijn gezin kon helpen, schoot hem iets te binnen: hij had op een keer, toen het hem nog goed ging, aan een van zijn familieleden een grote som geld geleend. Dat was nu enkele jaren geleden en de neef zou het geld nu vast niet meer nodig hebben. Hij kon het dus terugvragen. Ja, dat wilde Tobit. Maar de neef woonde niet in Ninevé, maar in het land van de Meden, en de weg daarnaartoe was ver en bepaald niet ongevaarlijk. Tobit was het liefst zelf dat geld gaan halen, maar hij kon zich nog maar nauwelijks zonder hulp van anderen op straat begeven. Hij kon dus niet op reis gaan.

Maar Tobias was er ook nog, de enige zoon van Tobit, een lieve, goede jongen. Kon hij niet in de plaats van zijn vader het geld gaan halen? Maar daar wilde de moeder niets van weten. 'Om hemelswil, alsjeblieft niet! Ik wil nog liever dag en nacht doorwerken, dan dat onze enige zoon een zo lange, gevaarlijke reis onderneemt.'

'Je hebt gelijk', stemde vader in. 'Nee, we kunnen onze jongen niet naar Medië sturen. Alleen als hij een betrouwbare reisgezel vindt, is het verantwoord, maar wie zou hij mee kunnen nemen? Nee, de jongen kan niet op reis gaan.' En daarmee scheen het plan uit de wereld te zijn.

Maar Tobias had de zorgen van zijn ouders wel begrepen en hij gaf het niet zo vlug op. Hij wilde best naar Medië reizen om zijn ouders te helpen en ook zodoende een stukje van de wereld te zien. 'Ik zal eens naar de markt gaan', dacht hij, 'misschien vind ik daar een goede reisgezel, wie weet heb ik geluk.'

Zo liep hij in de stad rond en ging bij de waterput op het marktplein zitten. Zijn hondje was bij hem. Het was een klein, wit met bruin gevlekt diertje met een krulstaartje, zeker geen schoonheid, maar het was schrander en waaks en blafte naar iedereen die te dicht bij zijn baasje Tobias kwam.

Daarom verwonderde het Tobias, dat het hondje vriendelijk kwispelstaartte toen er een vreemde jongeman naast hem ging zitten. Ja, het diertje kwispelde niet alleen met zijn staart, het jankte van vreugde en begon de vreemdeling zijn voeten te likken.

Toen raakten die twee in gesprek, waarbij bleek dat de vreemdeling de weg naar Medië kende en graag met Tobias daarnaartoe wilde gaan.

Tobias was er erg blij om, want de vreemdeling stond hem wel aan, het leek alsof ze oude vrienden waren. Dus nam hij hem mee naar huis naar zijn ouders. Ook dezen vonden hem aardig en hadden meteen vertrouwen in de onbekende jongeman. Ze stemden erin toe, dat die twee samen de reis zouden ondernemen. Dus maakten ze zich klaar om te kunnen vertrekken. Ook het hondje wilde mee, het sprong in het rond en blafte aan één stuk door. Tenslotte vond Tobias het best, dat het mee-ging.

Al heel spoedig trokken ze nu met z'n drieën naar het noorden, naar het land van de Meden. Op een dag moesten ze de rivier de Tigris oversteken. Op deze plaats was de rivier niet meer zo breed als bij Ninevé. Tobias zocht naar een plaats waar ze gemakkelijk door konden waden. Het hondje was al vooruit gehold en spartelde in het water. Maar plotse-ling riep Tobias: 'Help! Kom helpen! Een vis heeft me gebeten!'

'Kalm maar!' riep zijn vriend hem toe. 'Pak hem bij de kieuwen en houd hem goed vast!'

'Dat kan ik niet', steunde Tobias, maar toch pakte hij het beest beet - en zijn vriend kwam hem vlug te hulp. Zelfs het hondje probeerde naar dat schubbige monster te happen. Met z'n drieën trokken ze hem op het droge. Het was een machtig groot dier met een baard en stekelige vinnen, en een waas van rose en blauw op zijn witte buik.

Zij doodden de vis, haalden de ingewanden eruit en bakten hem. Tobias zag dat de jongeman de lever, het hart en de gal van de vis zorgvuldig in een potje deed om te bewaren.

'Waarom doe je dat?' vroeg hij. 'Het hart en de lever kunnen we opeten, maar aan de gal hebben we toch niets.'

'Laat dat maar aan mij over!' antwoordde de ander. 'Het zijn alle drie beste geneesmiddelen, en die zullen nog goede diensten kunnen bewijzen.'

Na de maaltijd - ook het hondje had zijn deel gekregen - vonden ze een goede plaats om de rivier over te steken. Ze trokken weer verder en kwamen vlak bij de stad Ekbatana.

In deze stad woonde een familielid van Tobit; hij heette Raguël. Hij had één dochter, een lief en knap meisje, dat steeds de grootste vreugde van haar ouders was geweest. Maar toen ze op de leeftijd kwam dat ze kon gaan trouwen, was het alsof Sara behekst was. Ze verloofde zich, maar op de trouwdag stortte de trap, juist toen de bruidegom die beklom, in en begroef hem. Sara treurde diep om de dode. Blijkbaar had God voor haar een andere man bestemd.

Na een poosje zochten de ouders een nieuwe man voor Sara. Weer was ze verloofd en zou ze gaan trouwen. Maar tijdens het feest kwam de bruidegom vlak bij het kolenfornuis. Zijn mantel vatte vlam en hij verbrandde.

De derde viel, toen hij de bruid naar zijn huis wilde brengen, van zijn paard en stierf aan inwendige bloedingen.

De vierde dronk zoveel, dat hij dood neerviel; de vijfde had het ongeluk dat, toen hij bij het bruiloftsmaal het gebraden vlees wilde kruiden, hij gif pakte inplaats van zout; hij zakte levenloos in elkaar; de zesde viel van het dak, zodat zijn schedel werd verpletterd; de zevende bruidegom was plotseling zó vreselijk bang voor de dood, dat hij een beroerte kreeg doordat hij zich zo opwond.

Zo had de arme Sara zeven mannen moeten begraven, zonder dat ze ooit getrouwd was geweest! Geen mens geloofde dat dit alleen maar toeval was, nee: men was er van overtuigd dat Sara vervloekt was, of dat er een boze geest in haar huisde, die haar beminde en iedereen die te dicht bij zijn Sara kwam, in het ongeluk stortte. Nu spotten de mensen met Sara en riepen honend, dat zij het liefje van een duivel was en dat ze beslist geen man meer zou krijgen, want wie zou er zo dwaas zijn om haar nog als vrouw te willen hebben?

De ouders van Sara hadden veel verdriet over hun rampzalige dochter, en Sara had van ellende en schaamte het liefst zelfmoord willen plegen. Alleen de gedachte aan haar lieve ouders hield haar daarvan terug.

Maar op een avond, toen de sterren door het raam in haar kamer schenen, liet zij zich op de knieën vallen, spreidde haar armen uit en bad: 'O Heer, mijn God en Schepper, laat mij toch sterven, heb toch medelijden met mij!'

Zo bad Sara - en het was vreemd, maar ze voelde zich plotseling getroost en gesterkt, alsof ze door de zegenende hand van een engel was aangeraakt. Zij stond op en ging tevreden slapen.

In dezelfde zwoele lentenacht kwamen Tobias en zijn vriend in de stad Ekbatana aan. Aan weerskanten van de weg lagen tuinen vol bloeiende bomen, en het maanlicht glansde erop als op pasgevallen sneeuw.

Toen zei de jongeman tegen Tobias: 'Zie je die heuvel daarginds? Daarachter ligt Ekbatana. Weet je, dat je daar een nichtje hebt wonen?'

'Ik weet het', zei Tobias, 'maar deze Sara is een ongelukkig meisje. Ze was al zeven keer verloofd; als ze zou gaan trouwen, stierven de mannen, alle zeven.'

'Ze stierven', zei de jongeman, 'opdat jij haar als vrouw mee naar huis kunt nemen.'

'Ik?' riep Tobias verbaasd.

'Jij en niemand anders! Want God heeft jullie voor elkaar bestemd.'

Tobias schudde zijn hoofd en zweeg een poosje - en zo liep hij door, zo diep in gedachten verzonken, dat hij over een steen struikelde. Toen fluisterde hij: 'Maar er moet toch een duivel in het spel zijn, die Sara bewaakt en een ieder die haar tot vrouw wil hebben, doodt!' En toen Tobias zag, dat de jongeman glimlachte, vroeg hij: 'Of is dat soms niet waar?'

Zijn vriend antwoordde. 'Misschien is het waar, maar misschien ook niet. Heb je nog nooit gehoord, Tobias, dat ook de boze geesten door God gebruikt worden en zijn wil moeten doen? Want Hij alleen is machtig en keert alles ten goede.'

Daarna begon zijn vriend over het meisje te praten, hoe mooi en hoe lief ze was. Hij sprak over haar alsof hij haar in zijn kinderjaren had gekend. Tobias luisterde naar hem en zijn hart werd vervuld met liefde voor het onbekende meisje.

De volgende morgen klopten de twee bij Raguël aan en werden daar vriendelijk ontvangen. Ook Sara begroette de vreemde neef. Hij keek haar onderzoekend aan en ja, hij zag het: ze was mooi, maar verdriet en zorgen hadden hun sporen in haar gezicht achtergelaten. Toen dacht Tobias: 'Ik zou het niet erg vinden om voor haar te sterven!' De volgende dag vroeg hij aan Raguël of deze hem Sara tot vrouw wilde geven.

Haar ouders schrokken, maar Sara schrok nog veel meer, want ze had de vreemde neef al liefgekregen en vreesde de wraak van de duivel.

'Laat mij met rust', smeekte ze, 'ik breng niemand geluk. Het is beter voor je, als je weggaat en mij vergeet.'

Daar wilde Tobias niets van horen. Eindelijk gaven de ouders toe, en zo werd in alle stilte en in het diepste geheim de bruiloft gevierd. Ja, in het geheim, want Raguël en zijn vrouw waren ervan overtuigd, dat ook deze schoonzoon, de achtste, het feest niet zou overleven, en zij wilden hun dochter geen nieuwe schande aandoen.

Maar alles verliep goed. Op advies van zijn vriend had Tobias voordat de bruiloft begon een stuk lever van de vis op het fornuis verbrand; door de walm sloeg de duivel op de vlucht, zodat hij ijlings door het rookgat het huis verliet. De gal van de vis bleef nog in de pot achter. Tobias borg haar goed op.

Toen Tobias met zijn jonge vrouw naar de slaapkamer ging, bleven de ouders bezorgd wakker. Elk ogenblik, zo geloofden ze, kon nu het ongeluk gebeuren: de duivel zou terugkomen en Tobias doden. Ja, Raguël had al een graf in de tuin gemaakt. Daar wilde hij het lichaam van Tobias in het geheim begraven. Zo zaten de ouders de hele nacht bij elkaar en wachtten bevend op het gehuil en gejammer van Sara. Tegen de morgen hielden ze het niet meer uit: op hun tenen slopen ze het bruidsvertrek binnen. Daar lagen die twee in een diepe slaap, rustig ademend en helemaal gezond. Op het gezicht van Sara speelde een gelukkige lach. Toen wisten ze: de boze toverkracht was gebroken, eindelijk had hun dochter de man gevonden die voor haar bestemd was.

Nu bleef Tobias in Ekbatana, en zijn vriend reisde door naar Medië om het geleende geld terug te vragen en het dan bij Tobit te brengen.

Ondertussen waren er enkele weken voorbijgegaan. Tobit en zijn vrouw begonnen zich zorgen te maken over hun zoon.

Waarom bleef hij zo lang weg? Was hij misschien met zijn reisgenoot door rovers overvallen en als slaaf weggevoerd? Of waren ze samen in een rivier verdronken? Of had men geweigerd het geld te geven en durfden ze niet zonder het geld terug te komen?

Duizend vragen, duizend zorgen! De ouders konden 's nachts niet meer slapen, en de moeder van Tobias huilde zoveel, dat haar gezwollen ogen nauwelijks meer konden zien als ze aan het weven was en ze daarom steeds fouten maakte.

Elke dag ging ze naar de noordpoort van Ninevé en keek de weg af die naar Medië leidde.

Op een avond stond de oude moeder daar weer en wachtte met smart op haar zoon. In de verte zag ze een stofwolk, alsof er een karavaan aankwam met kamelen, paarden, ossen en muilezels. Het waren vast en zeker rijke mensen, die op reis waren en een hele kudde meevoerden. En van Tobias, haar arme jongen, geen spoor!

De moeder wilde weer omkeren en teruggaan naar huis, toen er uit de stofwolk iets wits en bruingevlekts op haar kwam toegerend, een klein hondje met kromme pootjes en een krulstaartje. Het blafte wild, sprong tegen haar aan, blafte opnieuw en jankte en liet zich van blijdschap op zijn rug rollen, sprong dan weer op... 'Ben jij het?' riep de oude vrouw. 'Jij, ons hondje? Waar is Tobias?' Toen blafte het hondje weer en rende de weg op in de richting van de stofwolk, kwam terug en stoof langs haar heen, alsof het wilde zeggen: Kijk toch, vrouwtje, kijk toch eens goed. Daar is Tobias, daar komt hij al. Zie je het nu nóg niet?

Het volgende ogenblik zag zij een mooi paard aan komen galopperen. Tobias sprong uit het zadel, viel zijn moeder om de hals en riep: 'Daar ben ik weer!' Meteen daarna zei hij: 'Maar, lieve moeder, ik kom niet alleen: hier is Sara, mijn vrouw, de dochter van Raguël. Ook mijn vriend is meegekomen. Hij heeft het geld gekregen. We brengen een grote kudde mee en veel knechten en dienstmeisjes - dat alles hebben de ouders van Sara ons gegeven.'

De arme vrouw wist niet meer, wat ze denken moest. Zij kuste haar zoon, omhelsde haar schoondochter en ook de vriend van Tobias. Ze bewonderde de kudde en de mooie kleren van Sara en de schimmel van Tobias. Temidden van alle drukte zag ze het trouwe hondje van Tobias heen en weer dartelen, het hield niet op in het rond te springen. Maar tenslotte riep ze: 'Mijn God, je vader! Die zit thuis. Wat zal hij wel van dit geluk zeggen?'

Ze gingen de stad in. Tobias aan haar linker-, Sara aan haar rechterkant, en de vriend zorgde voor alles wat Tobias bij zich had. Ondertussen zat de oude blinde Tobit treurig in zijn donkere kamer en wachtte op de terugkomst van zijn vrouw. Zij was zeker weer voor niets naar de

stadspoort gegaan, misschien had ze onderweg wel een buurvrouw ontmoet, met wie ze nog wat babbelen kon!

Tobit gunde zijn vrouw dat pleziertje wel. Het kon hem niet schelen hoe
lang ze wegbleef, hoe lang hij in zijn kamer zat, voor hem was het geen
avond en geen morgen meer, voor hem was het altijd alleen maar donker.
Toen hoorde hij zijn naam roepen. Anna, zijn vrouw, riep hem: 'Tobit!'
Maar wat merkwaardig! Haar stem klonk zo heel anders dan gewoonlijk,
het was alsof ze lachte en huilde tegelijk. 'Tobit! Tobit!'

De oude man stond op, zocht zijn stok, begon naar de deur te tasten
en zette zijn voet op de eerste trede van het trapje, dat naar de tuin leidde.
Wat was het daar een drukte, vanaf de straat schreeuwden de buren,
en een lieve stem, die hij lange tijd niet meer gehoord had, riep: 'Vader!'
Nu kon Tobit het niet meer in huis uithouden; hij liep tegen de muur op
en was bijna gevallen, maar toen sloegen twee jonge sterke armen om
zijn hals heen - het was Tobias, zijn zoon!

'Mijn kind, mijn jongen', stamelde de oude man. 'Ik dank God dat je
weer bij mij terug bent.'

Maar direct daarna gebeurde er nog iets veel mooiers. Terwijl Tobit zijn
zoon in de armen hield, nam deze vlug uit zijn reiszak het potje waarin hij
de gal van de wonderbaarlijke vis bewaard had, deed het open en liet
een paar druppels vallen in de ogen van Tobit. 'Wat doe je?' vroeg de
oude man. Zijn ogen brandden een beetje, en toen hij erin wreef, zag hij
wat schemeren. Het licht werd steeds sterker en al vlug kon hij vormen
en kleuren onderscheiden. Ja, hij zag het gezicht van zijn zoon!

'Tobias!' riep de vader. 'Ik zie, ik kan weer zien!' En meteen zag hij nog
een heleboel andere dingen: zijn vrouw, die ondertussen wit haar had
gekregen en rimpels, hij zag zijn huis, zijn tuin, de oude palmboom, die
naast de waterput stond en nog veel meer. Hij zag ook tal van vrolijke
gezichten, die zich achter de deur verdrongen, buren, vrienden, familieleden, die allemaal waren gekomen om hem geluk te wensen met de
terugkeer van zijn zoon. Zij zwaaiden naar hem en o, wat was iedereen
blij, dat Tobit weer kon zien. Maar er was ook iemand die hij niet kende:
een jonge vrouw, die hem lief aankeek, een wonderlijk mooi schepseltje.
Voordat hij kon vragen wie zij was, had zij zijn handen al gepakt en die
eerbiedig gekust.

Wat was het ineens een heerlijke dag geworden! Tobias was weer thuis
en nog wel met een jonge vrouw aan zijn zijde. De oude vader kon weer
zien, en alle gebrek en armoede waren voorbij! Toen ook nog de trouwe
reisgezel van Tobias het uitgeleende geld dat hij teruggehaald had, op
tafel legde, wilde Tobias het niet van hem aannemen. 'Hou het voor je

zelf!' riep hij, 'je hebt het verdiend.' De vreemde jongeman schudde zijn hoofd. 'Hou dan tenminste de helft!' smeekte Tobit hem.

Toen ging de vreemdeling een stapje achteruit, en plotseling was er een hemelse glans om zijn gestalte. 'Ach nee, mijn beste Tobit', sprak hij lachend, 'wat moet ik met jouw geld beginnen? Geef het dan liever maar aan de armen!'

Toen Tobit hem nog één keer wilde overhalen, ging de jongeman verder: 'Ik zal jullie de waarheid vertellen, lieve mensen, aan u oude Tobit en aan jou Tobias, aan u, bezorgde moeder, en aan jou, lieve Sara, die veel moest meemaken om eindelijk te kunnen trouwen met de man voor wie je bestemd was. Ik ben Rafaël, een van de zeven engelen, die altijd klaar staan voor Gods troon. Wees niet bang! De Heer heeft mij naar jullie gezonden, om alles tot een gelukkig einde voor jullie te brengen. Prijst hem en vertel alle mensen van Gods wonderlijke daden.'

Zo sprak de jongeman, terwijl van zijn gezicht een hemels licht straalde. Daarna werd hij aan hun ogen onttrokken, zodat ze hem niet meer konden zien.

De ongehoorzame Jona

In de stad Ninevé, een stad aan de rivier de Tigris, waren in die tijd maar weinig goede en vrome mensen, zoals Tobit en zijn gezin. De meesten waren slecht, ontaard en wreed. Ze dienden alle mogelijke goden, alleen de ene, almachtige God, niet. Bovendien hadden ze afschuwelijke gebruiken en wetten. Hun koningen wilden steeds meer macht hebben, hun soldaten waren ruw, en tegen hun vijanden waren ze zo harteloos, dat ze hun niet eens toestonden hun doden te begraven. God zag de zonde in deze stad welig tieren, zoals eens in Sodom. Toch had Hij medelijden met de inwoners. Hij wilde Ninevé niet verwoesten zoals Hij Sodom verwoest had. Hij besloot een man naar Ninevé te sturen, die het volk moest vertellen dat ze zo niet door konden gaan en ze zich moesten bekeren.

In die tijd leefde er een profeet in Israël, die een erg goed spreker was. Hij heette Jona. De Heer zei tot hem: 'Maak je klaar, ga naar het land van de Assyriërs en spreek daar tegen de mensen die niet van Mij willen weten. Zeg hun, dat ze onrecht bedrijven en dat het zo niet door kan gaan met al het onrecht dat ze doen, want de straf voor hun misdaden zal zeker komen, - tenzij ze zich bekeren. Wanneer ze inzien dat ze verkeerd doen en een beter leven gaan leiden, zal Ik ze vergeven.'

Jona ging op weg om te doen wat de Heer wilde. Maar hij ging met tegenzin, hij wilde eigenlijk niet, hij verzette zich. Moest hij naar Ninevé gaan, naar die heidense zondepoel? Wat had hij, de Israëliet, met dat vreemde volk te maken? Waarom moest hij zo'n lange reis ondernemen? Waarom kregen ze hun straf niet, laat ze maar vernietigd worden! Wat voor reden had hij, Jona, om dit volk te gaan redden?

Zo sprak Jona bij zichzelf. En hij maakte een ander plan. In het holst van de nacht vluchtte hij. Hij hoopte, dat God hem in het donker niet zou zien. Hij sloeg een andere weg in. Hij ging naar het westen, naar de zee. Nee, hij ging beslist niet naar Ninevé. Hij gunde deze stad de ondergang en zou blij zijn als ze in een vuurregen totaal tot as verbrand zou worden. Eerlijk gezegd, zo erg zuiver was deze wensdroom niet, want Jona begon last te krijgen van zijn slechte geweten. Hij was ongehoorzaam - en hij wist het maar ál te goed. Toch ging hij steeds verder naar het westen en toen hij bij een havenstadje aan de zee kwam, besprak hij een plaats op een schip naar het verre Tarsis. Daar wilde hij zich voor God verborgen houden.

Arme, dwaze Jona! Hoe kon hij nu denken, dat hij de Heer zou ontlopen? Toen het schip de haven uitzeilde, ging hij naar beneden, naar zijn kajuit.

Vermoeid van de lange reis ging hij op zijn bed liggen en sliep in.

Plotseling stak er een zware storm op, de golven van de zee sloegen huizenhoog en speelden met de boot alsof het een notedopje was.

Er brak een mast af en over het dek vlogen de losgeslagen planken, de in flarden gescheurde zeilen en de gebroken ra's. De bemanning gooide de lading overboord, zoveel als ze maar kon, maar het schip dreigde te vergaan.

De matrozen riepen in hun angst naar de kapitein: 'Er moet iemand in ons midden zijn, die iets heel ergs gedaan heeft. Door zijn schuld treft ons dit noodweer. Hij moet sterven, anders zullen we allemaal vergaan!'

'Ja!' riep de kapitein, hij moest schreeuwen om zich verstaanbaar te maken, want zo vreselijk gingen de golven tekeer en zo hevig woedde de storm. 'Wie is het, wie?' Hij vroeg het aan de stuurman, aan de bootsman en aan het hulpje van de bootsman. Ja, aan iedereen vroeg hij het, tot aan de laatste scheepsjongen toe: 'Ben jij de schuldige?'

Maar iedereen antwoordde: 'Nee, Nee! De ramp is niet mijn schuld.'

Toen schoot de kapitein te binnen, dat er nog een vreemde passagier in de kajuit was. Hij ging naar beneden en vond Jona slapend op zijn matras. 'Hé jij!' riep hij hem toe en schudde hem wakker. 'Hoe kun jij gaan slapen terwijl de dood vlakbij is? Er is een ontzettende storm opgestoken, we zullen omslaan en verdrinken, wij allemaal die op dit schip zijn. Zeg eens eerlijk, jij vreemdeling, heb jij iets gedaan dat jouw God niet goed vond, zodat Hij boos op ons is en ons met zijn allen in de afgrond wil storten?'

Jona wreef zich de ogen uit - nu hoorde hij zelf hoe onstuimig de golven tegen de planken van het schip beukten. Toen herinnerde hij zich zijn ongehoorzaamheid en hij begreep het. Ja, hij droeg de schuld, hij alleen, hij, die ongehoorzaam was geweest en niet naar Ninevé was gegaan, om de mensen daar te vertellen dat ze zich moesten bekeren en geen slechte dingen meer doen. Ja, dat had Jona moeten doen, dat had God hem bevolen.

Waar had hij de brutaliteit vandaan gehaald, hij, een profeet, een kind van het uitverkoren volk? Hij had de moed gehad om de barmhartigheid van God tegen te werken!

Toen gaf Jona toe. 'Ja, ik ben de schuldige, ik ben de zondaar! Gooi mij maar in de zee!'

De kapitein huiverde, zelfs de ruwe matrozen schrokken en aarzelden om Jona in dat kolkende water te gooien. Maar toen de storm nog heviger werd, meenden de matrozen, dat ze geen andere keus hadden. Ze pakten Jona op, tilden hem over de reling en lieten hem vallen.

Jona stortte voorover in het water, schoot naar beneden, kwam weer boven, werd door een golf gegrepen en tegen het schip geslingerd. Hij verloor het bewustzijn. Na een poosje kwam hij weer bij, maar nu was hij niet meer in het water. Het was donker en stil om hem heen en het was benauwd en heet. 'Waar ben ik?' dacht Jona. Hij tastte in het rond en luisterde, toen hoorde hij een dof gebons door de wand van zijn ver-blijfplaats, het klopte maar door zonder ophouden, regelmatig, zoals de hartslag van een levend wezen. Toen besefte Jona, dat hij door een zeemonster was ingeslikt en zich in de buik van een reusachtig grote vis bevond.

Ontzetting vervulde hem, want het was er vreselijk benauwd en donker. Hij kromp ineen en begon in zijn ellende tot God te bidden.

Drie dagen duurde het, drie eindeloze dagen in het donker. Voortdurend hoorde hij het kloppen van het vissehart, verder drong er geen enkel geluid tot hem door. Geleidelijk leerde Jona onderscheiden of de vis rustig in de zee zwom, dan wel aan het duiken was.

Aan het einde van de derde dag had hij het gevoel alsof de vis uit de diepte van de zee naar de oppervlakte steeg. Jona begon wat hoop te krijgen. En hij bad tot God. En toen gebeurde er een wonder! Hij voelde zich met kracht opgepakt en voorwaarts geslingerd naar een zich plot-

seling aanbiedende opening. Door het keelgat van de vis vloog Jona in zijn bek en tussen de scherpe tanden van het monster door schoot hij naar buiten.

Jona viel in het water. Een golf pakte hem op en toen hij zijn verblinde ogen opendeed, zag hij land voor zich, een rotsklip, waarachter nog meer klippen waren, en daarachter, niet zo ver weg, ondekte hij de kust! Jona klampte zich aan een steen vast en trok zich omhoog. Terwijl hij hijgend naar lucht hapte, keek hij nog een keer om: daar zwom het monster, op zijn rug stonden de vinnen overeind, en zijn staart sloeg op de zee. Een moment dacht Jona ook de ogen van de vis te zien, ogen waar een onheilspellende gloed in vlamde. Toen was het monster verdwenen. Langzamerhand kwam Jona weer wat bij, en nu probeerde hij de kust te bereiken. Hij zwom van klip tot klip en bereikte tenslotte het vasteland. Een vriendelijke visser nam hem op en gaf hem droge kleren en eten. Jona vertelde hem wat hij beleefd had. Maar de beste man geloofde hem niet, hij hield hem voor een schipbreukeling, die door de angstige dingen die hij had meegemaakt, zijn verstand had verloren.

Zodra Jona weer op krachten was, ging hij op weg naar Ninevé, zoals God bevolen had. Want voor de tweede maal hoorde Jona Gods stem: 'Sta op en ga naar Ninevé.' En nu was hij gehoorzaam, hij ging naar Ninevé, die geweldig grote stad. Daar sprak hij tegen de mensen. Hij zei, dat ze zich bekeren moesten en vergeving vragen voor hun zonden. De mensen luisterden naar hem, hoewel ze heidenen waren, die allerlei goden aanbaden. Hoeveel kwaad ze ook hadden gedaan, nu luisterden ze naar wat de profeet te zeggen had. Ze huiverden zelfs als ze aan al hun wandaden dachten, ja, het was afschuwelijk, ze waren wreed geweest en bezeten van de lust naar macht; ze hadden zelfs dode mensen niet met rust gelaten. Ook de koning kreeg berouw over zijn zonden. Hij legde zijn koninklijke gewaden af, hulde zich in een kleed van jute, en als teken van berouw strooide hij as op zijn hoofd. Zijn onderdanen moesten zijn voorbeeld volgen.

Drie dagen lang mochten de inwoners van de stad niet eten en drinken, ook geen water, laat staan wijn; ook het vee kreeg geen voer. De runderen brulden in hun stallen, de schapen blaatten, de hondjes jankten en blaften, zelfs de vogels, die toch niets met de zonden van de mensen te maken hadden, lieten hun vleugels en kopjes hangen. Zo leed de hele natuur mee en bewees, dat ook zij gebukt gaat onder het kwaad dat in de wereld is en dat de ganse schepping uitziet naar de verlossing.

En wat deed Jona?

Jona was blij, toen hij dit zag. Hij verheugde zich: de eerste dag, de

188

tweede dag en de derde dag. Maar hoe ongelooflijk het ook klinkt - op de vierde dag was hij al wat minder blij, en op de vijfde dag werd de oude jaloezie weer in hem wakker.

Ninevé had berouw gekregen. God wilde de mensen uit Ninevé niet meer straffen. Dat was niet naar Jona's zin. Had hij dan heus gehoopt dat de stad hetzelfde lot zou treffen als Sodom? Ja, dat moet wel. Zó verhard was het hart van Jona, dat hij zich terugtrok uit de stad, die om vergeving smeekte. Hij had buiten de stad een hut gebouwd. Daar zat hij in de schaduw van een wonderboom en keek neer op de stad. Een prachtige stad, groot en machtig gebouwd, een onaantastbaar bolwerk. Ook dat vond Jona niet prettig, want Ninevé was veel groter dan Jeruzalem en alle andere steden van Israël samen. Langzamerhand begon hij de Assyriërs te benijden - om hun hoge muren, hun met tinnen versierde torens, hun poorten, paleizen, waterleidingen. Nog het meest eigenlijk om de barmhartigheid van God, die die heidenen niet verdienden.

Zo zat hij daar en was boos op God. Het enige dat hem troostte was, dat hij op de kale vlakte deze wonderboom gevonden had, die hem schaduw gaf en een beetje koelte.

Jona bleef ook 's nachts onder de boom. Maar toen hij de volgende morgen wakker werd en de zon hoger kwam en begon te branden, bemerkte hij, dat er wat met de wonderboom gebeurd was: zijn bladeren hingen slap en verwelkt aan de takken, en er begonnen al enkele af te vallen. Jona schrok. O wee! Nu was het gebeurd met het koele plekje in de schaduw! Een worm had de wortels van de boom aangevreten en daarom ging hij dood.

Wat maakte Jona zich daar kwaad om, wat speet het hem van die prachtige boom. In zijn verslagenheid fluisterde hij voor zich heen: 'Het liefst zou ik sterven, net als deze boom, want wat moet ik nog op deze wereld?' Op dit ogenblik hoorde hij een stem. Het was de stem van God, die vroeg: 'Jona! Jona! Waarom ben je zo uit je humeur? Omdat deze boom dood is? Heb jij zelf niet gewild dat die hele stad vernietigd zou worden? Toch klaag je nu om één zo'n boom, die je niet eens zelf geplant hebt en laten groeien! En zou Ik dan niet om Ninevé, dat boete doet voor haar zonden, treuren met haar honderdtwintigduizend mensen, weerloze vrouwen en kinderen, die geen schuld hebben - en alle dieren, die daarin wonen? Heb Ik alles niet zelf geschapen? O Jona, Jona, wanneer zul jij begrijpen, dat iedereen recht op liefde en vergeving heeft?'

Toen schaamde Jona zich en keerde naar Ninevé terug. Maar niemand weet hoe het met hem afgelopen is.

De verwoesting van Jeruzalem

Wat de Assyriërs niet gelukt was, de verovering van Jeruzalem, dat lukte een ander volk wel, de Babyloniërs, honderd jaar later. Hun koning Nebukadnessar maakte een geweldig leger klaar, drong Israël binnen, omsingelde Jeruzalem en tenslotte bestormde hij met man en macht de stad. Veel dappere Israëlieten sneuvelden door het zwaard, of werden geraakt door een speer en bloedden dood op de wallen. En toch hadden deze nog meer geluk dan de anderen, die het begin van de ondergang overleefden. Want zij hadden nog kunnen vechten voor hun stad, voor hun vaderland en hun geloof.

Maar de anderen werden resoluut afgemaakt, zelfs hun koning werd gevangen genomen en hem werden de ogen uitgestoken. De vreemde soldaten stormden de huizen binnen, roofden alles wat ze waardevol vonden en de rest trapten ze stuk of staken het in brand. Zelfs plunderden

ze de tempel. Onder luid gebrul stormden ze naar binnen, sloegen de gouden platen van de muren af, schroomden niet om het heilige der heiligen in te gaan, roofden de gouden vaten en de zevenarmige kandelaar. Toen staken ze de tempel in brand.

Toen de nacht aanbrak, was heel Jeruzalem verwoest en leeggeroofd. Hier en daar brandde of walmde nog wat tussen de puinhopen. Hier en daar lagen de lijken. De honden jankten, omdat ze niet begrepen, waarom de mensen, die hun bazen waren geweest, daar nu zo koud en stijf op de grond lagen en zich niet meer bewogen.

Alle kostbaarheden waren door de vreemde soldaten meegenomen of verwoest, slechts één ding waren ze vergeten. In het verwoeste paleis van David hing een harp, de harp van David, aan een zwartgeblakerde muur. De vlammen hadden haar gespaard. En toen de nachtwind door de ruïnes speelde, bewoog de harp en leek het wel alsof die een zuchtende klaagzang liet horen.

De jonge Daniël

De grote profeten hadden dit vreselijke onheil vroeger al voorspeld en ze hadden het volk Israël gesmeekt zich te bekeren voor het te laat was. Vergeefs! Nu was Jeruzalem in de handen van haar vijanden gevallen. Maar ook in deze donkere nacht waakte God over zijn volk; God bracht de Babylonische koning Nebukadnessar op een uiterst gelukkige gedachte. Hij gaf zijn knechten het volgende bevel: 'Ik heb Israël gestraft, omdat het zich niet vrijwillig aan mij heeft overgegeven. Nu wil ik hetzelfde doen wat de Assyriërs met de Samaritanen hebben gedaan, ik zal de stam van Juda in ballingschap wegvoeren. Ze moeten als slaven in Babylon werken. Maar' - ging hij verder, en nu zei hij wat God hem ingegeven had, - 'voor een paar van deze Israëlieten wil ik een uitzondering maken. Zoals ik gehoord heb, zijn er onder dat volk tal van aanzienlijke families, waaruit veel wijze mannen zijn voortgekomen. Ik wil van de wijsheid van deze mensen profiteren. Ga nu, zoek de zoons op van die families en breng ze bij me! Wanneer het nog kinderen zijn, zullen zij vergeten wat ik hun vaders en moeders heb aangedaan. Ik wil ze aan mijn hof laten opvoeden, dan zullen ze bij mij in dienst komen en mij stellig later trouw en goed helpen.'

Dat bevel van de koning werd meteen opgevolgd.

Van de Joden die in ballingschap waren, werden er vier uitgezocht: Daniël, Sadrak, Mesak en Abednego. Zij werden aan de koning voorgesteld. Men kreeg opdracht om deze jongemannen heel goed te verzorgen en erop te letten dat ze gezond en sterk bleven.

De oudste van de vier was Daniël, een verstandige jongen. Hij had de ondergang van zijn volk al bewust meegemaakt, hij kon niet vergeten, hoe erg het was geweest. Hij ontfermde zich over de jongeren en raadde hun aan om ervan te maken wat ervan te maken viel. 'Deze koning Nebukadnessar heeft onze ouders gedood, wij kunnen niet vluchten, wij moeten hem wel dienen. Weest verstandig en laat zien, dat jullie gehoorzaam zijn. Maar nooit zullen wij het geloof van onze ouders ontrouw worden. Nooit zullen wij aan die afschuwelijke goden offeren en nooit zullen we eten wat Mozes ons verboden heeft.' Zo sprak Daniël tegen de andere drie. Ze luisterden naar hem en waren bereid om te doen wat hij zei.

De vier jongemannen vormden aan het hof van Nebukadnessar een hechte gemeenschap. Ze bleven altijd bij elkaar, baden in het geheim tot God en speelden het zelfs klaar om aan de tafel van de koninklijke pages alleen maar groenten en vruchten te eten en water te drinken, terwijl de andere Babylonische prinsen zich dik aten aan gebraden varkensvlees en sterke, bedwelmende dranken.

Het was helemaal geen wonder, dat de Babylonische prinsen lui en vadsig werden, terwijl de vier prinsen uit Juda al heel vlug leerden rekenen, lezen en schrijven. Ze deden hun leraren versteld staan over hun schranderheid. Bovendien waren die vier gezond en opgewekt; ze leerden speerwerpen en boogschieten en later ook de banen van de sterren berekenen, want daarin waren de Babyloniërs heel erg knap.

Daniël redt Susanna

(Ontleend aan het derde aanhangsel aan het apocriefe Boek van de profeet Daniël.)

Op een dag was er een grote oploop in de straten van Babylon. Een jonge voorname vrouw zou gestenigd worden. Ook Daniël liep op straat en wierp een blik op de veroordeelde. Maar toen hij haar gezicht zag, het bleke, betraande gezicht van een mooi en lief schepseltje, kon hij niet geloven dat ze een misdadigster was en riep: 'Doodt haar niet!'

De omstanders verwonderden zich en vroegen aan Daniël: 'Waarom zou deze vrouw, die haar man ontrouw is geweest, niet gedood worden?'

Daniël antwoordde: 'Weten jullie dan wel zeker, dat ze schuldig is?'

'Nou en of!' riepen de mensen, 'twee betrouwbare mannen hebben gezien dat ze samen met een vreemde jongeman in haar tuin was.' En ze wezen Daniël de twee getuigen aan. Ze liepen achter Susanna mee in de stoet die haar naar de plaats bracht waar ze zou worden gestenigd.

David keek eens goed naar de getuigen. Zij bevielen hem helemaal niet, en hij zei: 'Als je het mij vraagt, houd ik die twee mannen voor echte schurken! Kijk toch eens hoe ze zich lopen te verheugen over de terechtstelling van Susanna. Ik zou deze twee getuigen nooit vertrouwen.

De mensen lachten, maar er waren er ook, die dachten: Daniël heeft gelijk, men moet deze zaak nog eens goed onderzoeken. Zo kwam het dat er zich steeds meer mensen om Daniël heen verzamelden. Tenslotte stonden ze de stoet die Susanna meevoerde, zó in de weg, dat die niet meer verder kon. Wat was er nu eigenlijk werkelijk gebeurd?

Zoals Daniël wel goed gezien had, waren de twee getuigen in werkelijkheid zondige lieden, die zich probeerden op te dringen aan de jonge mooie Susanna. Ze hadden steeds maar om het huis geslopen waarin ze woonde, en trachtten haar met allerlei vleierijen en geschenken het hof te maken. Maar Susanna wilde niets van hen weten. Ze hield veel van haar man Jojakim en dacht niet aan andere mannen. Ze had zelfs een afkeer van die twee kerels.

Op een dag was Susanna alleen in haar tuin, om daar in de vijver te baden. Ze had haar dienstmeisje weggestuurd om olie te halen; ineens kwamen beide mannen uit de struiken te voorschijn. Ze hadden vanachter het groen de mooie jonge vrouw zitten begluren en nu wilden ze haar beetpakken en verkeerde dingen met haar doen. Ze schrok geweldig en schreeuwde om hulp. Maar toen er hulp kwam, wat deden zij toen? Zij begonnen op hun beurt te schreeuwen, en beweerden dat ze Susanna hadden betrapt terwijl ze een jongeman kuste.

'Waar is die kerel?' riep de man van Susanna.

'Weggelopen', antwoordden de mannen. 'Hij is meteen over de muur gesprongen.'

'Is dat waar, Susanna?' vroeg haar man, 'heb jij mij werkelijk bedrogen?'

'Nee', huilde de vrouw, 'nooit, nog nooit! Ik zweer het je!'

Ze werd voor het gerecht gebracht en daar zworen de twee mannen, dat ze Susanna echt betrapt hadden; omdat zij met z'n tweeën waren, werden ze geloofd en Susanna had niets meer in te brengen. De rechter geloofde die twee kerels, en Susanna kon zich uit angst en schaamte niet meer verdedigen. Het vonnis werd uitgesproken. In die tijd was het gebruikelijk, dat echtbreuk met de dood werd gestraft. Zo werd Susanna weggeleid om te worden gestenigd.

Toen gebeurde het dat Daniël haar zag en het volk een nieuw onderzoek eiste. Dat hoorde de rechter die Susanna veroordeeld had; hij liet Daniël bij zich komen en vroeg hem: 'Ik hoor dat u de vrouw voor onschuldig houdt. Waarom?'

Daniël antwoordde: 'Omdat zij er niet als een zondares uitziet.' De rechter lachte: 'Is dat álles wat u te zeggen hebt? U zult toch wel met betere bewijzen moeten komen.'

Maar Daniël gaf niet toe. Iedere andere jongeman had zich nu verlegen en verward teruggetrokken. Maar hij zei: 'Laat mij proberen het bewijs te leveren, mijn heer. Sta mij toe, dat ik beide getuigen ondervraag, maar ieder apart, zodat de één niet weet wat de ander antwoordt.'

'Goed', zei de rechter, 'zo zal het gebeuren.'

Toen de ene getuige de rechtszaal binnenkwam, ging Daniël naar hem toe en vroeg hem: 'U heeft Susanna in de tuin met een jongeman gezien?'

'Jazeker!'

'Bij welke boom heeft u ze samen gezien?'

De man keek even verbaasd. Toen herstelde hij zich vlug en verklaarde: 'Bij een mastiekboom.'

'Goed', zei Daniël, 'nu wil ik de andere man ondervragen.'

De eerste ging weg en de andere kwam binnen. En weer vroeg Daniël: 'Bij welke boom heeft u Susanna met de man samen gezien?'

'Wat?' vroeg de man, alsof hij de vraag niet begrepen had.

Daniël herhaalde zijn vraag. 'Wat heeft de boom eigenlijk met echtbreuk te maken?' riep de man boos, want hij merkte, dat er een val voor hem gezet werd. 'Is het niet genoeg, dat ik met mijn eigen ogen...'

'Nee', zei de rechter, die nu het woord weer nam, 'geef antwoord op wat u gevraagd wordt, en zoek geen uitvluchten.'

De man wierp een boze blik op Daniël en tenslotte zei hij: 'Nu dan - het was een eik!'

'Stop!' riep de rechter, jullie hebben allebei gelogen. U hebt Susanna niet onder een eik en ook niet onder een mastiekboom gezien, u hebt haar

helemáál niet met een man samen gezien. Lasteraars! Susanna is onschuldig, zij zal blijven leven. Maar jullie ellendige leugenaars zult jullie
straf niet ontgaan.'

Meteen haastte de rechter zich naar Susanna, deed haar zelf de kettingen
af en gaf de jonge vrouw aan haar man en haar huilende oude vader terug.
In plaats van Susanna kregen nu de twee wellustige mannen de kettingen
om en werden naar de plaats gesleept waar het vonnis zou worden vol-
trokken. Het hele volk jubelde over de rechtvaardige uitspraak.

Zo was het de jonge Daniël gelukt om aan de rechter te laten zien hoe
men de waarheid kan vinden, leugenaars kan overtroeven en onschul-
digen kan redden.

De droom van Nebukadnessar

De jaren gingen voorbij. Inmiddels waren Daniël en zijn vrienden Sadrak,
Mesak en Abednego al mannen geworden. Zij woonden nog steeds aan
het hof van de koning, ofschoon ze nu geen pages meer waren. Aan
het hof van Nebukadnessar waren ook een heleboel waarzeggers en
droomuitleggers. Ze leidden een vrolijk leventje en de koning ergerde
zich vaak aan hun nutteloos gedoe. Toch durfde hij hen niet te ontslaan,
maar werd herhaaldelijk vreselijk boos op hen en behandelde hen
tamelijk slecht.

Eens liet hij ze voor zijn troon komen en zei: 'Nu wil ik wel eens zien,
wat jullie weten. Ik heb vannacht een vreselijke droom gehad, jullie
moeten mij die vertellen en uitleggen. En als jullie dat niet kunnen, zal
ik jullie zwaar straffen.'

De tovenaars en waarzeggers zagen elkaar ontdaan aan en beefden van
angst. Ze waren gewend om dromen - ook bijzondere dromen - uit te
leggen. Maar ze moesten dan toch eerst weten wát de koning gedroomd
had! Ze konden zijn droom niet raden.

'O koning', zeiden ze, 'u bent de machtigste koning. Wij hopen dat u
eeuwig zult leven! Maar wat u verlangt, is onmogelijk. Wij zouden toch
eerst moeten weten wát u gedroomd hebt. Alleen een god kan dat raden!'

Maar de koning stond erop. En als ze zijn droom niet konden navertellen,
moesten ze zelf de gevolgen dragen. 'Denk er maar eens goed over na. En
verdwijn nu uit mijn ogen!'

Ze gingen vlug de troonzaal uit en liepen nu door het hele paleis te klagen en te jammeren. Had men ooit zoiets gehoord? Echt het verlangen van een tiran.

Ook Daniël hoorde van de eis van de koning en van de straf waarmee hij gedreigd had. Hij was er niet bij geweest in de troonzaal. Maar het bevel van Nebukadnessar was ook bestemd voor hem en voor zijn vrienden. Toen sloot hij zich op in zijn kamer, viel op zijn knieën en bad tot God. Hij vroeg om raad en spoedig daarna stond hij op en ging naar de koning toe.

'Wat wilt u van mij?' vroeg de koning. Daniël boog en zei: 'Het geheim dat de koning weten wil, kunnen tovenaars en geleerden, wijze mannen en sterrenkundigen niet onthullen. Maar er is een God in de hemel, die geheimen openbaart. Omdat ik, uw knecht, tot deze God gebeden heb, kan ik u ook uw droom vertellen, koning! Wilt u dus naar mij luisteren.

U lag op uw bed en dacht na. U dacht aan uw rijk, het grootste en machtigste van de hele wereld. Maar u dacht ook aan de rijken, die er vroeger waren en er nu niet meer zijn, hoewel ook zij groot en sterk waren. En u vroeg u bezorgd af: "Hoe zal het verder gaan? Zal er ook aan mijn rijk eens een einde komen?"

Zo lag u te piekeren en u kon de slaap maar niet vatten. Maar toen u eindelijk insliep, had u de volgende droom:

U zag een enorm groot standbeeld. Het stond vreselijk te schitteren en zag er afschuwelijk uit. Het hoofd was van zuiver goud, de borst en armen waren van zilver, de benen van ijzer en de voeten van klei. Plotseling verhief zich achter het beeld een hoge berg en van de top van deze berg maakte zich een rotssteen los. Hij rolde naar beneden, kwam steeds dichterbij en stortte tenslotte tegen het beeld aan. Toen brak het in stukken, en goud en zilver, ijzer en klei werden tot stof verpulverd. Maar de steen werd steeds groter en vervulde tenslotte de hele aarde.'

Daniël zweeg. Hij had gezien, dat het gezicht van de koning bij zijn eerste woorden al vertrok en onder het verhaal van Daniël was hij lijkbleek geworden. Toen wist hij: dit was de droom geweest, die Nebukadnessar niet had willen vertellen. De koning, die wel vermoedde, dat de droom niet veel goeds betekende, kreeg van Daniël de volgende uitleg: 'Het hoofd van het standbeeld, dat bent u, want Babylon is nu het machtigste rijk van deze aarde. Maar na dit rijk zal een ander rijk komen, dat kleiner is dan het uwe, want zilver is minder waard dan goud. Ook dit rijk zal door een ander rijk, een ijzeren rijk, opgevolgd worden, en dan komt er een vierde rijk, dat zwak zal zijn, omdat het slechts op klei rust. Daarna echter zal het laatste, machtigste en eeuwige rijk komen; in uw droom zag u het zich van de berg afstorten en het standbeeld verpletteren. Nu weet u, dat al het werk van mensenhanden eens eindigen zal, want de steen duidt het rijk van God aan, en dat zal in eeuwigheid blijven bestaan.'

Zo sprak Daniël; toen hij was uitgesproken, stond koning Nebukadnessar op van zijn troon, kwam de treden af en knielde voor Daniël neer, alsof Daniël de koning was.

'Waarachtig', zei hij, 'u hebt iets gedaan, dat geen mens nog ooit heeft gekund. Uw God is werkelijk de God van alle goden en er is geen God zoals Hij.'

Nebukadnessar wilde Daniël stadhouder maken en de leiding geven over alle wijze mannen van Babylon; maar Daniël vroeg of de koning deze eervolle dingen aan Sadrak, Mesak en Abednego wilde opdragen. Hij wilde zelf liever in de buurt van de koning en van zijn hof blijven.

De jongemannen in de brandende oven

Ook de drie vrienden van Daniël waren zeer machtige en invloedrijke mannen geworden, ondanks hun jeugdige leeftijd. Maar noch hun hoge inkomen, noch de bijna koninklijke eer die hun bewezen werd, deden hen hun vroegste kinderjaren vergeten. Daniël had steeds weer tegen hen gezegd: 'Ook al moet je nu onder de Babyloniërs leven en ook al heb je geluk gehad dat je zo'n hoge post bekleedt, vergeet nooit dat je een Israëliet bent. Laat je vooral nooit verleiden tot het offeren aan de Babylonische afgoden!' En Sadrak, Mesak en Abednego onthielden deze woorden van hun vriend heel goed.

Op een dag liet de koning een nieuw afgodsbeeld van goud oprichten. Hij gaf een groot feest om het in te wijden. Vanuit het hele rijk moesten de muzikanten en al de rechters en stadhouders en geleerden bij elkaar komen; ook de koning zou op het feest verschijnen. En wanneer de muzikanten op de harpen en citers, de fluiten, pijpen en doedelzakken zouden beginnen te spelen, moest iedereen knielen en het afgodsbeeld aanbidden.

Eindelijk was het zover. Een onafzienbare mensenmenigte had zich verzameld, de koning gaf een teken dat de muziek moest beginnen en - alsof ze neergemaaid waren - alle mensen lagen voorover met hun gezicht op de grond en aanbaden de afgod. Alleen de drie jonge stadhouders, Sadrak, Mesak en Abednego, bleven overeind staan en keken met verachting naar het monsterachtige afgodsbeeld.

Koning Nebukadnessar had het niet gemerkt, maar anderen hadden het juist heel goed gezien. Ze kwamen meteen naar de koning toe om het hem te vertellen.

'Mijnheer de koning', zeiden ze, 'heeft u niet zelf bevolen, dat het nieuwe afgodsbeeld moet worden aanbeden? Maar wat doen deze drie? Ja, wat durven deze jongemannen? Ze vertikken het uw god eer te bewijzen. Geen wonder, want het zijn immers geen echte Babyloniërs, het zijn Israëlieten; alleen door uw goedheid zijn zij geen slaven en mochten ze in leven blijven. Nu ziet u eens, hoe ondankbaar ze zijn, ofschoon u ze niet alleen gered hebt, maar ook nog tot uw stadhouders hebt gemaakt.' Zo klaagden deze mensen, jaloers als ze waren, bij de koning en lasterden over de stadhouders. Totdat de koning geërgerd het bevel gaf: 'Wie dat nieuwe afgodsbeeld niet aanbidt, moet ogenblikkelijk sterven!'

Maar Sadrak, Mesak en Abednego bleven weigeren om de god te aanbidden.

De koning liet de vuuroven opstoken. Het was waarschijnlijk dezelfde oven waarin het afgodsbeeld gegoten was. Die oven was bijna zo groot als een huis. Er werd hout gehaald en rondom de oven opgestapeld. Er was wel zeven keer zoveel hout als nodig was geweest voor het smelten van het goud voor het afgodsbeeld. Toen werd dit hout in brand gestoken.

Ondertussen werd het nacht. Nog steeds stond de mensenmenigte in de buurt van de oven op het afschuwelijke schouwspel te wachten, dat zich nu voor hun ogen zou gaan afspelen. De vlammen sloegen uit de opening van de oven en eromheen brandden de houtstapels, alsof het muren van vuur waren. Toen de hitte op haar hevigst was en zelfs de stenen begonnen te gloeien, liet de koning de drie jongemannen halen. Ze waren gebonden met hun eigen riemen en hun mantels waren stevig om hen heen geknoopt.

'En?' vroeg Nebukadnessar. 'Wilt u in de gloeiende oven gegooid worden, of wilt u toch liever het beeld aanbidden dat ik en al de anderen aanbeden hebben?' De koning wees terwijl hij dit zei naar de gouden gestalte, die aan de andere kant van het plein stond en in de weerschijn van het vuur fonkelde.

De jongemannen antwoordden: 'Zegt u maar niets meer, koning, en laat ons in de vuuroven gooien, als uw wilt! De God die wij dienen, heeft de macht om ons uit het heetste vuur te redden!'

Toen schreeuwde Nebukadnessar: 'Gooi ze in het vuur, zodat ze sterven!' De drie mannen werden opgepakt en in de gloeiende oven gegooid. Het volk schreeuwde en drong naar voren. Toen werd het stil, en allen luisterden of ze de kreten van de jongemannen in hun doodsangst konden vernemen. Maar er was niets te horen. Had de hitte hen in het eerste ogenblik al gedood?

De mensen wilden alweer weggaan; ook koning Nebukadnessar stond van zijn troon op om naar zijn paleis terug te keren. Maar toen gebeurde er iets: vanuit de oven klonk zacht een lied! Wie zong daar? Het was toch niet het geluid van de vlammen? Nee, het waren mensenstemmen. Nu werden de stemmen luider en de woorden waren duidelijk te verstaan. Ze zongen (ontleend aan het tweede aanhangsel aan het apocriefe Boek van de profeet Daniël).

> 'Looft de Heer, de God van onze Vader,
> prijst de Heer, engelen in de hemel!
> Prijst Hem, zon en maan en alle fonkelende sterren!
> Prijst Hem, wolken, regen en dauw, sneeuw en ijs,
> storm, onweer, hitte en vorst,
> looft de Heer!
> Prijst Hem, gij bronnen, zeeën en rivieren,
> en alles wat uit de aarde voortkomt, bomen en gras,
> looft Hem, alle dieren, die in de bossen en velden leven
> en ook de vogels, looft de Heer!
> Looft en prijst Hem, alle mensenkinderen
> en alle volken, prijst Hem,
> want Hij heeft ons gered uit het dodenrijk
> en Hij heeft ons gespaard voor de vlammen.
> Daarom prijzen wij Hem!'

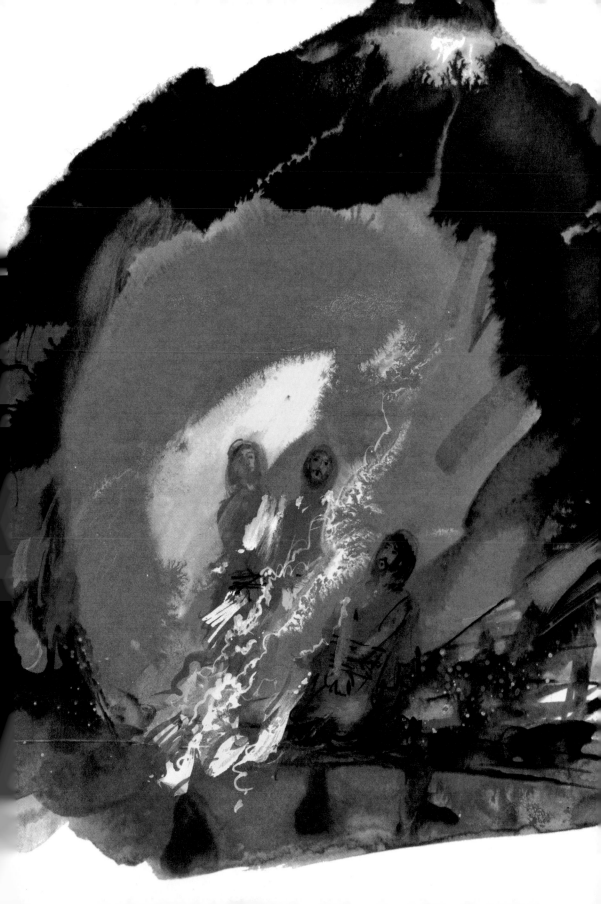

Zo zongen de jongemannen in de vuuroven. De koning en het volk hoorden het en wisten niet wat ze ervan denken moesten. De koning keek in de oven en zag inplaats van drie, vier mannen in het vuur. Eén had een stralend gezicht, het was een engel van God, die voor de drie mannen had gezorgd.

De koning riep: 'Sadrak, Mesak en Abednego, kom naar buiten!'

Toen ze te voorschijn kwamen, zagen ze, dat er bij hen geen haartje was verschroeid en zelfs geen draadje van hun mantels was beschadigd. God had hen gespaard en Nebukadnessar zei: 'Geloofd is de God van Sadrak, Mesak en Abednego, want Hij heeft hen gered, omdat ze geen andere god wilden aanbidden.'

Het feestmaal van koning Belsassar

Nu zou men kunnen denken, dat koning Nebukadnessar, als ooggetuige van dit wonder, wel erkennen móest dat zijn eigen goden geen macht bezaten, en dat de Heer, die de drie jongemannen uit de vuuroven had gered, de enige ware God en Schepper was.

Maar deze koning kreeg - net als koning Saul - een vreselijke ziekte. Zo nu en dan was hij totaal krankzinnig; dan werd hij als een dier: hij kroop op handen en voeten rond, at gras en aarde en herkende niemand meer. Zijn nagels groeiden en zagen eruit als vogelklauwen, zijn haar werd zo lang als de veren van een arend. In het hele rijk heerste verwarring en droefheid over de toestand van de koning. Deze verwarring en vrees namen nog toe, toen bekend werd, dat aan de andere kant van de grens machtige vijanden zich klaar maakten om het rijk van de Babyloniërs binnen te dringen en de heerschappij over te nemen.

Een volk in nood heeft nu eenmaal een sterke en dappere aanvoerder nodig en geen arme dwaas zoals deze Nebukadnessar, die nog maar nauwelijks een menselijk woord kon uitbrengen. Maar Nebukadnessar genas weer van deze erge ziekte en stierf in vrede.

De Babyloniërs riepen zijn zoon, onderkoning Belsassar, tot koning uit. Deze gedroeg zich al niet veel beter dan zijn vader. Hij ging niet alleen door met het vereren van die verfoeilijke afgoden; hij waagde het zelfs de geroofde heilige bekers en schalen uit de tempel van Jeruzalem als tafelgerei te gebruiken. Hiermee wilde hij laten zien, hoezeer hij de God van de onderdrukte Joden minachtte.

Eens was er wéér zo'n feestmaal. Er waren veel belangrijke mensen uit het land uitgenodigd. Wel had zich de laatste dagen het verschrikkelijke gerucht verspreid, dat de vijand al in aantocht was. Bijna elk uur kwamen er uitgeputte boden aan, die de koning waarschuwden en hem bijna smeekten zijn leger bijeen te roepen en de tegenstander tegemoet te gaan. Maar Belsassar geloofde het wel. Hij wilde zijn feestmaal met duizend gasten vrolijk en ongestoord laten verlopen. Ook morgen zou het nog wel vroeg genoeg zijn om tegen de Meden en de Perzen op te trekken. De avond kwam, heel het prachtige paleis met zijn fantastisch ingerichte zalen, trappen en gangen werd door ontelbare fakkels verlicht. In de grootste zaal bevond zich de tafel, en op de tafel - o, wat een schande! - stonden de gouden en zilveren bekers uit de tempel van Jeruzalem.

Het feest werd steeds uitbundiger: de koning at en dronk, en zijn voorname gasten aten en dronken met hem mee. Ook de vrouwen waren bij het feestmaal aanwezig. Ze waren allemaal overmoedig en luidruchtig. Maar tegen middernacht gebeurde er iets, zoals dat zo vaak gaat bij rumoerige feesten: plotseling zakte de vreugde weg en begon men zich moe te voelen en te vervelen. Er werd niet meer gelachen om de moppen die werden verteld; sommigen gaapten, vonden het ineens erg laat en wilden naar huis. Anderen werden plotseling bang, dat de vijand al in de nabijheid van de hoofdstad gekomen zou zijn. Als het waar was wat de boden hadden verteld, was Babylon er slecht aan toe.

Het werd angstig stil in de zaal, ook de koning zag er ineens bezorgd en somber uit - wat had hij? Hij keek strak voor zich uit naar de muur tegenover zich. Bevend boog hij zich naar voren, en toen de anderen zich omkeerden om eveneens naar de muur te kijken, zagen ze daar iets geschreven; het schrift was groot en zwart en het waren vreemde letters. Niemand kon lezen wat er stond. Een verschrikkelijke verwarring maakte zich van het hele gezelschap meester.

Toen riep de koning: 'Wat stelt dit voor? Wat betekenen deze woorden?' Niemand kon hem antwoord geven. Opnieuw riep hij: 'Ik moet weten, wat deze woorden betekenen! Haal de tovenaars en de geleerden! Wie dit kan ontcijferen, zal ik een koninklijke beloning geven.' Maar ook de knapste tovenaar kon het handschrift niet lezen.

En terwijl Belsassar hen vervloekte - hij maakte hen uit voor dom en nutteloos gespuis - herinnerde iemand zich Daniël. Ja, Daniël! Maar waar was deze man? Had hij koning Nebukadnessar niet met zijn wijsheid tot de grootste verbazing gebracht? Had hij al niet als jongeman de rechters van het rijk geholpen, de waarheid te vinden? Als iemand het geheimzinnige schrift zou kunnen ontcijferen, dan was het Daniël! Daarom werd hij gehaald.

Daniël ging de zaal binnen, die nu niet meer helder en feestelijk verlicht was. Er flakkerden alleen nog maar een paar walmende fakkels. De meeste gasten waren van tafel gegaan en zaten zachtjes te praten, in de hoeken van de zaal en bij de trappen. Alleen de koning zat nog op zijn zetel, spierwit. Hij beefde over zijn hele lichaam. Daniël keek verdrietig naar de bekers uit de tempel; sommige waren omgevallen, de rode wijn liep tussen de etensresten door over het tafelkleed, de vlekken waren zo rood als bloed.

Daniël kromp ineen bij het zien van deze dingen, hij moest zich erg beheersen om rustig te blijven.

Koning Belsassar richtte het woord tot hem: 'U bent dus Daniël, de Israëliet, die voor mijn vader, koning Nebukadnessar, dromen heeft uitgelegd en voorspellingen gedaan. Nu wil ik, dat u mij profeteert! Als u het geschrevene daar op de muur kunt lezen, zal ik u purperen kleren geven en zult u samen met mij mogen regeren.'

Daniël keek naar de muur achter zich. Toen kwam hij op Belsassar af en zei: 'Houd uw geschenken maar, of geef die aan anderen, zolang u nog iets weg te geven hebt! Ik heb ze niet nodig. Maar ik zal u zeggen, wat daar geschreven staat. Het is niet met een mensenhand geschreven, maar de hand van God schreef het. God heeft het oordeel over u uitgesproken. Er staat: "Mene, mene, tekel, oeparsin", dat betekent: "Geteld, gewogen, te licht bevonden en uiteengerukt".' De koning greep naar

zijn hoofd. Maar Daniël sprak rustig verder: 'Uw dagen zijn geteld, Belsassar. Uw rijk en uw heerschappij zijn gewogen op de weegschaal van de goddelijke gerechtigheid en zijn te licht bevonden. Daarom wordt u veroordeeld en komt er een einde aan uw rijk. Uw rijk zal verdeeld worden tussen de Meden en de Perzen!' Dit was de uitleg van Daniël. Hij keerde zich om en ging vlug weg; de koning durfde hem niet tegen te houden.

Ondertussen drongen de eerste vijanden de stad Babylon al binnen en namen deze zomaar in bezit, zonder dat er gevochten werd. Toen het bericht het paleis bereikte dat de soldaten voor de stad stonden, was het al te laat. De vreemde soldaten stroomden de zaal binnen en doodden Belsassar. Zo was er een einde aan zijn macht gekomen.

Daniël in de leeuwenkuil

Ook de nieuwe koning Darius hoorde van de wijsheid van Daniël en zijn voorspelling over het gevallen Babylon. 'Deze man', dacht hij, 'kan ik goed gebruiken.' Vandaar dat hij hem benoemde tot zijn voornaamste stadhouder. Heel vaak vroeg hij hem om raad, hij dacht er zelfs over om Daniël een nog belangrijker post te geven.

De andere hovelingen ergerden zich daaraan. Ze werden jaloers. Daarom verzonnen ze iets om Daniël bij de koning te kunnen aanklagen. Ze gingen naar de koning toe en zeiden: 'O koning Darius, wij, alle stadhouders, raadsheren en landvoogden, achten het wenselijk, dat er een koninklijk besluit wordt uitgevaardigd, dat gedurende dertig dagen niemand iets mag vragen aan een god of een mens, alleen maar aan u. Wie dat niet doet, moet in de leeuwenkuil worden gegooid.' En koning Darius schreef dat bevelschrift uit.

Ook Daniël hoorde ervan. Maar toch bleef hij tot God bidden, zoals hij gewoon was, drie keer op een dag.

De mannen zagen het, gingen vlug naar de koning en vertelden hem, dat Daniël het gebod van de koning in de wind geslagen had en tóch tot zijn God had gebeden.

Darius kon deze aanklacht tegen Daniël niet naast zich neerleggen. Hij gaf bevel om Daniël te halen en hem in de leeuwenkuil te gooien.

Zijn vijanden grepen hem en brachten hem naar de kuil.

Die leeuwenkuil bevond zich in de stad, het was een diepe ondergrondse kerker, waar enkele leeuwen werden gevangen gehouden. Vanuit het zwarte getraliede gat hoorde men een angstaanjagend gebrul opstijgen. Wie naar beneden keek, kon de groene ogen van die grote katten zien fonkelen. Ze waren hongerig, want ze hadden de laatste dagen niets te eten gehad.

In deze kuil nu moest Daniël als prooi voor de leeuwen worden geworpen. Dat zou zijn verdiende loon zijn, vonden zijn vijanden.

Ieder ander zou wanhopig geweest zijn en waarschijnlijk wel om genade hebben gesmeekt. Natuurlijk was Daniël ook wel bang. Ja, hij was bang voor de verschrikkelijke tanden en klauwen van die dieren, voor hun enorme honger, voor de afschuwelijke stank die uit de diepte opsteeg. Maar tegelijkertijd dacht Daniël aan zijn vrienden, Sadrak, Mesak en Abednego. Zij waren toch uit de gloeiende oven gered, God had hen bevrijd. Zou hij, Daniël, dan óók niet mogen hopen op Gods hulp?

Nu kwam het ogenblik waarop zijn vijanden hadden gewacht. Zij brachten hem naar de kuil. Zelfs de koning was erbij, al was hij veel liever thuisgebleven. Je kon zien dat hij er geen vrede mee had. Hij greep Daniël bij de hand en fluisterde: 'Wees niet boos op mij. U weet het, ik kan niet anders. Maar ik geloof, dat uw God, die u zo trouw dient, u zal helpen.' Daniël knikte zonder iets te zeggen.

Toen moest hij op de rand van de kuil gaan staan. Iemand gaf hem een duw en hij stortte naar beneden. Men hoorde de beesten in de diepte brullen. Vlug werd er een steen op de opening gelegd, en de mensen gingen naar huis. Allemaal, ook de koning, waren ze ervan overtuigd, dat Daniël onmiddellijk door de leeuwen verscheurd en opgegeten zou worden. Maar daar beneden gebeurde iets vreemds. Natuurlijk hadden de dieren gehoopt, dat ze eten zouden krijgen, Zoals gewoonlijk zouden ze daar meteen op afgestormd zijn. Maar nauwelijks hadden ze hun klauwen opgetild en hun muilen opengedaan, of ze voelden zich door een of andere kracht betoverd. Het was hun onmogelijk, de prooi die tussen hen in lag, in stukken te scheuren. De dieren werden schuw en trokken zich terug. De sterkste leeuw, die altijd het grootste stuk voor zichzelf opeiste, stootte een klagende toon uit en liep naar achteren, naar de verste hoek van de kuil. De andere volgden. Daar lagen ze op de stenen. Ze legden hun koppen op hun poten en hielden zich stil. Zo nu en dan sloegen ze met hun staarten op de grond en af en toe deden ze hun muilen open en gaapten. Maar ze kwamen niet bij Daniël. Zodra hij zich bewoog, krompen ze in elkaar, en toen hij na een poosje opstond en in de kuil heen en weer ging lopen, trokken ze zich nog verder in hun hoek terug.

Zo gingen de uren voorbij, zo ging de dag voorbij. In het begin had Daniël nauwelijks durven ademen, maar toen begreep hij dat God over hem waakte. De dieren hadden dat gevoeld, en niets, zelfs niet de ergste honger, zou hen ertoe brengen om hem aan te vallen en te verscheuren. Toen begon Daniël in de kuil rond te lopen. Later praatte hij zelfs met de leeuwen. Nóg later tastte hij in het donker naar hen en streek over hun kop en manen. Tenslotte kwamen ze naar hem toe en legden zich bij hem neer met hun koppen op zijn knieën.

Hoe later het werd, hoe meer honger Daniël kreeg. Ook had hij erge dorst. Maar nog steeds lag de steen op de kuil, niemand haalde hem eraf om voedsel en water naar beneden te laten zakken.

Habakuk vliegt naar Daniël

(Ontleend aan het vierde aanhangsel aan het apocriefe Boek van de profeet Daniël.)

In die dagen leefde er in het verre Israël, in de landstreek Judea, een vrome man die Habakuk heette. Ook hij was een profeet, hoewel hij niet, zoals Daniël, de gave had aan koningen de toekomst te voorspellen en geen geheimzinnige visioenen beleefde. Habakuk was eerder een eenvoudig man, die zijn profetisch talent gebruikte om andere eenvoudige mensen, boeren en vissers, met goede raad te helpen. Hoe zou hij trouwens in Judea aan vorsten en koningen voorspellingen hebben kunnen doen? In Judea waren geen vorsten en koningen meer. Er waren alleen nog maar vreemde stadhouders, die het land leegroofden en onderdrukten. Jeruzalem lag nog steeds in puin. Verder waren er nog veel andere steden verwoest; de mensen woonden in gammele hutten en mochten blij zijn als ze wat koren konden oogsten en een paar vissen konden vangen. Het land lag verlaten en verwilderd; bijna iedereen had de hoop al opgegeven.

In die tijd leefde Habakuk ook zo; hij was even arm en berooid als de rest. Een stille kluizenaar, die niets bezat dan alleen maar een klein huisje en een paar ijzeren pannen, waarin hij zijn gerstepap kon klaarmaken. Ook vandaag had hij weer zijn pap gekookt en stond op het punt om het eten naar de maaiers op het veld te brengen, toen er een lichte schaduw in de hut viel, en een engel binnenkwam, die zei: 'Wees maar niet bang, Habakuk. De Heer heeft mij gezonden, opdat jij een broeder van je kunt helpen. Hij is in grote nood. Zijn naam is Daniël en hij zit in Babylon gevangen.' Habakuk keek op en zei: 'Ik ken geen Daniël en ik weet niet eens waar Babylon ligt.'

'Toch moet je hem die gerstepap gaan brengen', zei de engel. Toen Habakuk weer tegensprak: 'Wat weet ik van Babylon af?', beval de engel hem de pan met twee handen vast te houden. Toen pakte hij Habakuk bij de haren vast, tilde hem van zijn kruk af, droeg hem de hut uit, steeg op, de lucht in en vloog met hem weg.

Habakuk schrok zich een ongeluk. Plotseling zag hij zijn tuintje onder zich, het dak van zijn huisje, de bosjes en bomen en zelfs de hoge populier van zijn buurman. Alles werd heel klein daar beneden hem, de velden, de weiden, de huizen. Nu gleed de eerste heuvel onder hem voorbij, toen de tweede, daarna ging hij over de toppen van de bergen, waar hij zijn schapen altijd hoedde. Toen kende hij de omgeving niet meer, en de engel steeg nog hoger.

Hij durfde haast niet naar beneden te kijken. Zo nu en dan deed hij toch zijn ogen even open.

De engel zei: 'Je bent nog steeds bang, Habakuk. Dat hoeft niet. Houd de pan maar goed vast. Ik laat je niet vallen. We vliegen naar Babylon. Daar zit Daniël gevangen in de leeuwenkuil. Hij heeft honger. We zullen hem eten brengen. Hij zal niets anders te eten krijgen dan deze pap, die gemaakt is van gerst die in zijn Judese vaderland is gegroeid. Begrijp je dat dan niet? Daniël, die grote profeet, heeft al zolang het brood van de Babyloniërs moeten eten. Hij moet, nu hij in nood is, aan zijn vaderland worden herinnerd, om zodoende weer gesterkt te worden.'

Habakuk wist niet, wat hij moest antwoorden. Die Daniël interesseerde hem niet. Hij zag niet in, waarom hij, Habakuk, deze vreselijke vliegreis moest maken, alleen maar om aan een onbekende man gerstepap te gaan brengen.

De engel steeg nog steeds hoger, hier was het al koud. Habakuk begon te klappertanden. 'Doe nu je ogen open!' beval de engel. 'En kijk eens om je heen, dan vergeet je dat het zo koud is.'

Habakuk vermande zich en het lukte hem inderdaad om zich heen te kijken. Wat hij toen zàg, was werkelijk zó geweldig, dat hij de kou vergat, tenslotte ook zijn angst.

Boven hem welfde zich de hemel, donkerblauw, bijna zwart; de zon stond daar zo licht en helder, alsof het een heel andere zon was dan die op de aarde scheen. En dan de aarde! Ver weg zag hij de zee: een zilveren spiegel. Vlak onder hem lag de woestijn: bruinrood, hier en daar wat geel en violet. Daartussen glooiden, als een groen kleed, de vruchtbare dalen en de met bossen bedekte bergen. Heel in de verte schemerde een blauwachtige bergkam met een witte top - een hoge, met sneeuw bedekte spits. Habakuk was diep onder de indruk. Hoe mooi was Gods wereld! Fantastisch gewoon!

Toen sprak de engel: 'Let op, Habakuk, wat ik je nu ga zeggen! Zie je het land daar beneden je? Kijk eens vooruit naar die berg, de berg Ararat! Daar liep Noach vast met de ark, daar is de mensheid opnieuw begonnen.' En verder zei de engel nog tegen Habakuk: 'Let op, wat ik je nog meer wil tonen: daar waar die hoge witte wolk staat, daar ligt Betel, waar Jakob de ladder uit de hemel zag komen en waar de engelen op en neer stegen om de zegen van God naar de aarde te dragen en om het gebed van Jakob naar God te brengen. En nu het belangrijkste: die nietige lichte vlek is Betlehem. Daarvandaan zal het heil beginnen en zich verspreiden over heel de wereld. Het heil van de wereld, Habakuk, zal nog lang op zich laten wachten. En als het er is, zal het door veel mensen niet worden

herkend. Het zal worden geofferd in Jeruzalem, in de nabijheid van de berg Moria. Deze keer zal het offer, dat God zelf brengt, worden aangenomen. Zie je die berg?' De engel stak zijn hand uit en wees naar een kleine blauwe plek, ver beneden hen; op deze plek was eens een stad gebouwd, die nu in puin lag. Alleen stukken van de stadsmuur en enkele resten van straten waren nog te zien. Aan de rand van de stad verhief zich een heuvel. 'Dat is Golgota!' fluisterde de engel.

Nadat de engel Golgota aan Habakuk had laten zien, vlogen ze snel door, naar Babylon, waar Daniël haast omkwam van honger en dorst.

Het was nacht, toen ze bij de leeuwenkuil aankwamen. De engel rolde de steen weg en ging de kerker in. Daar gaf hij aan Daniël de gerstepap. Daniël at de pap op en voelde zich meteen een stuk beter. Habakuk was nu blij, dat hij zijn onbekende broeder had kunnen helpen, hij boog zich over de rand van de leeuwenkuil om de gevangene van het verre verloren vaderland te vertellen. Daarna keerde de engel met Habakuk terug en bracht hem naar zijn hut in Judea.

De terugkeer uit Babylon

De volgende morgen verscheen koning Darius bij de leeuwenkuil, om te rouwen over zijn vriend Daniël, die nu wel allang door de uitgehongerde leeuwen zou zijn opgegeten. Hoe verbaasd was hij, toen hij in de donkere kuil keek en Daniël helemaal ongedeerd tussen de leeuwen zag. Meteen liet hij hem een touwladder toegooien, en toen Daniël naar boven kwam en over de rand van de kuil sprong, omhelsde hij de koning. Hij prees God en was erg gelukkig.

'Ja, het is waar', gaf Darius toe, 'uw God is machtig. Hij is de hoogste God in de hemel en op aarde.' En hij gaf het bevel, dat de God van Daniël in het hele rijk geëerd en aanbeden moest worden.

Dit wonder werd overal verteld. Men sprak er ook nog over, toen Darius, de stadhouder van de machtige Perzische koning Cyrus, die zelf Babylon veroverd had en daar als overwinnaar binnengetrokken was, stierf.

Deze koning Cyrus was een groot en rechtvaardig heerser. Ook hij hoorde van Daniëls wonderlijke redding uit de leeuwenkuil en van de bevrijding van de jongemannen uit de vuuroven. Al deze voorvallen lieten hem niet met rust en daarom besloot hij de Joden de vrijheid terug te geven. Ze hoefden niet langer meer als bannelingen onder een vreemde heerschappij te leven, maar mochten naar hun vaderland terugkeren, hun stad Jeruzalem opbouwen en hun God dienen.

Zo gebeurde het! Nu verzamelden de Israëlieten zich voor de tweede keer om vanuit een vreemd land naar het land, dat God hun eenmaal beloofd had, terug te keren. Deze keer hoefden ze echter geen veertig jaar lang in de woestijn rond te zwerven zoals vroeger onder de leiding van Mozes, maar trokken rechtstreeks terug naar Kanaän.

Wat waren deze mensen gelukkig! Toen ze de grens over gingen, vielen ze op hun knieën en kusten de grond. Huilend en lachend tegelijk keerden ze naar Jeruzalem terug.

Zeker: de komende honderd jaar zouden de Israëlieten heel wat te verduren krijgen. Nieuwe heersers veroverden hun land. De Griekse Alexander de Grote stichtte zijn reusachtige rijk en later kwamen de Romeinen. Dit volk kon door geen enkel volk overwonnen worden. De veldheer Pompeius veroverde Jeruzalem en ontheiligde de herbouwde tempel.

Al deze beproevingen betekenden echter niets in vergelijking met het grote verdriet van Israël over het feit dat de beloofde Messias nog steeds niet gekomen was.

Maar - dat was het bijzondere - niet alleen Israël, héél de wereld begon te verlangen naar een Messias en Heiland. De volken waren de oorlog moe geworden en verlangden naar vrede. De mensen begonnen de druk van hun zonden als een zware last te voelen. Veel heidenen geloofden niet meer in de oude goden van hun voorvaderen. Ze zeiden: de hemel is leeg! De goden zijn dood! Waar vinden we heil en redding?

In Israël verdiepten geleerde mannen zich in de heilige boeken. Steeds weer keerden ze naar de plaatsen van de Schrift terug waar God beloofde een Verlosser te zenden; en een wijze Romein, de dichter Vergilius, schreef in een van zijn beroemde gedichten: 'Een kind zal verschijnen, geboren uit een jonge vrouw en het zal de wereld redden.'

Maar niemand wist, wanneer en waar dit kind geboren zou worden. En niemand kende zijn naam.

213

Het heilige boek van het nieuwe verbond

Het nieuwe testament

De boodschap van Gabriël aan Maria

Eindelijk was de tijd aangebroken, dat God de beloofde Verlosser wilde zenden.

De Romeinen waren nog steeds heer en meester in Palestina. Koning Herodes was de man, die door hen was aangesteld als koning over Judea. In die tijd leefde er een jong meisje in Galilea, in de stad Nazaret. Zij heette Maria. Zij zou gaan trouwen met Jozef, een timmerman. Allebei waren ze nakomelingen van David. En bij deze Maria kwam een engel, de engel Gabriël. Hij zei: 'Wees gegroet Maria. De Heer houdt veel van je, je bent gezegend onder de vrouwen.'

Maria schrok, want ze wist niet wie die vreemdeling was en wat hij met zijn woorden bedoelde. De engel sprak weer: 'Wees maar niet bang. God heeft jou uitgekozen. Jij zult een zoon krijgen, die je de naam Jezus moet geven. Hij zal de zoon van God genoemd worden. God zal Hem de troon van David geven en aan zijn koningschap zal nooit een eind komen.'

Maria was erg verbaasd. Ze zei: 'Hoe kan ik nu een kind krijgen? Ik ben toch nog niet eens getrouwd?'

De engel antwoordde: 'De Heilige Geest zal over je komen en de kracht van God zal je overschaduwen. Vertrouw maar op God, Maria, bij Hem is niets onmogelijk. Ook je nicht Elisabet zal een kindje krijgen, zo oud als ze is. Ook aan haar heeft God gedacht.'

Toen Maria dat hoorde, was ze erg gelukkig. Ze zei tegen Gabriël: 'Met mij zal gebeuren wat de Heer wil. Ik ben van Hem.'

Toen boog de engel voor haar en verdween.

Elisabet en Zacharias

Wie was die Elisabet, over wie de engel gesproken had? Ze was de nicht van Maria, de vrouw van een priester. Zij woonde in een kleine stad in Judea. Veel jaren hadden zij en haar man verlangd naar een kindje. Nu waren ze al heel oud en hadden ze geen enkele hoop meer.

Maria hield veel van haar nicht, ze kende haar verdriet en leed met haar mee.

Nog voordat de engel Gabriël bij Maria kwam, was het volgende gebeurd:

De priester Zacharias was in de tempel van Jeruzalem, waar hij dienst had en een reukoffer ging brengen. Het volk wachtte buiten op hem, omdat het niet in het heiligdom van de tempel mocht komen.

Toen Zacharias bij het wierookaltaar stond, verscheen er een engel aan hem, die zei: 'Wees niet bang, Zacharias, je gebed is verhoord. Je vrouw Elisabeth zal een zoon krijgen. Je moet hem Johannes noemen. Je zult heel gelukkig met hem zijn, want hij zal een knecht van God zijn en de mensen mogen voorbereiden op de komst van zijn zoon, die de Verlosser van de wereld is.'

Dat was een bijzondere boodschap! Zacharias kon de engel niet geloven: maar ál te lang had hij met Elisabet op een kindje gewacht; hoe kon deze wens, nu ze alle hoop hadden laten varen, dan nog in vervulling gaan'. Hij keek de engel verdrietig aan en zei: 'Wek geen verwachtingen die tóch niet bewaarheid worden. Mijn vrouw en ik hebben in ons lot berust...'

De engel viel hem in de rede: 'Geloof je me niet? Daarom zul je niet kunnen spreken tot op de dag waarop gebeuren zal wat ik je nu verteld heb.'

En inderdaad: Zacharias kon vanaf dat moment niets zeggen.

Eerst merkte hij het nog niet. Want de engel was verdwenen en hij bleef alleen. Maar nu hoorde hij het volk, dat buiten voor het heiligdom op hem stond te wachten en ongeduldig begon te fluisteren en heen en weer te schuifelen. Het werd nu toch wel tijd dat hij naar buiten kwam en hen zegende. Maar toen hij naar buiten ging en wilde spreken, kon hij geen woord uitbrengen.

Het volk was verbaasd en enige jongemannen begonnen zelfs te lachen. Anderen daarentegen riepen: 'Wees toch stil! Wat valt er te lachen? Priester Zacharias heeft in de tempel vast een verschijning gezien.'

De menigte ging uiteen, Zacharias legde zijn priesterkleren af, nam zijn wandelstok en ging naar huis terug.

Een poosje later merkte Elisabet, dat ze een kindje zou krijgen. Zij was heel dankbaar en gelukkig. Ze zei: 'Dit heeft de Heer voor mij gedaan.' En zij huilde, niet van verdriet, maar van vreugde.

Nu wist Zacharias: 'De engel heeft de waarheid gesproken.'

Het bezoek van Maria aan Elisabet

De engel Gabriël had Maria verlaten. Ze was nu alleen met haar grote, heerlijke geheim. Haar hart was er vol van en toch durfde ze er met niemand over te praten. Wat zouden haar ouders wel zeggen, als zij hun vertelde dat er een engel aan haar verschenen was? En wat zou Jozef, haar verloofde ervan denken? Maria huiverde als zij daaraan dacht.

Zij kende maar één persoon aan wie zij haar geheim kon toevertrouwen. Het was haar nicht Elisabet, die - zoals de engel gezegd had - óók een kind verwachtte en ook op zo'n verbazingwekkende manier gezegend was.

Dus verliet Maria haar geboorteplaats Nazaret in het land van Galilea en reisde naar haar liefste vriendin. Dat was een hele tocht. Eindelijk zag ze het huis van de priester Zacharias liggen. Elisabet kwam net naar buiten om bij de put water te scheppen. Maria riep haar naam.

Elisabet liet de emmer staan en drukte haar handen tegen haar hart. Er kwam een gelukkige lach op haar rimpelige gezicht: ze voelde het kind in haar schoot bewegen.

'Elisabet!' riep Maria nog eens.

Elisabet keek om en liep haar tegemoet. 'Maria, ben je het heus? Ze omhelsde haar lieve jonge nichtje en zei: 'Maria, God heeft aan je gedacht. Jij verwacht ook een kindje, niet waar? Gezegend is dit kind, jouw zoon. Toen ik je hoorde roepen, voelde ik het kind in mij bewegen, want jouw zoon zal zijn Heer zijn - en ook mijn Heer!'

Maria huilde van vreugde en zei:

> 'Van vreugde juicht mijn geest,
> om God, mijn Heiland,
> want Hij heeft iets groots
> voor mij gedaan.
> Zijn naam is geprezen,
> want Hij is barmhartig!'

Maria bleef drie maanden bij Elisabet. Toen ging zij naar haar ouders in Nazaret terug.

En na een poosje kregen Elisabet en Zacharias een kindje. Het was inderdaad een zoon, zoals de engel aan Zacharias voorspeld had. En iedereen was erg blij en dankbaar. De familie dacht dat het jongetje naar zijn vader vernoemd zou worden, maar Elisabet zei dat hij Johannes moest heten. Daarom vroegen zij Zacharias wat die ervan vond. Hij kon echter nog steeds niet spreken en schreef het antwoord daarom op: 'Johannes is zijn naam.' Tegelijk kon hij weer spreken en de Heilige Geest deed hem zingen:

Geloofd zij God. Nu zal binnenkort het kind geboren worden, dat God eens in het paradijs aan Adam en Eva en later aan Abraham en zijn nageslacht beloofd heeft. En jij, Johannes, jij zult een profeet van God zijn. Jij zult de mensen op de komst van dat kind mogen voorbereiden en hun vertellen dat God hun zonden wil vergeven.

Zo zong Zacharias, en alle mensen uit de hele omtrek waren diep onder de indruk toen ze het hoorden. Zij zeiden tegen elkaar : 'Wat zal er van dit kindje worden?'

Jozef, de timmerman

De verloofde van Maria, Jozef, stamde, net als zijzelf, uit het huis van David. Beiden hadden koningen als voorvaders, maar van de rijkdom van David en de heerlijkheid van Salomo was niets meer in hun families te merken. Ze leefden als eenvoudige mensen. Je kon ze vinden onder de boeren, de handwerkslieden en de herders.

Jozef had het timmermansvak geleerd. Hij was niet zo erg jong meer toen hij op een dag het meisje Maria zag, dat in zijn buurt woonde en iedere morgen en avond langs zijn werkplaats kwam. Maria was nu nog te jong om met hem te trouwen. Maar Jozef sprak, zoals dat toen gebruikelijk was, met haar ouders, de oprechte Joachim en Anna, af, dat Maria over een paar jaar zijn vrouw zou worden.

Nu was het spoedig zo ver. Maria was een heel mooi meisje geworden, en Jozef hield heel veel van haar.

Maar op een dag, kort nadat Maria van Elisabet was teruggekomen, merkte hij dat Maria een kind verwachtte.

Eerst kon hij zijn ogen niet geloven, maar toen wist hij het zeker: ja, het was echt waar. O, wat deed dat hem pijn. Hij ging zijn huis binnen, deed de deur op slot en zat daar, diep in gedachten verzonken, want hij moest nu wel aannemen, dat Maria een kind verwachtte van een andere man. Zo zat hij daar de hele nacht en voelde zich diep ongelukkig. Pas tegen de morgen sliep hij in. In zijn droom zag hij een engel voor zijn bed staan, die tot hem zei: 'Jozef, luister eens! Aarzel niet, om Maria als vrouw te nemen. Haar kind is geen gewoon kind, het is de Zoon van God. Maria heeft het van de Heilige Geest ontvangen.'

Op dat ogenblik werd Jozef wakker. Wat was er gebeurd? Wat een zeldzame droom! Het kind van Maria - de Zoon van God? Hoe was dat mogelijk? Een poosje zat de timmerman stil op zijn bed in diep gepeins verzonken. Toen moest hij denken aan wat zijn voorvader David beloofd was en zijn vaderen Jakob en Isaäk en Abraham. En Jozef dacht aan de vele wonderen die God had gedaan. Hij kreeg weer moed, stond op en ging naar het huis van Joachim om Maria te halen. Hij trouwde met haar. Spoedig daarna kwam het bericht, dat Zacharias en zijn vrouw Elisabet een jongetje gekregen hadden dat Johannes heette. Ze hoorden ook, dat Zacharias weer kon spreken.

De heilige nacht

Een paar maanden later - het was winter en over de velden van Judea blies een koude wind, over de toppen van de bergen joegen sneeuwstormen - waren Jozef en Maria op weg naar Betlehem. Zonder veel te zeggen, zat Maria, gehuld in een mantel, op de rug van een ezel. Alleen zo nu en dan fluisterde ze iets en dan hield Jozef in en wachtte even. Daarna dreef hij de ezel aan om wat sneller te lopen en hij was opgelucht toen hij eindelijk Betlehem voor zich zag liggen. Het was een kleine, tegen een berg gebouwde stad. Ja Betlehem, dat was hun doel, daar zouden ze in een herberg kunnen overnachten.

Maar toen ze de stad bereikten, schrokken ze, want ze zagen, dat het niet zo gemakkelijk zou zijn om een onderkomen te vinden. De smalle straatjes krioelden van mensen, wagens en rijdieren, en het was hen aan te zien, dat ook zij hier pas waren aangekomen. Heel Betlehem was vol mensen, die onderdak zochten. Dat was geen wonder, want er was een bevel bekendgemaakt in het hele land, en niet alleen in het hele land, maar zelfs in het hele rijk van de Romeinen. Keizer Augustus had dit bevel gegeven: iedereen moet zich laten inschrijven in zijn geboorteplaats. Op deze manier moest het volk van de Joden, maar ook alle andere volken die onder heerschappij van de Romeinen leefden en gehoorzaam moesten zijn aan keizer Augustus, worden geteld.

Nu woonden veel mensen niet meer in de steden waar ze geboren waren. Velen waren weggetrokken van de plaatsen waar hun ouders en grootouders geleefd hadden. Dus moesten tal van mensen op reis. Ook naar Betlehem gingen er heel wat toe, omdat dit hun geboorteplaats was.

Daarom waren alle herbergen vol en alle slaapplaatsen bezet.

Waar Jozef aanklopte, kreeg hij een nors antwoord, en als hij weer ergens anders aanklopte en zei dat zijn jonge vrouw een kind verwachtte, werd de deur voor zijn neus dichtgeslagen. Eindelijk vonden ze een vriendelijke man, die hun zei, dat ze in de stal mochten slapen.

'Een stal?' mompelde Jozef geschrokken en hij keek wanhopig naar Maria. 'Werkelijk alleen maar een stal?'

Maar Maria knikte.

Ze lieten zich erheen brengen. Het was een grot vlak bij de stadsmuur. Er was een dak van stro bij de ingang en binnen stond een voederbak waaraan een os stond vastgebonden.

'Hier is de stal', zei de man.

Jozef aarzelde nog steeds een beetje, maar Maria vroeg hem of hij haar van de ezel wilde afhelpen.

De man van wie de stal was, bracht nog een armvol stro en een emmer water. Daarna wenste hij hen goede nacht en deed de deur achter zich dicht.

Nu was het nacht.

In de huizen, op de binnenplaatsen en in de straten gingen de lichten uit, maar buiten op de open velden rondom Betlehem ontstaken de herders hun vuren, want die herders mochten niet gaan slapen, zij moesten waken bij hun kudden. Maar omdat de nacht koud was, legden ze kleine vuren aan. Ze zaten er in een kring omheen gehurkt en praatten wat met elkaar om de tijd door te komen.

Waarover zouden ze wel met elkaar praten, deze herders op de velden van Betlehem? Waarschijnlijk hadden ze elkaar niet veel vrolijks te vertellen, want de tijden waren moeilijk: de Romeinen onderdrukten het land en deden net waar ze zin in hadden. Wel hadden ze een koning aangesteld, om de schijn te wekken dat het volk van de Joden zichzelf kon regeren. Maar deze koning Herodes was eveneens een vreemdeling, hij was boosaardig en wreed. Hij bouwde voor zichzelf prachtige paleizen en bekommerde zich niet om de nood van de arme mensen. Zoals altijd en overal op de wereld leefden ook toen de rijken en machtigen in weelde en overvloed, terwijl de arme en de zwakke mensen alleen maar ellende, gebrek en zorgen hadden. Waar zou hun hoop nog op gevestigd zijn? - Dat zouden die herders zich kunnen afvragen in die donkere, koude nacht bij de muur van Betlehem, terwijl het vuur in hun midden opbrandde en er tenslotte maar een smeulend hoopje as overbleef. Nu was het al bijna middernacht.

De een na de ander werd stil, sommigen dommelden een beetje in.

Toen gebeurde er iets bijzonders. Eerst leek het op het waaien van de wind heel hoog in de lucht, maar toen hoorden ze geruis en er vlamde iets langs de hemel.

Vanachter de heuvels naderde een vreemd licht. Het zette de muren van Betlehem in een zachte gloed. Langzaam balde het licht zich samen. Plotseling zagen de herders een stralende gestalte. Een stem sprak: 'Wees maar niet bang mannen, want ik heb u iets heerlijks te vertellen. Deze nacht is in Betlehem, de stad van David, de Redder van deze wereld geboren. Ga naar Betlehem toe, daar zult u het kind vinden, gewikkeld in doeken en het ligt in een voederbak.'

De herders luisterden. Ze hadden werkelijk iets wonderbaarlijks beleefd! Die geslapen hadden, dachten dat ze nog droomden, maar anderen waren al opgesprongen om, zoals de engel gezegd had, vlug naar Betlehem te gaan en de Heiland te zoeken. Maar nu gebeurde er nog iets: rondom de

eerste engel verzamelden zich nog veel meer engelen. Het leek wel alsof er duizenden ladders tussen de sterren hingen, waarop deze zingende engelen naar beneden kwamen.

Zij zongen een loflied voor God:

'Eer aan God in de hoge hemel
en vrede op aarde onder alle mensen,
die in Gods gunst staan!'

Langzamerhand werden de stemmen zachter, het licht verdween en de engelen keerden naar de hemel terug.

Alleen de sterren waren nu nog te zien. De herders gingen naar Betlehem. Toen zij daar kwamen, was het kindje al geboren. Maria had het in doeken gewikkeld en in de voederbak neergelegd. De herders vielen op hun knieën en aanbaden het. En niet één van hen vergat deze nacht, zolang als hij leefde.

Het bezoek van de wijze mannen

Er gebeurde nog meer in die heilige nacht, ergens in het verre morgenland. In het oosten, wij weten niet precies waar, aan de oever van de Tigris of in het gebergte van Perzië, zaten in het middernachtelijk uur drie voorname wijze mannen in de torens van hun kastelen, ieder in zijn eigen land. Ze kenden elkaar niet, maar toch hadden ze één ding gemeen: alle drie keken ze 's nachts vaak naar de sterren. Alle drie kenden ze de namen van de sterrenbeelden en dachten ze na over de banen van de planeten, de zons- en maansverduisteringen, en de betekenis van de kometen, die zo nu en dan met hun vurige staarten aan de hemel te zien waren.

Alle drie ontdekten ze in die heilige nacht een nieuwe stralende ster, die ze nog nooit eerder aan de hemel hadden gezien. Baltasar, de Moor, dacht: 'Dit hemellicht betekent, dat in deze nacht een grote koning is geboren. Ik zal Hem opzoeken om Hem mijn hulde te brengen.' Kaspar dacht: 'Deze nieuwe ster betekent, dat er een God op deze wereld is neergedaald. Ik ga Hem opzoeken om Hem een offer te brengen.' En Melchior dacht: 'Dit licht betekent, dat er een nieuwe tijd aanbreekt en dat van nu af aan alles op deze aarde anders zal worden. Ik ga op zoek naar degene die de wereld een nieuwe toekomst schenkt.'

Zo trokken alle drie de wijze mannen weg uit hun land met hun knechten, kamelen en paarden. Ze namen alle drie de kostbaarste dingen mee, die hun vaderland opleverde: Kaspar vulde een kistje met goud, Melchior een zak met wierookkorrels en Baltasar een kruik met mirre. Op hun tocht volgden ze de ster, die iedere nacht aan de hemel stond en helder fonkelde.

Het toeval wilde, dat ze op hetzelfde uur aankwamen bij dezelfde herberg, een pleisterplaats voor karavanen. Al gauw ontmoetten de drie mannen daar elkaar en gebruikten samen de maaltijd. Hoe gelukkig waren ze, toen ze bemerkten dat ze alle drie om dezelfde reden hier naar toe getrokken waren en alle drie hetzelfde doel hadden! Ze besloten om met elkaar verder te reizen en samen te zoeken naar de pasgeboren koning.

Iedere nacht, zo leek het hun, werd de ster helderder. Op een dag bereikten ze de grens van het Romeinse rijk, die tegelijkertijd de grens van Palestina was, dat wil zeggen: van het heilige land

Nu duurde het niet lang meer voordat ze bij Jeruzalem aankwamen. Hier fonkelde de ster nog helderder dan tevoren. De drie wijze mannen vroegen zich af of ze misschien hier al hun doel bereikt hadden? Zou in Jeruzalem de nieuwe koning en Heer van de wereld geboren zijn?

Ze gingen de stad in om na te gaan of dit waar was. Waar moesten ze allereerst naar een koningskind zoeken? Natuurlijk in het paleis van de koning. In die tijd heerste Herodes over de Joden. De drie wijze mannen vroegen hem of hij iets wist van een nieuw koningskind.

Er was geen vraag die Herodes meer aan het schrikken had kunnen brengen, want hij was een verdorven man en dacht alleen maar aan slechte dingen. Hij wist dat hij gehaat werd en dat er veel mensen op zijn dood wachtten. Dat maakte hem woedend: niemand gunde hij de troon en de koningskroon. Daarom had hij al een paar van zijn zoons laten doden, om te verhinderen dat ze hem zouden opvolgen en in zijn plaats over Judea zouden heersen.

En nu kwamen er zowaar drie vreemde wijze mannen, die vroegen naar een nieuwe koning!

Dat was schandelijk en Herodes had het liefst de drie mannen meteen om het leven laten brengen. Maar hij beheerste zich en zei: 'Ik weet helemaal niets van een nieuwe Jodenkoning, maar misschien weten mijn overpriesters en schriftgeleerden meer dan ik. We zullen het eens aan hen vragen.' Hij wendde zich tot de geleerdste mannen van zijn volk en droeg hun op om in de heilige boeken na te kijken of daar iets in voorspeld werd over een nieuwe grote koning.

De overpriesters en schriftgeleerden schrokken van deze vraag van Herodes, want ze wisten wel zeker dat Herodes deze opdracht alleen met kwade bedoelingen gaf.

Ze overwonnen hun aarzeling en antwoordden: 'In onze heilige boeken staat geschreven, dat er eens een machtig vorst in Betlehem geboren zal worden.'

'In Betlehem?' Dit antwoord was een klap in Herodes' gezicht. Maar hij probeerde niets te laten merken van wat er in hem omging. Met een gemene grijns op zijn gezicht keerde hij zich naar de wijze mannen: 'U hebt dus gehoord, waar uw koninklijk wonderkind geboren is. Ga naar Betlehem en zoek daar naar Hem. Als u Hem gevonden hebt, kom dan op de terugweg langs mijn paleis, zodat u mij kunt vertellen waar ik dat kind kan vinden. Dan kan ook ik het gaan aanbidden.'

De drie mannen bedankten Herodes en gingen weg.

Maar ze zouden op de terugweg Herodes niet meer ontmoeten.

God zou hen daarvoor waarschuwen in een droom. Daarom keerden ze langs een andere weg naar huis terug.

Toen ze eindelijk Betlehem binnenkwamen, dachten ze bijna verdwaald te zijn. Zou hier heus het doel van hun reis wel liggen?

Zij meenden nu eenmaal, dat een nieuwe koning alleen maar als konings-

kind in een vorstelijk paleis, of toch in ieder geval onder het dak van een rijk man geboren kon worden. Maar hier in Betlehem zagen ze geen paleis, alleen maar eenvoudige huizen en armzalige hutten. Zwijgend trokken de drie mannen door de straten. Waar was het kind? Hier en daar hoorden zij vanuit een openstaande deur het gehuil van een baby komen. Maar zodra zij dan de drempel naderden, leek het wel alsof het licht van de ster minder werd.

228

Toen kwamen ze bij een stal, een armzalige grot. 'Hier is het', riep Baltasar, want boven de plaats waar het kind was, bleef de ster stilstaan. Zij gingen naar binnen.

Daar waren een jonge vrouw en een wat oudere man. En in een voederbak lag een klein bundeltje, een kind, gewikkeld in witte doeken.

De mannen durfden nauwelijks adem te halen. Ze knielden neer en aanbaden het kindje.

De jonge vrouw keek naar hen. Ze zei niets, ze was verbaasd, maar toch leek het alsof ze dit reeds lang had verwacht. Toen boog ze zich over het kind heen en deed het dek wat opzij, zodat de vreemdelingen het beter konden zien. Ze draaide zich om naar Jozef en knikte hem toe, maar over haar wang liep een traan.

De profetie van Simeon
en de vlucht naar Egypte

Waarom huilde Maria, de moeder van Jezus, toen zij zag dat de drie mannen voor haar kind knielden, evenals in de nacht van zijn geboorte de herders voor Hem hadden geknield?

Zag zij dan niet wat de drie mannen hadden meegebracht: goud, wierook en mirre, dure kostbaarheden, waarvan zij en Jozef, arm als ze waren, een hele tijd plezier konden hebben? En toch huilde ze?

Kort tevoren was ze met haar kind en Jozef hier teruggekomen. De ouders waren met het jongetje naar Jeruzalem geweest om Hem in de tempel te laten zien en het gebruikelijke offer te brengen.

In de voorhof van de tempel hadden zij een oude man ontmoet. Zijn naam was Simeon.

De ouders van Jezus kenden hem niet, en hij kende Jozef en Maria niet. Maar toen Maria met de slapende zuigeling in haar armen langs hem liep, voelde de oude man zich opeens heel erg gelukkig. Hij volgde de vreemde jonge vrouw en vroeg haar om hem een blik te laten werpen op het kindje. Maria was verwonderd. Wat wilde die oude man? Maar zij deed wat hij vroeg en lichtte de sluier, die ze over het lieve slapende gezichtje had gelegd, een beetje op.

Simeon hief zijn beide armen op naar de hemel en riep vol verrukking uit: 'O God, ik dank U, want nu kan ik in vrede sterven. Nu heb ik gezien, waarnaar ik heel mijn leven heb verlangd. Dit kind is de Heiland, die de wereld verlossen zal. Aan de heidenen zal Hij het licht brengen en Hij zal de glorie van het volk Israël zijn.' Maar terwijl hij deze woorden zei, sloot hij zijn ogen even, en toen hij ze weer opende, leek het wel alsof hij zojuist iets vreselijks had gezien. En inderdaad: hij had iets gezien: een donker landschap met in het midden een heuvel, en op die heuvel stond een kruis. Toen keerde de oude man zich naar Maria, hij keek haar vol medelijden aan en zei: 'O arme vrouw, wat zult u moeten lijden! Want veel mensen zullen niet in uw Zoon geloven en Hem haten. U zult zoveel verdriet om Hem hebben, dat het zal zijn alsof er een zwaard door uw ziel gaat.' Toen Maria deze woorden hoorde, sidderde zij. Jozef pakte haar hand en ze verlieten de tempel. Sinds die tijd moest Maria maar steeds aan de profetie van de oude Simeon denken. Daarom kwamen er ook tranen in haar ogen, toen de wijze mannen voor haar kind knielden en de kostbaarste geschenken gaven die ze maar bedenken

konden. Want haar Zoon, dat wist ze nu, zou de wereld niet zómaar kunnen redden, Hij moest er veel voor lijden en Hij zou er zelfs voor moeten sterven.

Een paar dagen nadat de drie mannen weer vertrokken waren, gebeurde er al iets dat een donkere schaduw op hun leven wierp.

Op een nacht stond Jozef ineens naast zijn bed, maakte Maria wakker en zei: 'Vlug, sta op, pak het kind en maak je klaar. Wij moeten hier weg.'

'Wat is er gebeurd?' vroeg Maria ontdaan. 'Ik heb een verschrikkelijke droom gehad', zei Jozef, 'een engel is aan mij verschenen, dezelfde engel die al eerder bij mij is geweest, en hij heeft mij bevolen, dat ik met het 'Naar Egypte?' riep Maria geschrokken. 'Wij zouden toch al gauw naar Nazaret teruggaan?' Maar ze gehoorzaamde, ze kleedde het kind aan en ze verlieten hun verblijfplaats.

Jozef had de ezel al naar buiten gebracht. Hij hielp Maria erop en legde het kind in haar armen. Zelf droeg hij een bundeltje waarin hun bezittingen waren gepakt. Jozef leidde de ezel langs de stadsmuur. Zo verlieten ze Betlehem.

Maar toen ze de hoek om waren en naar het dal in het westen keken, zagen ze daar allemaal lichtjes tussen de olijfbomen. Het waren fakkels en lantarens, en in hun schijnsel waren helmen en zwaarden te zien. Het waren soldaten! Wat wilden die in Betlehem? Waarom slopen die daar midden in de nacht, nog voordat er een haan had gekraaid?

Dat kon niets goeds betekenen. Vlug sloeg Jozef een weg in, die door de heuvels aan weerskanten aan het oog was onttrokken. Zo lieten ze het stadje steeds verder achter zich en zagen niets van het afschuwelijke dat daar gebeurde. Want de soldaten waren door koning Herodes gestuurd. Zonder dat iemand hen kon tegenhouden, drongen ze Betlehem binnen. Wie zou hun ook maar een strobreed in de weg leggen? Ze waren toch soldaten van de koning? Maar de opdracht die ze hadden, was verschrikkelijk.

Herodes had bevolen, dat ze alle jongetjes uit Betlehem onder de twee jaar moesten doden. Sinds de drie mannen uit het morgenland bij Herodes waren geweest, had hij geen rustig ogenblik meer gehad. Deze vreemdelingen hadden hem beloofd om op hun terugreis bij hem langs te komen. Maar ze hadden hem mooi laten wachten. Ze waren langs Jeruzalem getrokken en dat hadden ze vast en zeker alleen maar gedaan, omdat ze de nieuwe koning inderdaad gevonden hadden en Hem liever niet wilden verraden. Maar die nieuwe koning, daarvan was Herodes, de tiran, overtuigd, zou al vlug het volk tegen hem opzetten. Hij zou bij de Romeinen in de gunst willen komen en hem, Herodes, uiteindelijk de kroon afnemen. Dat moest niet gebeuren, nooit of te nimmer! Liever nog moesten alle jongetjes sterven die de laatste twee jaar in Betlehem geboren waren. Dan kon Herodes er zeker van zijn, dat ook de nieuwe koning gedood zou worden en was het gevaar geweken.

Toen de zon die morgen opkwam over de stad van David, scheen ze op een stad vol ellende, een stad waar iets schandelijks was gebeurd. De straten lagen uitgestorven. De mensen waren hun huizen ingevlucht. Ze waren kapot van verdriet om hun vermoorde kinderen en overal hoorde men huilen. Op de straten lag bloed. Hier lag een vertrapt stukje speelgoed, daar een gescheurd hemdje, ginds een schoentje.

De soldaten waren weggetrokken en zaten bij de stadsmuur. Ze waren zelf totaal van streek. De een vloekte op die tiran Herodes, die hun zo'n bevel gegeven had, een ander zei niets en dacht aan zijn eigen kinderen.

Maar niemand zag de stofwolk in de verte verdwijnen, die onder de hoeven van een voortdravende ezel opdwarrelde.

De kinderjaren in Nazaret

Reeds twee of drie jaar later werd Herodes heel erg ziek en stierf. Langzamerhand was hij door zijn woede verteerd.
Nu durfden de vluchtelingen weer in hun vaderland terug te komen. Jozef en Maria gingen in Nazaret wonen en daar leefden ze onopvallend tussen hun familieleden en vrienden. Jozef deed zijn werk als timmerman. Maria deed het huishouden, en ondertussen groeide Jezus op.
Het was een kind zoals alle andere kinderen, zo leek het tenminste. Hij sprong in het rond, speelde met zijn vriendjes en maakte met hen zwerftochten in de omgeving. Hij keek naar de boeren, hoe ze zaaiden en oogstten, of naar de herders, die hun schapen lieten grazen, hen te drinken gaven en schoren. Als er een schaap verdwaald was en een herder erop uittrok om het te zoeken, ging Hij met hem mee en probeerde het te lokken door zijn geroep. Dan zochten ze totdat ze het dier gevonden hadden.
De jaren gingen voorbij, en zelfs zijn stiefvader Jozef dacht nog maar zelden aan de bijzondere dingen die bij de geboorte van de jongen waren gebeurd. Alleen zijn moeder kon die dingen niet vergeten. Ze dacht er steeds aan. Maar ze sprak er niet over.

De twaalfjarige Jezus in de tempel

Toen Jezus twaalf jaar was, namen zijn ouders Hem voor de eerste keer mee naar de tempel. Ze reisden, zoals zoveel vrome Joden, naar Jeruzalem om het paasfeest te vieren. Dat was het feest dat elk jaar weer gevierd werd ter herinnering aan de uittocht van de Joden uit Egypte.
Al lang voordat die drie Jeruzalem bereikten, wemelden de straten van mensen, wagens, paarden en kamelen. Langs de wegen stonden kooplieden, die verfrissingen aanboden en ook handelaren bij wie je offerdieren kon krijgen.
Het was een vrolijke bedrijvigheid. Maar daartussendoor liepen stil en

trots in het zwart geklede mannen rond. Ze zagen er bleek uit en droegen as op het hoofd. Zij waren het niet eens met al die vrolijkheid van het volk en gunden niemand een vriendelijke blik. Het leek wel alsof Jezus, die met zijn ouders, en ook zo nu en dan met familieleden, al pratend verder liep, deze ernstige en stijve lieden zeer nauwlettend bekeek. Maria merkte dat wel. Ze nam Hem bij de hand en fluisterde: 'Weet je niet wat voor mannen dat zijn? Dat zijn de farizeeën en schriftgeleerden. Zij waken erover, dat er niets in onze heilige boeken zal veranderen.' En een poosje later zei Maria: 'Kijk daar in de verte, daar zie je Jeruzalem liggen.'

De jongen keek naar de gebouwen van de heilige stad, die zich als vage, blauwe vlekken tegen de horizon aftekenden. Van nu af aan was Hij stil en in gedachten verdiept, en zo bleef Hij al de tijd die Hij met zijn ouders in de heilige stad doorbracht.

Toen Jozef en Maria na het feest het stadsdeel waar de tempel stond verlieten en kort daarna de stad uitgingen, was de jongen niet bij hen. Ze zochten Hem en riepen zijn naam. Een voorbijganger zei tegen hen: 'Je zoon is vast al vooruitgelopen, ik heb Hem met familieleden gezien.'

Dat stelde de ouders gerust en ze begonnen aan de terugtocht.

Wij weten wel wat er toen gebeurde: Jezus was in Jeruzalem gebleven. Zijn ouders zochten Hem vergeefs op de weg naar Nazaret en vonden Hem pas na drie dagen lang angstig te hebben gezocht. Ze vonden Hem in de tempel, met allemaal schriftgeleerden om zich heen, die Hij door zijn wijsheid verbaasd deed staan.

Wij weten niet, hoe Hij daar gekomen was en waar Hij vóór die tijd verbleef. In de bijbel staat er niets over.

Maar misschien is het wel zó gegaan:

Het was een prachtige, heldere maannacht, toen Eljakim, de broer van de hogepriester Annas, zijn huis uitkwam om nog een laatste blik te werpen op de tempel, die dichtbij oprees, en op de stad, die aan de voet van de berg lag. Ook Eljakim was een priester, een geleerd man, rijk en voornaam. Deze avond was hij moe, want hij had de hele dag dienst gedaan in de tempel. Toch ging hij nog één keer het terras van zijn huis op. In de voorhof van de tempel zag hij een kleine gestalte. Deze liep langzaam, zoals iemand die alles eens nauwkeurig wil bekijken. Steeds weer liep hij tussen de pilaren van de wandelgangen door, terwijl hij af en toe naar buiten ging, en zijn ogen liet gaan langs de donkere omtrekken van de tempel. Het was een jongen, die hier op dit late uur nog rondzwierf.

'Hé jij!' riep hij tegen hem: 'Wat doe jij hier? Weet je dan niet, dat het verboden is 's nachts op het terrein van de tempel te zwerven? Als een wachter je betrapt, zal hij je opsluiten.'

Zonder een spoor van angst en vol vertrouwen kwam de jongen naar hem toe. Hij zei: 'Goede avond, Eljakim, het is vriendelijk van u, dat u mij waarschuwt.'

'Ken je mij?' vroeg de man.

De jongen lachte: 'Natuurlijk ken ik u. Ik heb u vandaag immers in de tempel gezien.'

'En wie ben jij?' vroeg Eljakim.

'Ik heet Jezus', antwoordde de jongen, 'mijn ouders wonen in Nazaret, ze noemen me daar de timmermanszoon.'

'En waar zijn je ouders?'

'Naar huis gegaan', antwoordde Jezus. 'Maar ik wilde nog wat blijven, om het huis van mijn Vader goed te bekijken.' En terwijl Hij dit zei, keek Hij in de richting van het heilige der heiligen.

'Jij noemt de tempel "het huis van je Vader"?' vroeg de man verbaasd.

'Jazeker', zei Jezus, 'u kunt nu misschien nog niet begrijpen wat Ik bedoel

Maar', voegde Hij er langzaam aan toe, 'God is immers de Vader van ons allemaal.'

'Hij is onze Heer en strenge Rechter', antwoordde Eljakim met een rimpel in zijn voorhoofd.

'En jij lijkt mij een tamelijk brutaal ventje, timmermanszoon.' Maar toch moest hij onwillekeurig lachen. 'Wat moet ik nu met je beginnen? Je kunt hier niet blijven rondlopen. Kom maar mee naar mijn huis; als je wilt mag je ook binnen slapen.'

Zonder aarzelen volgde de jongen Eljakim. Deze gaf hem te eten en vertelde waar Hij slapen moest. Maar Jezus ging niet naar bed. Hij bleef op zijn kruk zitten en keek de man met heldere, begrijpende ogen aan. 'U bent een best mens, Eljakim', zei Hij, 'uw broer Annas is jammer genoeg niet zo goed als u. Maar het lijkt Mij, dat u zich zorgen maakt over dingen die ons helemaal niet hoeven te benauwen. Ik heb u daarstraks gezien, toen u vanaf uw terras naar de burcht van de Romeinse landvoogd keek, Ik zag dat u verdrietig en boos was.'

Eljakim was zó verbaasd, dat hij eerst helemaal niet wist wat hij moest antwoorden. Toen zei hij: 'Je hebt gelijk, jij bijzonder kind. Ik maak me zorgen over de toekomst van Israël, en als jij bedoelt, dat deze toekomst niet belangrijk is...'

'Eén ding is maar belangrijk', viel de jongen hem vlug in de rede, 'dat wij verlangen naar het rijk van God.'

Eljakim beet zich op de lippen. 'En wat bedoel je met het rijk van God?'

'De liefde van de Vader', antwoordde Jezus, 'als we daar naar verlangen, dan bezitten we die al. Al het andere komt vanzelf wel goed. God kent ieder musje op het dak, en bent u niet veel méér waard dan een musje, Eljakim? God heeft ieder haartje op uw hoofd geteld en kende iedere gedachte in uw hart, lang voordat u geboren was. Hoe zou Hij u dan ooit kunnen vergeten?'

De man zweeg even. Toen zei hij: 'Zo zal het wel zijn. Maar toch knaagt aan mij het verdriet dat ik heb over ons volk. Ik bid God, dat Hij ons eindelijk de Messias zal zenden.'

'En wat vindt u, dat de Messias moet doen?' vroeg Jezus zachtjes.

'Wat Hij moet doen?' herhaalde de man. Hij was nu helemaal vergeten, dat hij tegen een jongen sprak, en opgewonden ging hij verder: 'Hij moet ons van deze Romeinen bevrijden, de heidenen wegjagen en Israël groot maken.'

Jezus knikte. Toen zei Hij: 'Gelooft u niet, Eljakim, dat alle volken op deze aarde soortgelijke wensen koesteren? Ieder volk meent toch, dat het door vijanden omringd is of onderdrukt wordt? Elk volk wil de vreemdelingen verjagen en zelf groot en machtig zijn.'

'Dat is best mogelijk', antwoordde de man onthutst, maar toen riep hij: 'Maar wij zijn het uitverkoren volk!'

'Dat weet Ik', sprak de jongen ernstig. 'Maar staat er niet geschreven, dat God tegen Abraham sprak: "In uw nakomelingen zal het hele mensengeslacht gezegend worden"?'

'Ja, zo staat het in de heilige boeken', gaf Eljakim toe.

'Dat is waar', zei Jezus, 'maar hoe moet het hele mensengeslacht in ons gezegend worden, als de Messias, die ons beloofd is, niets anders doet dan de heidenen verjagen en een sterk rijk stichten? De aarde is groot', ging Hij langzaam verder, 'en er wonen veel volken op deze aarde. Voor alle volken zal de Messias komen.'

'Wat zeg je dáár nu toch?' vroeg de man. 'Voor alle volken?'

'Ja, voor allemaal', antwoordde het kind. 'Want God heeft alle volken geschapen en op ieder volk heeft Hij zijn hoop gevestigd.'

- 'Nee!' - 'Maar Eljakim! De liefde van de Vader is eindeloos. Ik kan u nu nog niet alles zeggen. Het is een geheim, dat u niet kent en ook niemand anders; het kan nu nog niet uitgesproken worden. Maar ik zal u een paar regels uit de heilige boeken noemen, die u vast wel vertrouwd zijn en waarschijnlijk zult u wel kunnen vermoeden wat ze betekenen. En Jezus nam de hand van Eljakim en sprak fluisterend:

'Voordat de aarde er was, was Ik er al,
voordat de bergen gegrondvest werden en de
heuvels en de zeeën -
Ik was er, voordat de morgenster opging.
Ik was er al,
Ik ben eeuwig.
Het was mijn vreugde om bij de mensen te zijn,
altijd bij de mensen.'

De volgende morgen nam priester Eljakim Jezus mee naar de tempel en stelde hem daar aan de andere priesters voor; Jezus kwam tussen al die geleerde mannen inzitten en sprak met hen. Allemaal verbaasden ze zich over de dingen die Hij zei.

Dit verhaal is natuurlijk helemaal gefantaseerd. Maar toch zou het zo ongeveer gebeurd kunnen zijn.

We luisteren nu weer naar de heilige boeken en wel naar het verhaal dat vertelt over Jezus' ontmoeting met zijn ouders in de tempel.

Jezus wordt in de tempel gevonden

Ondertussen waren Jozef en Maria op weg naar Nazaret. Men had hun immers gezegd, dat hun Zoon al met familieleden vooruitgegaan was. Dus haastten ze zich om Hem in te halen. Maar hun haast was vergeefs. Wel haalden ze steeds weer groepjes mensen uit Nazaret in, vrienden, buren en neven, maar niemand had de jongen meegenomen. Nu hadden ze zelfs de mensen al ingehaald die nog vóór het einde van het paasfeest uit Jeruzalem vertrokken waren; ook zij hadden Jezus niet gezien. Het was dus duidelijk: de jongen was in de stad achtergebleven, ergens in de vreemde stad, waar Hij de weg niet wist, zo dachten zij tenminste, en waar Hem van alles kon overkomen.

Dus keerden ze terug. Eerst hadden ze haast gemaakt om iedereen in te halen, maar nu gingen ze zo vlug als ze konden de weg terug. De riempjes van Maria's schoenen waren kapot. Maar ze wilde niet wachten totdat Jozef ze weer gemaakt had; zonder schoenen liep ze verder, verblind door tranen, radeloos van angst en verdriet. Eindelijk bereikten ze de stad en overal zochten ze: in de herberg waar ze overnacht hadden, in de voorstad Betesda, in de benedenstad Akra, bij de vijver Siloam. De nacht kwam en ging voorbij, het werd morgen en weer avond, en nog steeds hadden ze Jezus niet gevonden. Tegen de muur van een huis rustten ze wat uit en uitgeput vielen ze in slaap. Misschien sliepen ze een uurtje, toen Maria wakker schrok en in de donkere straten rond begon·te zwerven, steeds maar weer roepend: 'Jezus!' Eerst zachtjes, maar toen wat luider, totdat een nachtwaker op haar toekwam en nors zei, dat ze stil moest zijn.

De derde dag hadden de ouders alle hoop opgegeven. Met hun laatste krachten sleepten zij zich voort naar de tempel. Maar toen zij bij de voorhof van de tempel kwamen, zagen ze een groepje priesters en schriftgeleerden in een schaduwrijk hoekje zitten. Sommigen hadden papyrusrollen naast zich liggen, anderen schreven op wasleitjes. Jozef wilde al voorbijgaan, maar Maria keek nog een keer om. Ze gaf een gil en een paar seconden later hield ze haar kind huilend in de armen. Nu kwam ook Jozef dichterbij en drukte hen beiden snikkend tegen zich aan. Ook Jezus had tranen in zijn ogen.

De mannen waren gaan staan en keken ontroerd naar die drie mensen. Eén van hen, Eljakim, ging naar de ouders toe en probeerde hen kalmerend toe te spreken.

Maar Maria en Jozef begrepen niet, wat hij zei.

'Kind, o kind!' riep de moeder. 'Waarom heb je ons dit aangedaan? Je

vader en ik hebben drie dagen lang naar je lopen zoeken. We waren zo ongerust!'

De jongen nam het gezicht van zijn moeder in zijn handen en keerde het naar de tempel. Maria voelde dat Hij beefde. 'Ach lieve moeder', fluisterde Hij, 'waarom hebben jullie me gezocht? Wisten jullie niet, dat Ik hier moest zijn, in het huis van mijn Vader?'

Met z'n drieën gingen ze nu naar Nazaret terug, naar het rustige en eenvoudige leven, van een klein timmermansgezin.

Precies zoals vroeger, bewerkte Jozef stammen en balken en timmerde er dakstoelen, meelkisten, deegtroggen, krukken en alle andere dingen van, die een timmerman in die tijd maakte. Jezus hielp hem daarbij. Nu was Hij al een grote jongen en al vlug een jonge man. Hij werd steeds volwassener en wijzer en God en de mensen hielden veel van Hem. Hij was zijn ouders gehoorzaam, en niemand wist wie Hij in werkelijkheid was.

Hij was bijna dertig jaar oud toen Jozef stierf. Alle mensen in Nazaret verwachtten, dat Hij het bedrijf van zijn vader zou overnemen. Maar op een morgen merkten ze, dat het stil bleef in de werkplaats en er geen hamerklop meer te horen was. Toen ze gingen kijken, zagen ze dat de deur gesloten was.

Johannes de doper

Ondertussen was ook Johannes, de zoon van de priester Zacharias, een volwassen man geworden. Hij was niet, zoals Jezus, tot aan zijn dertigste jaar bij zijn ouders blijven wonen, maar al veel eerder had hij hen verlaten en was de woestijn ingetrokken.
Waarom de woestijn? Wat hoopte hij daar nu te vinden? En waarom hielden zijn ouders hem niet tegen, toen hij de eenzaamheid van de woestijn opzocht?
De woestijn was altijd al de streek, waar God zich het liefst aan de mens openbaarde. In het kale landschap van Betel had Jakob de ladder gezien die tot aan de hemel reikte; op het rotsachtige woestijngebergte Sinaï had Mozes de wetstafels geschreven, en in de schachten van het kale rotsgebergte had de profeet Elia de stem van de Heer gehoord.
Daarom trok ook Johannes de woestijn in, want God had hem geroepen nog voordat hij geboren was. Als jongen al had hij van zijn vader Zacharias en ook van zijn moeder Elisabet steeds maar weer gehoord, wat de engel tegen hen verteld had. 'Jij, onze zoon Johannes', hadden ze gezegd, 'zult voor de Verlosser uitgaan en de weg voor Hem bereiden. Jij, onze zoon, zult de komst mogen aankondigen van Hem op wie ons volk al zolang wacht.'
Johannes onthield deze woorden heel goed. Hoe ouder hij werd, des te vaker dacht hij aan die woorden en langzamerhand vervulde hem een blijde opwinding. Wie weet, wanneer de Verlosser geboren zou worden! Misschien kwam Hij morgen al, misschien pas over een jaar, of over tien jaar? Maar wanneer Hij zou komen, moest zijn weg gebaand zijn. Was het niet de hoogste tijd om met dit werk te gaan beginnen?
Ja, het was tijd. Ook Zacharias en Elisabet vonden dat. Dus lieten ze hun enige zoon weggaan en hielden hem niet tegen.
Maar wat was nu de opdracht die Johannes moest uitvoeren? Als er een hoge gast wordt verwacht, treft men grote voorbereidingen. Het hele

huis wordt dan schoongemaakt en versierd, de tafel gedekt, het lekkerste eten klaargemaakt, en iedereen trekt zijn beste kleren aan. En is de gast een koning of een ander machtig man, dan wordt zelfs de vlag uitgestoken, een muziekkorps marcheert voor hem uit en men legt rode tapijten neer, alsof men van de gast niet kan vergen dat hij zomaar over de kale grond zal lopen.

Nu was de gast, wiens komst Johannes moest voorbereiden, de allerhoogste gast die de aarde ooit heeft gekend, Christus, de Heiland, Gods enige Zoon. Moest nu niet het grootste feest van alle tijden worden gevierd?

Nee! Johannes wist het wel: deze gast hield niet van versierde huizen, vlaggen, slingers en trompetgeschetter. Voor Hem was het niet van belang, dat Hij de maaltijd zou gebruiken in een paleis en over purperkleurige tapijten zou lopen. Hij zou langs rotsachtige wegen zwerven en de last van de armoede dragen; Hij zou niet de groten van deze wereld opzoeken, maar de gewone mensen, de zwakken en zieken, om aan hen de 'blijde boodschap' te verkondigen.

Wat Johannes moest doen en waartoe hij, zoals de engel had gezegd, door God geroepen en uitgekozen was, had niet veel met de voorbereiding van een groot en uitbundig feest te maken. Het was juist iets, waar je niet veel van merkte. De harten van de mensen moesten op de komst van de Heiland worden voorbereid; ze moesten leren hun hoop op Hem te vestigen, op Hem te gaan vertrouwen, en niemand anders dan Johannes moest hen daartoe aansporen. Zijn hart brandde van verlangen om deze opdracht uit te voeren.

Daarom ging hij de woestijn in. Alles liet hij thuis achter: de mooie kleren, die zijn moeder Elisabet geweven en genaaid had, de dagelijkse maaltijden aan de tafel van zijn ouders, het dak boven zijn hoofd. Zonder moeite deed hij er afstand van. Het enige kledingstuk, dat hij van nu af aan droeg, was een ruige mantel, gemaakt van kameelhaar; hij at alleen maar sprinkhanen en wilde honing; en hij woonde in een grot; vaak overnachtte hij onder de blote hemel. Hij zwierf de hele woestijn door. Hij wist: de Heiland was al geboren en woonde in dit land, ergens in een of ander dorp, of ergens in een stad. Maar waar? In Judea of in Galilea, in het noorden, zuiden, oosten of westen? Nu leefde Hij nog in het verborgene, maar Johannes verlangde vurig naar Hem en bad zoals de profeten al vele honderden jaren om de Verlosser gebeden hadden: 'Hemel, laat de dauw komen; wolken, laat de gerechtigheid stromen!'

Overdag kwamen er wel mensen langs de weg, eenzame zwervers, en grote karavanen trokken moeizaam voort, de wielen van de wagens knerp-

242

ten over de losse stenen. Dan ging Johannes naar de mensen toe. Hij sprak hen aan en vroeg hun om even naar hem te willen luisteren.

'Bekeert u', zei hij, 'want de tijd zal nu spoedig komen waarop de Messias verschijnt.'

Sommigen luisterden naar hem, maar anderen wilden vlug weer verder trekken en zeiden: 'Laat ons gaan, wij moeten nog een heel eind!' Weer anderen vonden: 'Wat wilt u met uw Messias? Wij geloven in Abraham, hij is onze vader, is dat niet genoeg?'

'Nee', antwoordde Johannes, 'dat is niet meer genoeg. Er is een nieuwe tijd aangebroken. God wil een nieuw verbond met ons sluiten. En een nieuw volk zal uit de stam van Abraham voortkomen.'

'Wat bedoelt u?' antwoordde iemand. 'Abraham is toch allang gestorven, hoe kan er dan nu nog een nieuw volk uit hem voortkomen?'

Johannes riep: 'O dwazen, ziet u deze stenen? Ik zeg u, dat God uit deze stenen kinderen van Abraham kan maken, als Hij dat wil.'

Zij schudden het hoofd, lieten hem staan en trokken verder. Maar Johannes liet hen niet los en volgde hen of wendde zich naar de volgende reizigers die eraan kwamen en probeerde met hen in gesprek te komen.

Op een dag kwam hij bij een doorwaadbare plaats in de Jordaan. Hier rustten de meeste reizigers gewoonlijk uit. Ruiters en kameeldrijvers

lieten hun dieren drinken, vermoeide mensen wasten hier hun voeten, die vaak vol blaren zaten, velen wasten er zelfs hun kleren en legden die in het gras te drogen. Toen dacht Johannes: dit is een goede plaats. Hier nemen de mensen de tijd om te rusten, hier zullen ze ook de tijd nemen om naar mij te luisteren. Hij bleef daar aan de oever van de Jordaan en sprak met de mensen - en werkelijk! Ze luisterden naar hem, en hoe meer hij sprak, hoe aandachtiger ze naar zijn woorden luisterden. Velen geloofden hem en vroegen: 'Zeg ons toch, wat moeten we doen, wat wil God van ons?' Ja, wat moesten ze doen? Ze moesten geen verkeerde dingen doen en hun slechte gewoontes afleren. De ruziemakers moesten zich met hun broeders verzoenen, de rijken moesten de armen in hun overvloed laten delen, de dronkaards moesten niet meer zoveel drinken, de sterken en trotsen moesten geen geweld gebruiken. Duizenden zonden en fouten hadden hun leven verwoest.

Maar hoe zou Johannes hen van al die zonden kunnen bevrijden en hoe zou hij hun nieuwe kracht kunnen geven? Hij keek naar de rivier, die daar vloeide met schoon, helder water. Het dal waar de Jordaan doorheen stroomde, was een bloeiende tuin midden in de woestijn. Johannes dacht, toen hij naar de Jordaan keek, aan al de wetten van Mozes, waarin geschreven stond hoe vaak men zijn lichaam en zijn kleren moest wassen. En Johannes wist het: nu was het niet zozeer nodig om het lichaam en de kleren te wassen, maar het was veel noodzakelijker dat de harten van de mensen gezuiverd en vernieuwd werden. Hoe zou hij de mensen tonen, dat God ernaar verlangde hen van hun zonden te bevrijden en een nieuw leven te geven?

Toen riep Johannes: 'Kom hierheen en ga de rivier in! Ik zal u dopen.' En werkelijk, veel mensen lieten zich dopen door Johannes. Ze voelden zich opnieuw geboren, vrij van alle zonden. Ze wilden van nu af aan een beter leven gaan leiden. Toen ze weer naar huis gingen, vertelden ze aan iedereen wat er met hen gebeurd was.

Jezus laat zich dopen

Ook de farizeeën en schriftgeleerden hadden over Johannes gehoord. Ze konden het niet goed hebben, dat er een man was, die - zonder het aan hen te vragen - het volk om zich heen verzamelde, tot hen sprak en hen doopte, en dat de mensen van hem zeiden, dat hij een grote profeet was. Wat is dat voor een man, dachten ze, dat hij zich dit veroorloven kan? Ze gaven een paar levieten en priesters de opdracht om naar de Jordaan te gaan en Johannes te vragen wie hij was.

'Wie bent u?' vroegen zij hem midden vanuit de verzamelde menigte, 'bent u misschien Elia?'

Johannes schudde zijn hoofd en zei: 'Nee, Elia ben ik niet.'

'Bent u dan een profeet?' vroegen ze verder.

Hij antwoordde: 'Ik ben ook geen profeet.'

Toen vroeg één van de levieten: 'Bent u dan misschien de beloofde Messias?'

Johannes keek de spreker aan en zweeg even. Toen zei hij: 'Nee, ik ben ook Christus, de Messias, niet. Ik ben alleen maar de stem van iemand die roept in de woestijn. Na mij komt Eén die sterker is dan ik ben. Ik doop alleen maar met water, maar Hij zal u dopen met vuur en met de Heilige Geest.'

Terwijl hij sprak, keek hij over de mensenmenigte heen; ze stonden dicht bij elkaar, schouder aan schouder, van de oever van de rivier tot aan de heuvelrand. Johannes voelde plotseling dat er zich iemand onder de talloze mensen bevond, die meer was dan alle anderen en dat er een grote kracht van Hem uitging; Johannes voelde deze geheimzinnige kracht als een onzichtbare golf op zich toe komen, hij werd er helemaal van doordrongen. Een onuitsprekelijke vreugde vervulde zijn hart.

Toen strekte hij zijn armen uit en riep: 'Degene over wie ik spreek is al onder ons.'

'Onder ons?' vroegen de mensen, en ze keken om zich heen alsof ieder aan zijn buurman wilde vragen: bent ú het?

Maar niemand zei: 'Ik ben het.'

Ook Jezus zei niets. Maar Hij was er wel, als een van de velen. Hij was uit Nazaret hierheen gekomen, maar Hij viel niet op in de menigte. Nu was dat zijn bedoeling ook niet geweest. Maar Hij wist: het uur, waarop Ik Mij bekend zal maken, is nu aanstaande.

De volgende morgen al, verscheen Jezus weer bij de Jordaan, deze keer trad Hij uit de menigte naar voren en ging naar Johannes toe. Zij keken elkaar aan. Johannes wees naar Jezus en stamelde: 'Dat is Hij!' Toen riep hij zo luid als hij kon: 'Dit is het Lam van God, dat de zonden van de wereld wegneemt.'

Jezus daalde af naar de rivier, ging toen het water in en zei: 'Doop Mij, Johannes!'

Johannes huiverde en zei: 'Wát? Moet ik U dopen, ik, die niet waard ben om uw schoenriem los te maken?'

Maar Jezus zei nog eens: 'Doop mij! Het is nodig om alles in de wereld weer goed te maken.'

'Ik kan mij beter door U laten dopen', zei Johannes.

Maar Jezus hield vol, dat Johannes Hem moest dopen.

Toen daalde ook Johannes in de rivier af, schepte wat water in zijn hand en strekte zich uit om het water over het hoofd van Jezus te gieten. Op dit ogenblik ging de hemel open en de Geest van God daalde neer in de gedaante van een duif. Terwijl de mensen de adem inhielden, klonk een stem uit de hemel: 'Dit is mijn lieve Zoon, in wie Ik mijn welbehagen heb.'

Johannes goot het water over Jezus' hoofd, Jezus dankte hem daarvoor en liep door de rivier naar de overkant. De hemel sloot zich weer en ook de duif verdween.

De mensen drongen om Johannes heen en vroegen hem: 'Wat was dat voor een stem? Van wie werd er gezegd: dit is mijn lieve Zoon? Werd ú bedoeld of die ander?'

Johannes antwoordde: 'Die ander werd ermee bedoeld: Jezus van Nazaret. Van nu af aan zal Hij tot u spreken, en ik zal er verder het zwijgen toe doen.'

De verzoeking in de woestijn

Nu was het hoge woord gevallen: de almachtige God had gezegd, dat Jezus zijn eniggeboren Zoon was. Eigenlijk hadden maar weinig mensen het woord gehoord, dat vanuit de hemel had geklonken.

Maar de duivel, de gevallen engel, Lucifer, begreep wel, dat hij zijn macht verliezen zou, want Jezus, de Zoon van God, zou het kwaad overwinnen.

Jezus werd nu door de Geest van God naar de woestijn gezonden.

Daar wilde de duivel Hem op de proef stellen. De duivel wilde het werk van God, de verlossing van de mensen, dwarsbomen.

God was mens geworden. De duivel hoopte nu dat God het onderspit zou delven, want hoe zwak en hoe gemakkelijk te verleiden was de mens, die Hij was geworden! Had Eva al niet bij het eerste vleiwoordje van de slang naar de verboden vrucht gegrepen? Had Kaïn zijn broer Abel niet gedood, toen nijd en jaloezie in hem waren opgekomen? Zelfs de vrome koning David was voor een verzoeking bezweken. Dus zou Jezus, die God en mens tegelijk was, als mens ook wel tot kwaad te verleiden zijn. Zo dacht de duivel. Ja, dat hoopte hij. En hij zocht Jezus in de woestijn: Waar was Hij? Waar was Jezus?

Ja, Jezus bevond zich in de woestijn. Net als Johannes was ook Hij de woestijn ingetrokken. Hij vertoefde op een eenzame plaats en daar sprak Hij met zijn hemelse Vader. Hij at en dronk niet, al veertig dagen en Hij had vreselijke honger. Zijn kracht was uitgeput. Af en toe werd het Hem zwart voor de ogen.

Dat zag de duivel. En toen Jezus moeizaam uit zijn knielende houding opstond en probeerde te lopen, verscheen de duivel op zijn weg en zei tegen Hem: 'Gegroet, gij Zoon van God!'

Jezus keek hem mat aan. 'Ben jij het?' zei Hij. 'Dat had Ik wel kunnen vermoeden, dat jij Mij in dit uur zou opzoeken.'

Maar de duivel liet zich niet van de wijs brengen. 'Wat ziet U er zwak en ellendig uit, U heerlijke, sterke en almachtige Heer', spotte hij. 'U bent toch de Zoon van God? Eén woord van U en die stenen worden brood, U kunt toch alles!'

Brood! Ja, Jezus had honger. Maar Hij richtte zich op en zei: 'De mens leeft niet van brood alleen, hij leeft niet alleen om te eten en te drinken, al dacht je dat misschien. De mens leeft veel meer door het woord van God, door de Geest en voor de waarheid.'

De duivel schreeuwde van woede. Maar meteen beheerste hij zich weer en zei: 'Ik merk, dat U niet zo makkelijk te verleiden bent. Maar als U het mij toestaat, breng ik U nu naar Jeruzalem op de heilige berg Sion, naar de tinnen van de tempel. Daar kunnen we verder spreken.'

Jezus zweeg en onderwierp zich aan wat de duivel had voorgesteld, want Hij wist, dat Hij alleen zó de duivel kon overwinnen.

Hij stond nu op de tempelpoort, hoog boven Jeruzalem. Aan zijn voeten gaapte de afgrond. Nietig als mieren zag Hij mensen en dieren door de straten van Jeruzalem krioelen. In de tuinen daar beneden Hem bewogen de groene bomen als een groene wolk, en de rook die boven de daken opsteeg, was net een witte wapperende sluier.

De duivel zei huichelachtig: 'Laat U toch vallen! Werp U toch naar beneden! Als U de Zoon van God bent, zal U immers niets overkomen. Er staat al een leger engelen klaar om U op te vangen, dat weet U toch?'

Ja, dat wist Jezus. Maar Hij hief zijn ogen naar boven en zei: 'Je zult God, de Heer, niet naar je hand zetten.'

Toen nam de duivel Hem mee naar een erg hoge berg, naar het allerhoogste topje. Het uitzicht was oneindig ver. Alle koninkrijken van de aarde kwamen in zicht. De glanzende zee met haar eilanden, de slingerende kustranden, de bloeiende velden en de grote rivieren, en ertussenin de steden, die net blinkende parels leken, dat alles zag Jezus.

'Kijk U nu eens goed om U heen', fluisterde de duivel, 'kijk uw ogen uit naar de wereld, mijn wereld. Ik zal haar U schenken, zodat alles aan uw voeten ligt: het trotse Rome, het overmoedige Alexandrië en het liefelijke Griekenland; het heerlijke Indië, het land China, alles geef ik U in eigendom. De Romeinse keizer maak ik aan U onderdanig en alle koningen van de aarde, de blonde barbaren in het noorden, de zwarte mensen in het zuiden en zelfs het laatste en verst verwijderde volk aan het einde van de wereld, ja, dat alles sta ik aan U af. U mag erover regeren zoals U wilt en U moogt uw rijk bij hen doen doorbreken, als U voor mij knielt en mij aanbidt.'

Jezus keerde zich om en keek de duivel aan, en in zijn ogen stond iets onbeschrijfelijks te lezen: woede en verachting en verdriet. 'Ga weg van Mij', zei Hij, 'jij ellendige; God, de Heer, moeten wij aanbidden en Hem alleen moeten wij dienen.'

Toen gaf de duivel zijn pogingen op om Jezus te verleiden. En op hetzelfde ogenblik was Jezus weer in de woestijn, waar Hij gebeden en gevast had. De veertig dagen waren voorbij. De hemel ging open.

Engelen kwamen om de Zoon van God te dienen en zijn honger en dorst te stillen.

De bruiloft te Kana

Jezus ging naar de mensen terug, zoals Johannes voorspeld had en Hij begon openlijk op de straten tegen het volk te spreken. Al spoedig zocht Hij ook zijn eerste leerlingen uit. Hij wilde, dat de mensen naar Hem leerden luisteren. Zij moesten zijn woorden goed ter harte nemen. Door die woorden wilde Hij hen bekeren.

Op een dag kreeg Hij het bericht, dat Hij en zijn moeder uitgenodigd waren voor een bruiloft. De bruiloft was in Kana en de bruid en bruidegom waren kinderen van arme mensen.

Maar ook de arme mensen vieren in die oostelijke landen hun feesten graag met veel gasten en een lekkere maaltijd. Ook de wijn moest natuurlijk niet ontbreken, er werd zelfs een ceremoniemeester gehuurd, die toezicht moest houden in de keuken. Hij was de leider van het feest.

Vaak komen er meer gasten dan er uitgenodigd zijn. Dan kan het wel eens gebeuren, dat er niet genoeg te eten en te drinken is. Dat kan de gastheer in de grootste verlegenheid brengen.

Zo ging het ook bij de bruiloft te Kana. Hoewel de wijn nu niet bepaald van de beste soort was, begon hij spoedig op te raken; tenslotte was ook de laatste kruik leeg.

Maria merkte, dat de ceremoniemeester de bruidegom ging waarschuwen. Ze fluisterden tegen elkaar. De bruidegom werd vuurrood, maar hij had geen wijn meer en ook geen geld om nieuwe te kopen. De ceremoniemeester wist niet meer wat hij moest doen en ging schouderophalend weg. Maria raadde al vlug wat er was gebeurd. Ze ging naar buiten, waar Jezus zat te praten met een paar van zijn leerlingen, die met Hem meegekomen waren, ze boog zich over zijn schouder en zei zachtjes: 'De wijn is op. Kun je hem niet helpen?'

Jezus begreep wat zijn moeder bedoelde. Maar Hij aarzelde en zei: 'Vrouw, wat wil je van Mij? Mijn uur is nog niet gekomen.'

Maria drong niet verder aan, ze legde alleen haar hand op zijn schouder en streek even liefdevol met haar wang tegen de zijne. Ze ging naar de knechten toe en zei: 'Zien jullie die jongeman daar buiten? Hij is mijn Zoon. Als Hij binnenkomt en jullie een opdracht geeft, doe dan, wat Hij zegt.'

Maria ging in een hoek zitten en wachtte af.

Inderdaad duurde het maar heel even, of Jezus kwam binnen. Met zijn ogen zocht hij het bruidspaar. De bruidegom zat met een donker gezicht aan een lege tafel, want er waren al verscheidene gasten bezig de draak met hem te steken: 'Waar blijft de wijn?' De bruid stond tussen haar bruidsmeisjes in en plukte zenuwachtig aan haar sluier.

Het was duidelijk, dat het mooiste feest van haar leven zo goed als bedorven was.

Jezus wenkte de knechten en zei tegen hen: 'Vul alle kruiken die er zijn, met water!'

De knechten keken verbaasd, maar gehoorzaamden toch.

Toen zei Jezus: 'Vul nu een beker en breng die naar de leider van het feest.'

Ook dat deden ze.

De leider van het feest pakte de beker, rook eraan en proefde. 'Wijn!' riep hij verwonderd en blij. 'Heerlijke wijn! Waar hebben jullie die vandaan gehaald?'

Hij liep naar de bruidegom en zei: 'Luister eens, beste man, jij bent me ook een mooie. Jij hebt me daarnet zeker voor de gek gehouden. Je zei, dat je geen wijn meer in de kelder had en ook geen geld meer om nieuwe te kopen. En nu trakteer jij de gasten op de kostelijkste wijn die mijn tong ooit geproefd heeft.'

'Wat?' vroeg de bruidegom verbaasd. 'Ik weet van niets.'

'Grappenmaker!' herhaalde de ceremoniemeester en hij nam nóg een slok uit de beker, 'zoiets is mij, zolang als ik ceremoniemeester ben, nog nooit overkomen. Maar toch', ging hij langzaam verder, 'moet ik je wel zeggen: je hebt er niet goed aan gedaan de goede wijn nú pas te geven. Dat is toch verkeerd: kijk eens naar je gasten! De meesten zijn al zó vrolijk, dat ze niet eens meer proeven dat deze wijn veel beter is dan die ze daarnet gedronken hebben.'

Jezus had dit gesprek van terzijde gevolgd. Toen keerde Hij zich om en lachte tegen zijn moeder; zij lachte terug en knikte naar Hem. Hij wilde naar zijn leerlingen teruggaan. Maar dezen stonden al naast Hem. Ze waren erg verbaasd, want ze hadden gezien wat er gebeurd was.

Wie is die Jezus?

Jezus ging met zijn moeder naar Nazaret terug. Hij had zijn eerste wonder gedaan. Hij was bij de Jordaan niet alleen door Johannes gedoopt, maar had daar ook de hemelse stem gehoord, die Hem had aangewezen als de Zoon van God, gekomen om de mensen te verlossen.

Deze dingen werden al vlug bekend. En de mensen in Nazaret spitsten hun oren. Wat! Zou die timmermanszoon de Messias zijn? Men vertelde dat Hij wonderen deed. Zouden zij dat echt moeten geloven? Welnee! Ze hadden Jezus immers meegemaakt vanaf zijn kinderjaren. Zij kenden zijn moeder, zijn neefjes en nichtjes, zijn ooms. Ze hadden Hem toch zelf in de werkplaats van zijn vader bezig gezien.

'Heeft Hij nog niet pas die dakstoel getimmerd?' 'En voor mij die meeltrog?' 'En heeft Hij verleden zomer hem niet geholpen met het dragen van die zak koren?' 'En mij hielp Hij toen eens met het te drinken geven van de schapen!' En deze man zou nu ineens de Messias zijn? Nee, dat geloofden ze niet. Ze lachten erom en stootten elkaar aan. In hun onnozelheid konden zij het echt niet begrijpen, dat er Eén onder hen zou zijn, die meer was dan zij zelf.

Maar sommige mensen hadden een andere mening en zo ontstond er naast de groep spotters, die het niet geloven wilde, een andere groep. Dat Jezus de beloofde Heiland zou zijn, kon hun niet zoveel schelen. Maar dat Hij in Kana water in wijn veranderd had, dat vonden ze iets geweldigs en daar verbaasden ze zich over. Wat Hij in Kana gedaan had, kon Hij toch zeker ook wel in zijn eigen stad Nazaret doen, nietwaar? En ze dachten er al aan, hoe heerlijk het zou zijn als Jezus ook hier water in wijn veranderen zou, en dan in heel lekkere wijn. Die zouden ze dan naar de markt in Jeruzalem brengen en heel duur verkopen. Misschien zou Hij nog wel andere wonderen doen, bijvoorbeeld de oogst verdubbelen, of stel je voor dat Hij de opbrengst van de kudden zou verdrievoudigen; zo fantaseerden ze maar door.

Ze rekenden al uit, wat voor winst Nazaret wel zou kunnen hebben, als Jezus terugkwam en zich hier zou vestigen.

Zo dachten die mensen, en het is moeilijk te zeggen wie zich nu het meest vergisten: de ruwe spotters, of de slimme rekenaars. Ze begrepen er geen van allen iets van.

Jezus wist dit alles toen Hij met zijn moeder nog een keer naar Nazaret terugkwam. Hij voelde zich erg bedroefd. Deze stad was zijn vaderstad, maar Hij was een vreemdeling binnen haar muren, en - met uitzondering van zijn moeder - niemand zou Hem hier begrijpen.

Hij las het in de nieuwsgierige en boosaardige blikken waarmee de mensen Hem aankeken, Hij merkte het aan het fluisteren en smoezen achter zijn rug, en Hij wist heel precies, wat het onnozele gegiechel van de één en het vleierige buigen van de ander, betekenden.

's Avonds kwam de burgemeester van het stadje en nodigde Jezus uit om de volgende morgen in de synagoge van Nazaret te spreken. Maria zag het gevaar waarin haar Zoon verkeerde, en vroeg Hem, er niet naar toe te gaan en zich liever schuil te houden.

Jezus stelde haar gerust en zei: 'Ik ben in de wereld gekomen om een goed en waar getuigenis af te leggen. Velen zullen Mij niet begrijpen. Maar Ik moet tegen állemaal spreken.'

De volgende morgen ging Jezus naar de synagoge. Een synagoge is geen tempel, maar een eenvoudige plaats waar gebeden werd. Iedere joodse man ging hier vanaf zijn dertigste jaar naar toe; ieder had het recht daar in het openbaar te spreken. Meestal ging dat op de volgende manier. Degene die sprak, koos een gedeelte uit de heilige boeken, las dat voor en probeerde het dan zo goed mogelijk aan zijn toehoorders uit te leggen. Toen Jezus de synagoge binnenkwam, was deze al tot aan de laatste plaats toe bezet.

De twee groepen waren aanwezig: de spotters en de rekenaars. Ook waren er verscheidene welwillende en vrome mensen. Jezus beklom het podium. Hij liet zich een boekrol aangeven. Voordat Hij die opendeed, keek Hij om zich heen.

Daar stonden zijn neven, zijn speelkameraadjes van vroeger. Hoe vaak had Hij een ieder van hen zijn broer genoemd of was door één van hen als broer aangesproken? Daarginds stond een van de herders met wie Hij als jongen door het veld gezworven had; daar stond een boer bij wie Hij had geholpen met het planten en oogsten. Hij hield van hen allemaal, en toch moest Hij nu de spotters onder hen terechtwijzen; en de rekenaars in hun midden teleurstellen.

Hij pakte de boekrol, opende die en las een stuk voor uit de profetie van Jesaja:

'De geest van de Heer is over mij gekomen. / Hij heeft mij gezonden om aan de armen de blijde boodschap te brengen, / de zieken beter te maken, de blinden te laten zien, / de verdrukten op te richten, de gevangenen te bevrijden.'

Jezus sloot het boek en ging weer zitten. Alle ogen keken naar Hem. Hij zei: 'Het schriftwoord dat Ik zojuist heb voorgelezen, is nu in vervulling gegaan.'

Toen riep iemand uit de menigte: 'Bent U dan misschien de Messias, de Verlosser?'

Jezus antwoordde: 'Ja, dat ben Ik.'

De spotters lachten, maar de anderen riepen dat ze stil moesten zijn. Eén van de rekenaars, een van de mensen die wilden dat Jezus Nazaret groot zou maken, riep: 'Trekt U zich het maar niet aan. U hebt goed gesproken. Blijf bij ons en doe hier uw wonderen. Dan hebben wij het genadejaar van de Heer.'

Jezus antwoordde - en Hij keerde zich eerst naar de spotters. 'Ik weet het', zei Hij, 'u kent Mij alleen als de timmermanszoon en als één van u allen. Daarom gelooft u Mij niet. Welke profeet wordt in zijn eigen vaderstad aanvaard? Misschien zult u het nog eens gaan begrijpen. Dan zoudt u zich wel eens kunnen schamen dat u met Mij gespot hebt.'

Daarna keerde Hij zich tot de anderen en zei: 'En u wilt dat Ik hier zal blijven om wonderen te doen en zo Nazaret rijk en groot te maken, niet-waar? Uw bijval is niet veel beter dan het spotten van de anderen. Denk maar eens aan het verhaal dat in het boek Koningen staat: In de tijd van de profeet Elia was er een grote droogte en daardoor heerste er hongersnood in het land Israël. Toen zond God zijn profeet naar een weduwe, die hem in haar huis liet wonen, hoewel zijzelf en haar zoon bijna van de honger stierven. En vanaf die tijd was er genoeg eten voor haar en haar zoon en Elia. Maar wie wás die weduwe? Was ze een Israëlitische vrouw? Nee, zij was de vrouw van een vreemd volk.'

Jezus herinnerde hen aan nog een ander verhaal, dat óók in het boek Koningen staat. 'Dit verhaal', vervolgde Hij, 'zult u ook wel kennen: de profeet Elisa genas Naäman van zijn melaatsheid. Hoewel er veel melaatsen in het land waren, werd alleen Naäman maar genezen, en hij was geen familielid van de profeet of een goede vriend, maar een vreemdeling uit het land Syrië.

Dit vertel ik u opdat u goed zult begrijpen dat Ik niet naar Nazaret ben gekomen om hier bij u wonderen te doen, omdat u Nazareners mijn bekenden, vrienden en buren bent. Ik ben gekomen voor alle mensen die zich bekeren willen. Ik behoor niet de een of andere groep toe, maar met de gehele wereld wil Ik te maken hebben.'

De mensen die van Jezus beter hoopten te worden, waren woedend; plotseling begonnen ze allemaal te schreeuwen, zowel de spotters als de rekenaars. Zij wilden Jezus grijpen en de synagoge uitjagen, een slechte en moordlustige man wilde Hem zelfs van de stadsmuur afgooien. Maar Jezus hief zijn hand op en zij weken terug; ze lieten Hem tussen hen doorgaan en niemand had de moed om Hem aan te raken.

Zo verliet Hij Nazaret en vertrok naar het meer van Gennesaret.

De bergrede

Het landschap van Galilea rondom het meer van Gennesaret is erg lieflijk. In die tijd was het één grote bloeiende tuin. Er waren bosrijke bergen en heuvels waartegen de wijnstokken groeiden. Het meer lag daar tussen fleurige dorpen en mooie steden als een grote glanzende spiegel. Op het meer zag je de bonte zeilen van de schepen. Ze stonden bol in de wind. Langzaam voeren de zware roeiboten van de vissers van de ene baai naar de andere. Jezus hield van dit landschap en verbleef er graag. De mensen waren opgewekter en meer ontvankelijk dan in het berg- en heuvelland eromheen.

Op een dag beklom Jezus met zijn leerlingen een berg. De Galileeërs zagen Hem de berg opgaan, ze lieten hun werk in de steek en volgden Hem. De boeren kwamen van hun akkers, de druivenplukkers kwamen van de wijnbergen af, zelfs de vissers, die bij het meer bezig waren, gingen vlug achter Hem aan. Allemaal wilden ze Hem horen. Ook vrouwen en kinderen kwamen erbij. Nauwelijks had Jezus de top van de berg bereikt of er waren al vele honderden mensen om Hem heen, en toen Hij ging zitten, zetten ook zij zich in het gras neer. Toen wachtten ze, wat Hij hun te zeggen had. Jezus spreidde zijn armen uit en zei:

'Zalig zijn de armen van geest, want aan hen behoort het hemelrijk.
Zalig zijn die treuren, want zij zullen getroost worden.
Zalig zijn de zachtmoedigen, want zij zullen de aarde bezitten.
Zalig zijn die hongeren en dorsten naar de gerechtigheid, want zij zullen verzadigd worden.
Zalig zijn de barmhartigen, want zij zullen barmhartigheid ondervinden.
Zalig zijn de zuiveren van hart; zij zullen God zien.
Zalig zijn die vrede brengen, want zij zullen kinderen van God worden genoemd.
Zalig zijn die vervolgd worden om de gerechtigheid, want aan hen behoort het hemelrijk!'

Toen Jezus dit gezegd had, liet Hij zijn armen zakken en zweeg even. De mensen hielden de adem in. Niemand ging verzitten, of fluisterde zelfs maar een woord. Zo verwonderd en zo gelukkig waren ze! Zo had nog nooit iemand tot hen gesproken. Heel langzaam kwamen ze weer tot zichzelf. Ze hadden niet alles begrepen, en als op dat ogenblik iemand aan hen gevraagd zou hebben, wat dit nieuwe, dat nog nooit iemand gehoord had eigenlijk precies betekende hadden ze het nauwelijks kunnen zeggen. Maar ze waren zó blij en gelukkig, dat ze van puur geluk elkaar het liefst om de hals zouden zijn gevallen.
Er liep een kind naar Jezus toe, een kleine kleuter met bolle wangetjes. Hij legde zijn handen op de knie van Jezus en zei: 'O lieve man, vertelt U nog meer!'
Iedereen ontspande zich, allen lachten luid en sloegen elkaar op de schouders; bij velen stonden de tranen in de ogen.
Jezus glimlachte, legde zijn hand op de krullekop van het jongetje en zei: 'Gezegend ben jij, kleintje!' Toen kwamen er nog meer kinderen naar Hem toe, zij leunden tegen zijn knie en wilden óók door Hem gezegend worden.
Tenslotte stonden er zóveel, dat een leerling van Jezus zich ermee bemoeide en ze naar hun ouders wilde terugsturen, omdat hij dacht, dat ze Jezus tot last waren. Maar Jezus zei: 'Laat de kinderen bij Mij komen, want het hemelrijk is van hen.'

Na een poosje ging Hij verder met het spreken tot de menigte: 'Geloof niet, vrienden, dat Ik gekomen ben om de wet van Mozes op te heffen. Nee, ik ben gekomen om de wet te vervullen. Begrijp me goed! Het geloof van uw vaders en voorvaders was goed, maar het was niet volkomen. Zij leerden u, dat God sterk en rechtvaardig is en dat Hij de wereld geschapen heeft, opdat de mensen in de wereld God zouden kennen en Hem zouden aanbidden. Ik leer u, dat God liefde is en dat Hij de wereld schiep om haar lief te hebben en door die wereld bemind te worden.

Daarom zeggen uw vaders: 'U zult niet doodslaan, en wie doodt, zal zelf gedood worden. Maar Ik zeg u: Wie alleen maar boos is op zijn broer, doet verkeerd en zal strafbaar zijn. Wie tot zijn naaste zegt: Gij dwaas! of: Gij goddeloze!, die beledigt de Vader in de hemel en is ook strafbaar. Als u uw gave naar het altaar brengt terwijl u uw broeder niet kunt vergeven wat hij u misdeed, brengt u geen goede gave. Dan is het beter die gave te laten liggen en terug te gaan, om het eerst met uw broer goed te maken. Want hoe zult u vergeving ontvangen als u zelf niet vergeven wilt?

Zoek het goede voor de mensen die u haten. En als iemand u op de ene wang slaat, sla dan niet terug, maar keer ook uw andere wang naar hem toe.

Is er ruzie ontstaan, neem dan uw tegenstander even apart en vraag hem onder vier ogen: 'Waarom doet u mij dit onrecht aan, vriend?' Zo kunt u weer vrede sluiten tussen hem en uzelf.

Wanneer iemand u om een half brood vraagt, geef hem dan een heel, en wanneer iemand vraagt: breng mij een eind weg, ga dan veel verder mee dan hij verwacht had.

Als u iets goeds doet, mijn kinderen, doe het dan zo, dat niemand het ziet. Doe het niet om er lof voor te krijgen. Schep er niet over op! Want uw rechterhand mag niet weten wat uw linkerhand doet.

Als u bidt, doe dat dan niet zoals de huichelaars, die op de hoeken van de straat gaan staan en daarmee willen laten zien hoe vroom ze wel zijn. Maar ga in uw eigen kamer, sluit de deur achter u en bid onopvallend tot uw Vader, die in de hemel is. Hij zal u verhoren, want Hij weet wat u nodig hebt. Kijk maar naar de vogels in de lucht. Ze zaaien niet, ze oogsten niet en toch vinden ze genoeg om te eten. De Vader in de hemel zorgt voor hen! En kijk eens naar de lelies, die op het veld groeien. Ze spinnen niet, ze weven niet en toch dragen ze een mooier kleed dan Salomo in al zijn pracht en rijkdom. Zo zorgt de Vader voor ons allemaal. Niemand die tot Hem bidt, laat Hij in de steek. En als u twee- of drie keer bidden moet, houd dan toch niet op. Want wie klopt, zal opengedaan worden.

Maar wanneer u bidt, mijn kinderen, bidt dan zo': Jezus ging staan en ook het volk ging staan. En Jezus sprak:

> 'Onze Vader in de hemel,
> uw naam worde geheiligd,
> uw rijk kome,
> uw wil geschiede op aarde
> zoals die ook in de hemel geschiedt.
> Geef ons heden ons dagelijks brood.
> En vergeef ons onze schulden,
> zoals wij ook onze schuldenaars vergeven.
> En breng ons niet in verzoeking,
> maar verlos ons van de boze.
> Want het rijk, de kracht en de heerlijkheid
> zijn van U tot in eeuwigheid.'

'Amen!' zei één van de leerlingen zachtjes. 'Amen!' herhaalden de anderen.

'Amen, amen', klonk het uit de mond van het gehele volk, als een echo die rondom de top van de berg opklonk; zelfs de bomen schenen te buigen en het leek alsof hun bladeren en takken het 'amen' meefluisterden.

De melaatse man

Nu stuurde Jezus het volk naar huis terug, naar hun dorpen, naar het dagelijks leven en hun werk. En iedereen moest de blijde boodschap verder vertellen. Dat droeg Hij hun op.

Ook zijn leerlingen zond Hij voor zich uit naar het meer. Diep in gedachten verzonken, ging Hij alleen terug.

Toen Hij tussen de muren van de wijnbergen doorliep, hoorde Hij een zacht klapperen; dat was het geluid van de ratel van een melaatse. Alle melaatsen moesten, waar ze ook naar toe gingen, een houten ratel bij zich hebben, zodat men hen al in de verte kon horen. Waar zo'n ratel klonk, gingen de mensen er vlug vandoor, want men was bang voor die erge ziekte, de melaatsheid, bijna net zo bang voor als de pest, omdat het allebei besmettelijke ziekten waren.

Niemand kon genezen worden van deze ziekte, de kleinste verbetering gold al als een wonder.

Wie maar even dacht dat hij deze ziekte had, was verplicht om naar een priester of leviet te gaan en zich te laten onderzoeken. Priesters en levieten waren in die tijd ook heelmeesters en dokters. Ze konden beoordelen of de mensen die bij hen kwamen, werkelijk aan de ziekte leden.

Was het een of andere onschuldige ziekte, dan gaf de priester een geneesmiddel en kon de zieke naar zijn huis en familie teruggaan. Maar was de ongelukkige werkelijk melaats, dan was zijn lot erg hard. Hij werd dan een 'onreine' genoemd, hij moest direct zijn dorp, zijn stad en zijn familie verlaten en zich bij de andere 'onreinen' in de eenzaamheid terugtrekken. Daar woonden ze allemaal bij elkaar in armzalige hutten, ver van de bewoonde wereld, gevreesd en zelfs gehaat.

Ze mochten uit geen enkele bron meer drinken, die ook door gezonde mensen werd gebruikt. Ze mochten niets meer aanraken dat aan een gezonde toebehoorde. Wel werd hun af en toe voedsel gebracht, maar meestal was dit afval en werd dit hun zomaar over de omheining toegeworpen.

Als een melaatse tenslotte stierf, werd hij door de andere melaatsen begraven, wat betekende dat hij als een dier op het open veld in de grond werd gestopt.

Zo'n ziek en ellendig mens volgde nu Jezus aan de andere kant van de muur van de wijnberg. Hij liep langs de wijnranken, zijn ratel klepperde, maar hij durfde zich niet te laten zien.

Voor een poort in de muur bleef Jezus staan en wachtte. Nu verstomde ook de ratel en het bleef een poosje stil. Eindelijk klonk er een klagelijke stem: 'Meester! Meester!'

Jezus zei: 'Ik luister.'

Nu ging de stem verder: 'Wees niet bang, ik kom niet dichterbij. Maar als U het wilt, zal ik beter worden.'

Jezus ging door de poort naar de melaatse toe. De zieke schreeuwde en wilde vluchten, maar Jezus raakte hem aan en zei: 'Ja, Ik wil het: word beter!'

Op dat moment veranderde het gezicht van de melaatse man. De zweren genazen, de witte korst viel op de grond, de huid werd weer glad en bruin. Niet alleen zijn gezicht veranderde, ook zijn armen, benen, ja zijn hele lichaam. De man slaakte een kreet. Hij staarde eerst naar zijn handen, die er opeens niet meer uitgeteerd, maar weer gezond uitzagen.

Toen stroopte hij zijn mouwen op, keek naar zijn voeten, trok het hemd

262

van zijn borst af en tastte over zijn wangen en zijn lippen. 'Ik ben genezen!' riep hij. 'Ik ben genezen!' Hij liet zich op de grond vallen en probeerde Jezus' voeten te kussen.

Ook Jezus was ontroerd. 'Luister', zei Hij na een poosje, langzaam en met bijna bevende stem: 'Ga nu naar je geboortestad Kafarnaüm, laat je aan de priesters zien en breng dan een dankoffer, zoals Mozes dat heeft voorgeschreven. Dat zal een bewijs voor hen zijn.'

De legeroverste van Kafarnaüm

In die tijd woonde er een Romein in Kafarnaüm, een heiden; hij was legeroverste en kwam uit een ander deel van het rijk, uit het noorden van Italië, waar de Alpen overgaan in dalen en waar de mooie meren liggen. Deze man had zijn geboortegrond al een lange tijd niet gezien.

Als jongeman had hij zijn vaderland verlaten om als soldaat te gaan dienen. Zo was hij overal geweest waar de Romeinse legers de grenzen van het rijk bewaakten: aan de Rijn en in de bossen van Gallië, in Thracië aan de Zwarte Zee en in het hete Libië aan de noordkust van Afrika. Hij zwierf al vele jaren, hij maakte veldtochten, en bracht zijn tijd door in soldatenkampen en in havensteden; steeds was hij onder vreemden. Maar één man was al die jaren met hem meegetrokken, een knecht, die al in het huis van zijn ouders gediend had en met hem meegegaan was toen hij als jongeman dat huis achter zich had gelaten.

Deze trouwe knecht lag nu doodziek op bed.

De legeroverste had direct een dokter gehaald; die kon hem niet helpen, ook een tweede en derde dokter wisten niet wat ze moesten doen. Toen werd de legeroverste erg verdrietig, want hij hield veel van zijn knecht. Hij was de enige die hem echt kende en met wie hij openhartig over zijn bewogen leven kon praten. Al vaak had de legeroverste aan deze trouwe vriend de vrijheid terug willen geven. Maar daarvoor leek het nu te laat. Iemand raadde hem aan de Griekse god van de geneeskunst, Asklepios, een offer te brengen, misschien kon die helpen? Maar de legeroverste schudde verdrietig zijn hoofd. Hij geloofde niet meer in goden, hij had er maar al te vaak kennis mee gemaakt: Aan de Rijn hadden de Germaanse stammen hun god Wodan in eikenbossen offers gebracht, terwijl zij half rauw paardevlees aten; hij was in Rome geweest toen Jupiterj met prachtige feesten geëerd werd - daarna werden in het Circus Maximus weerloze mensen door tijgers verscheurd; hij had ook van de Griekse goden gehoord: de flinke Hermes, de vriend van de dieven, de lichtzinnige Aphrodite, en het orakel van Delphi. Nee, hij had genoeg van al die goden, en, ofschoon hij zich schaamde om het toe te geven: alleen dit Jodenvolk, in die kleine provincie aan de rand van het rijk, leek een God te aanbidden die anders en eerbiedwaardiger was dan al die talloze, zogenaamde hemelse wezens, wier marmeren beelden wel de ogen verblindden, maar het hart niet raakten.

Ondertussen had de legeroverste er nog nauwelijks aan gedacht, zich in het openbaar tot de God van de Joden te bekeren; nu pas, nu de enige mens die hem dierbaar was, op sterven lag, dacht hij hieraan.

Maar nog steeds was hij niet tot een besluit gekomen. Verstrooid en lusteloos deed hij zijn werk. Als hij vrij had, jzat hij aan het ziekbed van zijn knecht of ijsbeerde doelloos door zijn huis.

Op een dag hoorde hij groot rumoer op straat. Hij liep naar buiten om de rust te herstellen. Hij zag een boel mensen om een jonge Galileeër heen staan, die zijn benen en zijn armen en zowaar ook zijn borst liet zien en daarbij steeds maar weer riep: 'Kijk toch, kijk toch eens! Ik ben echt genezen!'

De legeroverste vroeg aan de eerste de beste voorbijganger, wat dat alles te betekenen had; deze riep nog helemaal buiten adem van opwinding: 'Mijn broer was melaats, de Meester heeft hem beter gemaakt!'

'Wat?' vroeg de legeroverste. 'Wie is het die melaatsheid kan genezen?'

'De Nazarener', antwoordde de ander. 'Iedereen zegt, dat Hij vandaag naar Kafarnaüm komt.'

'Sta stil!' riep de overste, toen de menigte zich wilde verspreiden, 'kom hier naar toe.'

Hij trok de genezen man mee zijn huis binnen; zijn ouders, broers en zussen en beste vrienden beval hij binnen te komen. Daar ondervroeg hij hen: 'Is hij werkelijk melaats geweest?' Pas toen ze dit allemaal bevestigden en zeiden: 'Ja, hij was melaats, zelfs heel erg, hij was al bijna weggeteerd door de zweren en zou spoedig gestorven zijn', begon hij hen te geloven. Daarna vroeg hij: 'En met welke middelen heeft die Nazarener je genezen?'

De jonge Galilese man riep: 'Middelen? Hij had geen geneesmiddelen. Hij legde zijn hand op mijn hoofd. Dat was alles.'

De overste dacht even na. Toen zei hij: 'Het is goed. Jullie kunnen nu wel gaan.'

Toen ze allemaal weg waren, ging hij naar zijn knecht toe. Zachtjes ging hij de kamer binnen en boog zich over de zieke heen. 'Luister eens', zei hij, 'ik geloof, dat ik hulp voor je kan halen.'

De knecht sloeg zijn ogen op; hij kon zijn ledematen al niet meer bewegen, af en toe stootte hij een paar onduidelijke woorden uit. Eindelijk mompelde hij: 'Heer, ik droomde dat er een God op weg is naar mij toe.'

De overste huiverde, want hij begreep dat zijn knecht een droom had gehad die best eens uit kon komen, dus verloor hij geen tijd meer en ging op zoek naar Jezus. Hij vond Hem voor de poort van Kafarnaüm, waar Hij door een menigte mensen werd opgehouden; Hij sprak tot hen en gaf onderricht. Toen de overste eraan kwam, zweeg Jezus en keek hem aan. De overste kwam naar voren met zijn felle roodpurperen mantel; zijn helm blonk in de zon. De Galileeërs mopperden: 'Wat wil deze heiden hier tussen ons?', want zij haatten de Romeinen en vooral de Romeinse soldaten.

Nu stond de legeroverste voor Jezus en zei: 'Heer, mijn knecht ligt verlamd op bed en lijdt veel pijn.'

'En Ik moet hem genezen?' antwoordde Jezus. De overste knikte.

'Heb nog even geduld, dan ga ik met je mee.'

De overste boog zijn hoofd. Opeens dacht hij aan al zijn grote zonden, die hij in de loop van zijn lange leven gedaan had. Van de meeste dingen die hij gedaan had, wist hij niet eens dat ze verkeerd waren geweest. Hij moest ze doen uit hoofde van zijn beroep. Vaak deed hij iets zonder erbij na te denken. Maar plotseling trok hij zich dit erg aan: in Gallië had hij mensen gedood en laten doden; in Libië jacht gemaakt op slaven, in Thracië verscheidene dorpen laten platbranden en het koren laten vertrappen door zijn ruiters. Zo ging het nu eenmaal in de oorlog, dat was dagelijks werk voor mensen zoals hij. Maar nu hij de ogen van Jezus op zich gericht wist, voelde hij zich plotseling arm en ellendig in zijn purperen mantel en met zijn stalen helm.

Zonder verder na te denken, viel hij op zijn knieën en zei: 'Ik ben niet waard, Heer, dat U in mijn huis komt. Eén enkel woord van U zou genoeg zijn om mijn knecht weer gezond te maken. Want ziet U, Heer', ging hij verder, nadat hij opgestaan was, 'ik ben een soldaat, ik moet bevelen opvolgen van mijn meerderen en bevelen geven aan mijn minderen. Als ik tot een van mijn minderen zeg: "Ga daar naar toe", dan gaat hij; als ik zeg: "Kom hier", dan komt hij! En als ik zeg: "Doe dat", doet hij het. Zo kunt ook U bevelen uitdelen en alles zal gebeuren zoals U het zegt.'

Jezus keek de overste liefdevol aan, want Hij zag dat de overste een ruw en moeilijk leven had geleid. Maar nu viel die ruwheid weg en kwam de ware mens te voorschijn. Jezus zag zijn geloof.

Jezus zei: 'Ga heen! Wat je geloofd hebt, zal gebeuren!'

'Mijn knecht wordt werkelijk gezond?' juichte de Romein.

'Hij is al gezond', antwoordde de Heer.

Toen liep hij zo vlug als hij kon naar Kafarnaüm terug. Zijn purperen mantel wapperde achter hem aan en de pluim op zijn helm waaide heen en weer.

De Galileeërs keken hem verwonderd na en enkelen van hen vroegen aan een leerling: 'Wat is dát nu? Heeft de Meester ook deze heidense knecht genezen?'

'Dat heb Ik inderdaad gedaan', zei de Meester voordat de leerling kon antwoorden. 'Waarlijk, Ik zeg u: er zullen veel mensen zijn in het oosten en westen die naar mijn woorden luisteren en in de toekomst bij

Abraham, Isaäk en Jakob in de hemel zullen zijn. En veel zoons van het uitverkoren volk van God, zullen uitgestoten worden in de duisternis.' Daarna ging Jezus naar het huis van Petrus en zag dat diens schoonmoeder ziek op bed lag. Ze had hoge koorts. Jezus pakte haar hand en op hetzelfde ogenblik was de koorts verdwenen en voelde de vrouw zich weer helemaal beter. Iedereen was natuurlijk erg blij en ze vertelden het aan iedereen die het maar horen wilde.

Vele mensen brachten toen 's avonds hún zieke familieleden naar Jezus en Hij genas hen allen.

De wonderbare visvangst

Het volk liep achter Jezus aan, overal waar Hij kwam. De mensen wilden horen wat Hij te vertellen had, maar vooral wilden ze wonderen zien.

De genezing van de melaatse man, de genezing van de knecht van de vreemde legeroverste, de verandering van water in wijn, dat waren dingen die het volk fijn en mooi vond, en de mensen hoopten nog meer van zulke verbazingwekkende dingen te zien. Nieuwsgierigheid en kijklust maakten dat ze achter de Meester aanliepen, en al waren veel mensen diep onder de indruk van de woorden van Jezus, de meesten waren toch nog lang niet zo ver, dat ze échte leerlingen van Hem genoemd konden worden. Daarvoor was veel méér nodig dan alleen maar naar Hem te luisteren en zich te verbazen over zijn wonderen.

Zo gebeurde het ook niet onmiddellijk, dat Hij de twaalf mannen vond die wij als de twaalf apostelen kennen. Van de eerste twee die Hij uitkoos en die met Hem meegingen, heette er één Andreas.

Hij had Jezus bij de Jordaan gezien en daar gehoord dat Johannes de doper Hem het Lam van God en de Messias had genoemd; vol blijdschap en opwinding had Andreas de volgende dag al zijn broer Simon mee-genomen. 'Kom mee! Ik heb de Messias gevonden. Zie je, daar is Hij!'

Aarzelend volgde Simon zijn jongere broer.

Toen echter gebeurde er iets bijzonders, iets dat ze nooit meer vergaten.

Jezus zag de beide broers op zich afkomen; meteen keek Hij de oudste van de twee in de ogen, alsof Hij hem al lang kende. 'Jij bent Simon', zei Hij, 'de zoon van Johannes. Van nu af aan zul je Kefas heten.'

Waarom Kefas? Dat betekent: rots. In het Latijn is dat: Petrus.

Simon schudde verwonderd zijn hoofd. Hoe kwam die Nazarener erbij om hem een nieuwe naam te geven, en dan nog wel zo'n merkwaardige, vreemde naam?

Simon was een eenvoudige visser, die in Kafarnaüm een huis had. Hij viste altijd op het meer van Gennesaret. Hij had een vrouw, een schoon-moeder en misschien ook wel kinderen. Hij was niet zo jong meer, zijn haar begon al een beetje grijs te worden, zijn handen waren ruw en zaten vol eelt, zijn kleren roken naar vis. Hoe kon hij vermoeden wat Jezus met hem voor had, toen Hij hem zopas Kefas noemde, Petrus, rots?

Een rots! Ach, een rots was hij niet! Eerder het tegenovergestelde. Simon kende zijn fouten, zijn vrouw wees hem daar vaak genoeg op. Hij was teerhartig, vond ze. Maar ineens kon hij vreselijk opvliegend zijn, daarna weer vreesachtig. En nu moest hij plotseling Petrus, 'rots', genoemd worden?

Zo verliep die eerste ontmoeting bij de Jordaan. Het was eigenlijk een vluchtige ontmoeting, zonder dat er zichtbare gevolgen waren. Jezus ging de woestijn in, om daar met de duivel, de heerser van de wereld, af te rekenen en hem te overwinnen. Simon Petrus keerde naar zijn huis en zijn boot terug. Weliswaar dacht hij vaak aan Jezus en aan de naam die hij gekregen had. Maar hij ging gewoon door met vissen op het meer, gooide zijn netten uit en plaatste zijn fuiken alsof er niets gebeurd was; zelfs als Jezus in de buurt kwam en tegen de mensen sprak die naar Hem toegingen, bleef hij rustig thuis.

Op een morgen stond hij samen met zijn broer Andreas in het ondiepe water langs de oever van het meer zijn netten schoon te maken. Dat was zwaar werk! Iedere keer als hij gevist had, zat er een heleboel vuil en slik in de netten. Toen ze daar zo stonden te werken, viel er een schaduw vanaf de oever op hen, en toen ze opkeken, herkenden ze Jezus.

'Bent u het, Heer?' vroegen ze.

'Ik ben het', zei Jezus. 'Wat doen jullie hier?'

'Wij maken onze netten schoon, zoals U ziet.'

'Pak ze op, schoon of niet', zei Jezus, 'ga in je boot en werp ze uit.'

Andreas waadde meteen naar het strand. Maar Petrus bleef in het water staan en zei tegen Jezus: 'Ach Heer, dat zou immers vergeefse moeite zijn. Wij zijn al de hele nacht buiten geweest en hebben hard gewerkt, maar we hebben niets gevangen. Wat moeten we dan op klaarlichte dag beginnen? We hebben geen schijn van kans.'

Jezus zweeg.

Simon Petrus wachtte even. Maar opeens merkte hij, dat het onmogelijk was Jezus niet te gehoorzamen. Ook hij waadde nu naar de kant en trok het net achter zich aan.

'Omdat u het bent, Heer', zei hij bijna nors, 'zal ik het doen, hoewel wij vannacht niets gevangen hebben.'

Hij ging met Andreas naar hun boot toe, ze legden de spullen erin en voeren weg.

Jezus keek hen een poosje na. Toen liep Hij verder. Weer kwam Hij bij het huis van een visser, hier woonde een zekere Zebedeüs. Zijn zoons, twee jongemannen, Johannes en Jakobus, zaten op de stenen aan de kant van het meer hun netten te herstellen. Jezus ging naar hen toe en sprak hen aan.

Eerst praatten ze over koetjes en kalfjes. Tenslotte bood Jakobus aan om een maaltijd voor de vreemde Man klaar te maken. Jezus was nu met Johannes alleen. Nog steeds had Jezus zijn naam niet genoemd.

Toen vroeg Johannes, die niet wist met wie hij te doen had, wie Hij was.

Nu zei de Heer tot hem: 'Je vraagt, Johannes, wie Ik ben. Je had geen betere vraag kunnen stellen.

Op deze diepzinnige en heerlijke vraag moet Ik een diepzinnig en heerlijk antwoord geven. Ik ken je al, sinds je geboren bent. Mijn ogen hebben je niet gezien, maar de ogen van God, die alles ziet. Niet mijn stem heeft je geroepen, maar die van mijn Vader in de hemel.

In het begin was het Woord en het Woord was bij God en het Woord wás God. Alles is door het Woord geworden en zonder het Woord is niets geworden van wat geworden is. De mens is in de wereld geboren, maar dat is niet genoeg. Hij is daar uit zijn moeder en door de wil van het vlees geboren en is een onmondig kind. Maar hij moet nóg een keer geboren worden: uit de geest en uit de waarheid, dan pas zal hij mondig zijn en erfgenaam worden.

Je kent de naam van Johannes, die bij de Jordaan doopte. Hij is voor Mij uitgegaan en heeft de weg bereid.'

Toen riep de jongeman: 'Dus U bent Jezus, de Meester?'

Jezus antwoordde hem: 'Ja, die ben Ik. Die Johannes was groot voordat Ik kwam, Ik ken geen groter man dan hij. Jij draagt zijn naam. Volg mij!'

Toen Jezus verder trok, gingen ze allebei met Hem mee, Johannes en zijn broer Jakobus.

Jezus ging naar het huis van Petrus terug. Zijn boot naderde juist weer de oever. Ze lag diep in het water. Het kostte de mannen moeite om hem vooruit te krijgen. Er volgde nog een tweede boot. Ook deze voerde kennelijk een zwaarwegende last mee.

Toen Simon Petrus wilde aanleggen, herkende hij de Heer, sprong aan land, viel voor Hem neer en riep: 'Ga weg van mij, ik ben een zondig mens.'

Jezus glimlachte en vroeg: 'Wat is er gebeurd?'

'Het net is vol', riep Petrus en maakte een wijds gebaar, 'alletwee de netten en beide boten zijn berstensvol; de netten waren bijna gescheurd en de boten bijna gezonken, zóveel hebben wij gevangen. Nog nooit is er zóveel in dit meer naar boven gehaald!'

'Wel, Petrus', vroeg de Heer, 'ben je nu nog steeds bang? Tot nu toe heb je vissen gevangen. Maar van nu af aan zul je mensen vangen.'

'Wat bedoelt U?' stamelde Petrus.

De jonge Johannes ging naast hem staan en legde zijn hand op zijn schouder. 'Begrijp je het dan niet?' zei hij zachtjes. 'De hele wereld is als dit meer, vol onzichtbare rijkdommen. Iedere mensenziel is een vis, die uit de donkere diepte gehaald en aan het licht gebracht moet worden. De Meester is gekomen om dit werk te doen en wij mogen Hem helpen.'

Johannes de doper
wordt in de gevangenis gezet

In die tijd preekte Johannes niet meer bij de Jordaan, maar in een andere streek, te Enon bij Salem. Hij doopte nog steeds en nog altijd verzamelde hij mensen om zich heen. Vroeger waren er dagelijks wel honderden naar hem toegekomen, maar nu was dat nog maar een klein groepje, en ook dit werd steeds kleiner. Drie of vier mannen bleven Johannes trouw en waren altijd bij hem.

Op een dag zei een van hen: 'Ik weet nu, Johannes, waarom u geen toehoorders meer hebt. Aan het meer van Gennesaret preekt Jezus, die u aangewezen hebt als het Lam van God. Achter Hém loopt het volk nu aan en zijn leerlingen dopen zelfs. U moest dat aan hen verbieden, want vroeger was u de enige die doopte. Johannes antwoordde: 'Ach beste vriend, wat praat je toch? Heb ik het je niet zelf honderd keer gezegd: ik ben de Messias niet. Ik ben alleen maar gekomen om de wereld op Hem voor te bereiden en zijn weg te effenen. Moet ik er dan over klagen dat Hij nu die weg, die ik begaanbaar gemaakt heb, werkelijk bewandelt? Ik ben Hem voorgegaan. Hij heeft mij ingehaald. Nu verdwijn ik naar de achtergrond en kijk Hem na. Daar ben ik erg gelukkig om.'

De goede man schudde het hoofd. Hij begreep Johannes niet. Hoe kon deze nu gelukkig zijn dat hij door zijn aanhangers in de steek werd gelaten? Johannes ging verder: 'Kijk eens, beste vriend, hoe gaat dat op een bruiloft? De man die de vriend is van de bruidegom, komt als eerste naar het huis van de bruid. Als het feest begonnen is, legt hij de hand van de bruid in die van de bruidegom en daarna houdt hij zich afzijdig en viert het feest van de bruidegom mee op een afstand. Zo is dat ook met Jezus en mij. Ik ben de vriend van de bruidegom en Hij is de bruidegom. Ik heb Hem aangekondigd. Hij moet groter worden, maar ik kleiner. Hij is door God gezonden en spreekt Gods eigen woorden. Hij is Gods Zoon en wie in Hem gelooft, zal eeuwig leven.'

Maar de laatste leerlingen van Johannes begrepen hem niet. De woorden van hun meester hadden hen ontmoedigd. En dat zou nog erger worden.

In die tijd hadden de Romeinen het kleine land Israël in verschillende provincies verdeeld, want koning Herodes, de kindermoordenaar van Betlehem, had meerdere erfgenamen gehad. Allemaal wilden ze koning worden. Daarom hadden de Romeinen, om niemand boos te maken, besloten, dat nu, in plaats van één koning, er voortaan drie of vier vorsten over Israël zouden heersen. Eén van hen was Herodes Philippus, een andere heette Herodes Antipas.

De laatste had in de stad Tiberias aan het meer van Gennesaret een prachtig paleis laten bouwen.

Zijn broer Herodes Philippus kon zich dat niet veroorloven. Hij woonde aan de overkant van het meer op een eenvoudig landgoed. Maar hij had een heel mooie vrouw, Herodias.

Op een dag bezocht Antipas zijn broer Philippus. Toen leerde hij ook Herodias kennen en werd verliefd op haar; het duurde niet lang of hij had haar overgehaald om bij hem in zijn mooie paleis te komen wonen.

Herodias woonde nu bij haar zwager en wilde als zijn echte vrouw worden beschouwd. Dat was echtbreuk, een grote zonde. De mensen kregen een hekel aan dat lichtzinnige paar.

Ook Johannes de doper had van dit voorval gehoord. Hij vond het zijn plicht om naar Herodes te gaan en hem te zeggen: 'Wat mankeert u, dat u de vrouw van uw broer uitgeeft voor uw eigen vrouw? Dat is een zonde voor de Here God. Laat Herodias gaan, stuur haar terug naar de plaats waar ze hoort. Dan zal haar man haar straffen.'

Herodes luisterde geërgerd en ontstemd, maar toch zou hij Johannes in vrede hebben laten vertrekken en hem met uitvluchten hebben afgescheept, als Herodias niet de troonzaal was binnengekomen. Ze riep woedend: 'Waarom luister je naar die Johannes? Ben je niet mans genoeg om mij te beschermen tegen zijn beschuldigingen?'

De vorst werd bleek. Hij was bang voor de woede van Herodias en wilde haar niet kwetsen. Daarom gaf hij het bevel om Johannes in de gevangenis te laten opsluiten.

De dood van Johannes de doper

Nu zuchtte Johannes de doper, de voorloper van onze Heer, in de diepste kerker van het paleis in Tiberias. Het paleis lag aan het meer, en de golven sloegen tegen de muren. Johannes hoorde het water achter de natte muren van zijn cel. Maar hij bleef niet lang in deze kerker. De volgende morgen al werd hij eruit gehaald en door de lijfwacht van Herodes Antipas overgebracht naar de vesting Macherus. Dat was een eenzame en donkere plaats, niet ver van de Dode Zee. Aan de kusten van de Dode Zee was het bloedheet. In het zoute water konden geen vissen of andere levende wezens het uithouden.

Rondom de zee was zand en er waren ook nog wat kale rotsachtige bergen, een woest gebied dus.

Maar niet uit woede liet Herodes Antipas de profeet naar deze donkere vesting brengen. Hij waardeerde Johannes; vroeger had hij hem vaak om raad gevraagd. Hij wilde hem niet laten doden, zoals Herodias van hem geëist had. Integendeel, hij wilde Johannes, die steeds meer gevaar liep om vermoord te worden, juist te beschermen. Als Johannes in de kerker van zijn paleis in Tiberias zou gebleven zijn, was hij beslist niet veilig geweest. Want hoe groot was de wraak van zijn vrouw Herodias! Daarom bracht hij Johannes naar het uiterste puntje van zijn rijk, naar de rotsvesting Macherus. En hij beval aan de burchtheer om Johannes de beste behandeling te geven.

Een goede behandeling, ach, wat betekende dat? Johannes was immers gevangen, ook al zat hij niet in een kelder en al was hij niet met kettingen gebonden. Hij had een cel in de toren en mocht zo nu en dan een luchtje scheppen en ook wel eens bezoek ontvangen van de leerlingen, die hem trouw waren gebleven.

Dagen, weken, maanden gingen voorbij. Hoelang was het geleden, dat Johannes de nieuwe Elia genoemd werd? En hoe lang wel dat hij huiverend van opwinding de komst van de Messias aangekondigd had? Nu wás de Messias er, en hij, zijn voorloper zat gevangen. Maar niet dát maakte Johannes van streek. Het deed hem verdriet dat de wereld blijkbaar net zo bleef als ze vóór Jezus' komst was. De machtigen gingen door met het onderdrukken van de zwakken en weerlozen. Zelf was hij hier een bewijs van.

Als hij vanaf de torenrand of uit het smalle getraliede venster van zijn cel naar beneden keek, wat zag en hoorde hij dan? De knechten van de burchtheer vloekten even hard tegen elkaar als vroeger. De dienstmeisjes gilden en maakten ruzie - en de kameel- en ezeldrijvers, die langs de vesting voorbijtrokken, ranselden hun dieren onbarmhartig af. Waarom bleef alles bij het oude, ofschoon de Heer, de Zoon van God, op de aarde gekomen was? Waarom liet Hij zijn macht niet zien, waarom vernederde Hij de trotsen niet, waarom bestrafte Hij de vechtlustigen niet, waarom liet Hij nog steeds toe dat de naam van zijn Vader werd onteerd en tot schande werd gemaakt door dat verschrikkelijke gevloek? Wat had Johannes het moeilijk met dit alles! Tenslotte gebeurde er het ergste dat hem kon overkomen: hij begon te twijfelen. Ja, deze vrome man begon eraan te twijfelen, of Jezus echt wel de beloofde Messias was. Hij zag zich weer bij de Jordaan, toen de stem uit de hemel klonk en er een duif boven het hoofd van de jonge Nazarener vloog. Was het geen droom geweest? Johannes sloeg de handen voor zijn gezicht.

Duizend vragen pijnigden hem. Hij wist het niet meer, en toen op een keer weer eens zijn laatste trouwe leerlingen op bezoek kwamen, stuurde hij hen naar Jezus met de vraag: 'Bent U het die God ons heeft beloofd, of moeten we nog op iemand anders wachten?'

Met deze vraag trokken de leerlingen noordwaarts, door Jeruzalem en door Samaria, totdat ze Jezus vonden! Jezus gaf het volgende antwoord: 'Ga terug naar Johannes en vertel hem wat jullie gehoord en gezien hebben: blinden kunnen weer zien, lammen werpen hun krukken weg en kunnen weer lopen, doden staan op en aan de armen wordt de blijde boodschap verteld. En je weet toch dat de profeten dit alles over de Messias hebben voorspeld? Maar hij voegde er nog aan toe: 'Gelukkig is degene, die in Mij gelooft en zich niet aan Mij ergert.'

Wij weten niet of de leerlingen van Johannes deze laatste woorden van Jezus nog aan de gevangen man hebben overgebracht toen ze naar Macherus teruggingen. Want dat was een berisping aan Johannes, de trouwste van allemaal, en dat zou hem erg veel pijn gedaan hebben. En misschien bereikte hem die andere boodschap, die boodschap waarmee hij beslist gelukkig zou zijn geweest, hem ook niet meer. Want er gebeurde al gauw iets verschrikkelijks, iets afschuwelijks: Johannes moest sterven.

Hoe kwam dat?

Koning Herodes Antipas ging weer eens een keer op reis, en bijna zijn hele hofhouding ging met hem mee. Herodias vergezelde hem en ook gingen er enkele familieleden mee en allerlei vleiers, die gemaakt hadden dat ze bij hem in de gunst stonden, er was een hele stoet van dienaren en in een bontgekleurde draagstoel ging ook de dochter mee van Herodias, Salome. Zij was een dochter uit het vroegere huwelijk van Herodias. Het meisje was niet ouder dan vijftien jaar, ze was slank en knap, had zich mooi gekleed en kon geweldig goed dansen.

Herodias was erg trots op haar knappe dochter, en Herodes, in wezen een zwakkeling, toonde zich ingenomen met zijn stiefdochter en hemelde haar op, hoofdzakelijk om Herodias te behagen. Zo trokken ze van stad tot stad, van kasteel tot kasteel, en op een dag kwamen ze ook in Macherus.

Had Herodes door de drukte van dit pleziertochtje vergeten, dat hij Johannes in Macherus gevangen hield en de profeet in gevaar zou brengen als hij met de wraakzuchtige Herodias naar die vesting ging? Of had Herodias al de hele reis niets anders gewild dan juist daarnaartoe te gaan?

's Avonds werd er een feestmaaltijd aangericht, want Herodes vierde zijn verjaardag. Herodias had zich prachtig opgemaakt. Haar oorringen waren zo groot dat ze bijna op haar schouders hingen, en in haar vuurrood geverfde haar droeg ze het diadeem van een koningin, - alsof ze daar recht op had!

De tafels waren overladen met de lekkerste gerechten, de wijn vloeide rijkelijk.

Herodes was al tamelijk dronken, toen Salome begon te dansen. Hij had haar al vaker zien dansen, maar nog nooit zo vurig en zo sierlijk. In haar goudglinsterende kleren bewoog ze zich wervelend door de zaal.

Toen de dans afgelopen was, applaudisseerde iedereen luid. Herodes stond op en liep wankelend naar zijn stiefdochter. 'Je hebt fantastisch gedanst, Salome', lalde hij. 'Op mijn koninklijk erewoord: als beloning mag je wensen wat je maar wilt. Ja, wat je maar wilt!' voegde hij er bluffend aan toe, toen hij de ogen van Salome zag oplichten, 'zelfs mijn halve rijk mag je hebben, zowaar als ik Herodes Antipas heet.'

Salome boog diep en lachte slim. 'Ik dank u, mijn eerwaarde koning', zei ze, 'maar u zult mij toch wel willen toestaan, dat ik dit eerst eens met mijn moeder bespreek.'

'Een voorbeeldig kind!' riep Herodes. Hij lachte luid, hoewel hij er meteen aan dacht, dat zijn belofte toch wel een beetje onvoorzichtig was geweest. Want als Salome nu eens werkelijk zijn halve rijk zou willen hebben - wat dan? Toch ging hij verder, nog steeds lachend: 'Een voorbeeldig kind, dat eerst de raad van haar moeder vraagt', en liep toen wankelend naar zijn plaats terug.

Salome was intussen naar haar moeder gegaan. Deze stond vlug op en beide vrouwen verlieten de zaal om onder vier ogen te beraadslagen. Wat Salome wilde hebben, weten we niet. We kunnen ons wel voorstellen waaraan ze het eerst gedacht zou hebben - niet aan het halve rijk, dat haar stiefvader haar zo lichtzinnig aangeboden had; wat moest een jong meisje doen met zo'n geschenk?

Misschien wilde ze wel graag honderd met paarlen bestikte japonnen hebben, of vijftig paar schoenen van het fijnste gazellenleer. Of misschien voelde ze meer voor een prachtige boot met rode zeilen, waarmee ze op het meer van Gennesaret kon gaan varen. Maar bij iedere wens die het meisje uitte, schudde haar moeder het hoofd.

Ze overlegden heel lang, want steeds weer wist het meisje iets anders te bedenken, naar de moeder was met geen enkele wens tevreden.

Tenslotte boog ze zich wat voorover en fluisterde haar dochter iets in het oor. Het meisje deinsde terug en keek haar moeder vol ontzetting aan. Maar hoe langer de moeder fluisterde, des te meer de ontzetting uit de ogen van Salome verdween. Er kwam een koude glans in haar blik. Tenslotte knikte het meisje: 'Ja.'

Herodes zat nog steeds aan tafel met al zijn gasten, maar zijn goede humeur was weg. Ook zijn vrienden en familieleden leken plotseling onthutst en een beetje bezorgd. Ze dronken en aten nog wel, maar hun grappen klonken niet meer zo vrolijk en hun gelach was niet echt; het leek wel alsof iedereen voelde dat er iets ergs zou gaan gebeuren.

Salome kwam de zaal weer binnen. Herodias volgde haar, het wilde fonkelen van haar ogen betekende niet veel goeds.

Opnieuw boog Salome voor de koning, daarna zei ze: 'Mijn koning, u heeft mij de gunst verleend een wens te doen. Op uw erewoord beloofde u, wát ik ook zou vragen, zonder meer te schenken. Welnu, mijn wens is, dat u nu, meteen, het hoofd van Johannes de doper op een schotel hier laat brengen.'

'Hoe? Wat?' De mannen sprongen op en schreeuwden door elkaar. 'Het hoofd van Johannes?' 'Wat bedoelt ze?' 'Dat is toch niet mogelijk?' Alleen Herodes Antipas bleef zitten, zijn gezicht was spierwit. 'Ik heb het niet goed begrepen', zei hij eindelijk langzaam. 'Wát moet er op een schotel gebracht worden?'

'Het hoofd van Johannes', antwoordde het meisje en ze keek lijkbleek naar haar moeder.

Herodes schreeuwde: 'Van de profeet?'

Het meisje boog weer en zei (en ze was nu zelf bleek geworden): 'Hij heeft mijn moeder beledigd.'

Nu werd het stil in de zaal, iedereen keek naar Herodes. Hij zat voo1-overgebogen en snakte naar adem. Er heerste een verschrikkelijke stilte in de zaal, alleen de hijgende ademhaling van Herodes was te horen. Hij wilde Johannes niet laten doden, want Johannes was een profeet en er was geen ergere misdaad dan het doden van een profeet. Herodes wist: als hij Johannes zou doden, zou hij zich de vloek van het volk en de verachting van de wereld op de hals halen.

Aan de andere kant had hij zijn woord gegeven, het woord van een koning, die zich maar ál te graag koning hoorde noemen; als hij weigerde, wat zou Herodias dan wel zeggen?

Herodias! Hij voelde de woede opkomen tegen die vrouw, hij haatte haar omdat zij hem op zo'n ellendige manier tot de moordenaar wilde maken van een godsgezant.

Ondanks dat, sprak hij het afschuwelijke woord: 'Goed dan. Er zal gebeuren wat je wilt, omdat ik het beloofd heb.'

Zo stierf Johannes onder het zwaard van een beul, waarna zijn hoofd op een schotel werd gelegd en naar Salome gebracht.

De jongeman uit Naïn

In die dagen zou een eindje buiten het stadje Naïn een begrafenis plaats vinden.

Er was een jongeman gestorven, de enige zoon van zijn moeder, die weduwe was. Ze was arm en had haar laatste spaarcentjes opgeofferd om haar zoon een handwerk te laten leren. Maar voordat hij klaar was en zelf iets had kunnen maken, werd hij ziek en stierf. Het hele stadje leefde met haar mee. Er kwamen veel mensen om de jonge dode de laatste eer te bewijzen.

Het graf was al uitgehouwen buiten de stadsmuur tussen de andere graven, onder een grote moerbeiboom. Reeds was de rouwstoet op weg naar de poort, langs de smalle en kronkelige straatjes van de stad. De dode lag op een open baar, onder een witte doek. Want de Joden begroeven hun doden niet in kisten zoals wij.

De lijkstoet wilde vanaf de straat de begraafplaats opgaan, toen van de andere kant een groepje voorbijgangers hen tegemoet kwam. De voorbijgangers gingen aan de kant staan om de treurende stoet langs te laten trekken. Op dat ogenblik keek de moeder van de dode jongen voor de eerste keer naar het open graf. Ze kromp ineen, wankelde en viel op de knieën. Twee buurmannen wilden haar overeind helpen. Maar ze woelde met haar handen in de steenachtige aarde en huilde verschrikkelijk. Toen kwam een van de voorbijgangers op haar toe, raakte haar aan en zei: 'Huil maar niet!' Daarna keerde Hij zich tot de mannen die de baar droegen en gebood hun: 'Zet de baar op de grond.'

De mannen aarzelden even, maar gehoorzaamden Hem toen.

De vreemdeling sloeg het kleed terug en legde zijn hand op de borst van de dode. Zo stond Hij daar even. Toen zei Hij: 'Ik zeg je, jongeman, sta op!'

Wat er gebeurde, konden de omstanders aanvankelijk niet zien. De oogleden van de gestorven jongen knipperden alleen maar een beetje. Daarna opende hij zijn lippen, zijn borst bewoog en hij haalde adem.

Iemand stootte een kreet uit, en meteen klonk diezelfde uit vele monden. De mensen stoven uit elkaar. Zelfs de leerlingen van Jezus weken terug, want de dode had zijn hoofd opgetild. Hij ging rechtop zitten en keek om zich heen. 'Wat is er gebeurd?' mompelde hij verward.

'Je leeft', antwoordde de Heer. 'Je was gestorven, maar je bent weer wakker geworden.'

'O', zei de jongen, 'gestorven?', en hij wreef nog slaapdronken met de hand over zijn voorhoofd.

'Kijk, daar is je moeder!' ging de Heer verder. 'Haar verdriet was groot: maar haar blijdschap is nu nog groter. Zorg ervoor, dat er geen einde komt aan die blijdschap.'

De zoon keek naar zijn moeder. Ze lag nog steeds op haar knieën en staarde hem met wijdopen gesperde ogen aan. Dat leek hem te verbazen. Hij wierp de doeken van zich af en stond op. 'Wat doet u daar op de grond?', vroeg hij. 'Waarom heeft u gehuild?'

De vrouw sprong op. Even leek het erop alsof ook zij wilde vluchten, maar toen lag ze in de armen van haar zoon, ze omhelsde, betastte en kuste hem.

Toen de andere mensen dat zagen, werden ze stil. Hun ontzetting verdween, hun schrik was voorbij. Ze konden nauwelijks begrijpen wat er gebeurd was. Maar bang waren ze niet meer.

Een paar durfden wat dichterbij te komen, sommigen lachten, anderen huilden; tenslotte lachte en huilde iedereen tegelijk. Alle ogen keken naar de vreemde man, die dat ongelooflijke wonder had gedaan. Hij stond daar met gebogen hoofd onder de moerbeiboom en bad tot God.

De eerste vijanden

Het bericht van dit laatste wonder verspreidde zich als een lopend vuurtje door het land. 'Er is een grote profeet opgestaan!' ging het van mond tot mond. 'God heeft zich ontfermd over zijn volk!'

Overal werd er over Jezus gesproken: op markten en in straten, in herbergen en in werkplaatsen, bij herdersvuren en in soldatenkampen. Maar het meest werd er over Jezus gesproken in de synagogen en op de plaatsen waar levieten, schriftgeleerden en farizeeën bij elkaar kwamen. Deze mensen waren erg opgewonden en geïrriteerd over alles wat Jezus deed. Deze Nazarener sprak en preekte over Gods rijk, Gods wil en de geboden. Waar bemoeide Hij zich mee? Wisten zij niet het meest van deze zaken af? Tenslotte was het hun beroep om hiermee bezig te zijn. Zij hadden de heilige schriften bestudeerd en al vanaf hun jeugd hadden ze zich erop toegelegd om de boeken van Mozes en de profeten uit te leggen. Ze letten erop, of de geboden, voorschriften en aanwijzingen wel nageleefd werden. Ze deden dit zeer nauwkeurig. Alles was precies vastgelegd: welke en hoeveel offerdieren bij ieder feest naar de tempel gebracht moesten worden; wanneer men oude wijn en wanneer men jonge wijn moest drinken; en wat men wel het allerbelangrijkst vond: hoe de sabbat moest worden geheiligd.

De sabbat was in Israël hetzelfde als onze zondag. Ook jwij behoren op zondag naar de kerk te gaan en ook wij doen op die dag geen zwaar werk. Andere voorschriften kennen wij meestal niet.

Maar de farizeeën gaven een heel strenge uitleg van de joodse wetten. Niemand mocht op de sabbat ook maar het kleinste karweitje opknappen. Verder dan een mijl mocht niemand lopen. De dokter mocht geen zieken genezen.

Het eenvoudige volk, de boeren en herders, kon zich, al wilde het nog zo graag, niet aan die voorschriften houden. Het vee moest ook op de sabbat worden gevoerd en te drinken krijgen. Dat wisten de levieten en de farizeeën en ze ergerden zich daar allang aan; langzamerhand begonnen ze de eenvoudige mensen te verachten en hen als vervloekt en verloren te beschouwen.

Nu kwam die Jezus en Hij trok zich uitgerekend het lot van deze ongelukkigen aan. Want hoe had Hij het op de berg gezegd?: 'Zalig zijn de armen van geest, want van hen is het hemelrijk.' Wat? Zouden deze mensen die de sabbat schonden, door hun vee maar rustig voer en water te geven, zalig worden? Mensen die nog nooit de boeken van de profeten bestudeerd hadden omdat ze niet eens lezen kónden? Mensen die niet één zin uit de heilige schriften uit hun hoofd kenden en niet eens precies wisten hoe lang en breed de ark van Noach was? Toen deze Jezus dan ook zei: 'Zalig zijn de zachtmoedigen, want zij zullen de aarde bezitten', rezen de haren van de brave farizeeën ten berge. Was Mozes misschien zachtmoedig geweest, toen hij de Egyptische opzichter doodsloeg? Of

Jozua? Of David, toen hij de machtige Goliat vloerde? Nee, Israël was altijd vechtlustig geweest; strijdlustig en onverzettelijk zouden ze ook nu zijn, de geleerde, strenge, onverbiddelijke farizeeën. Ze haatten de Romeinen, die heidenen! Maar ze haatten ook hun eigen landgenoten, de bewoners van Samaria, die, inplaats van in de tempel van Jeruzalem, aan God op de berg Gerizzim offers brachten. Daarom hielden de farizeeën deze mensen voor verloren en goddeloos. Ze hadden Johannes de doper gehaat, omdat hij zo goed kon spreken en er daarom zoveel mensen naar hem kwamen luisteren. Nu scheelde het niet veel, of ze haatten ook Jezus.

Zover was het echter nog niet, want ook de farizeeën hoopten op de komst van een Messias. Ze wachtten op een redder van het volk. Maar ze dachten, dat Hij moest komen uit hun eigen kring. Hij moest net zo gekleed zijn als zij: lange, zwarte of donkergrijze mantels droegen zij, en ze hadden doosjes bij zich, waarin papyrusstroken met gebeden zaten. Ook Jezus, zo vonden zij, zou er zo uit moeten zien, bleek en met holle wangen, gekleed in het zwart en met as op zijn hoofd. Hij moest zoals zij, iedere vreemdeling haten en met een boog om iedere heiden heen lopen. Zij stelden zich een Messias voor, die echt een farizeeër was, en toen het volk begon over Jezus te spreken als de grote Meester en Heer en zelfs Heiland, maakten ze zich woedend. Van nu af aan waren zij de vijanden van Jezus; een paar farizeeën kregen de opdracht om Hem te volgen, Hem goed in de gaten te houden en Hem uit te horen.

De genezing op de sabbat

Op een sabbatsdag liep Jezus met zijn leerlingen door de velden. Ze waren al vroeg in de morgen vertrokken en nu kregen ze honger.

'Meester', vroegen de leerlingen, 'wanneer kunnen we ergens eten?'

'Nog even geduld', zei Jezus. 'Vandaag eten we onder de blote hemel.'

Ze liepen weer door. Op een afstandje volgden twee farizeeën Jezus en zijn leerlingen. Ze waren nogal slecht gemutst, omdat ze nog wel op de sabbat zo ver moesten lopen om die Nazarener te volgen. Maar omdat ze nu eenmaal de opdracht hadden Hem niet uit het oog te verliezen, vonden ze dat zij er dit keer geen kwaad aan deden.

Toen het tegen de middag liep, merkten ze, dat Jezus met zijn leerlingen aan de rand van een korenveld ging zitten. Ook zij wilden gaan zitten en een beetje uitrusten, maar wat zagen ze daar? De leerlingen plukten wat korenaren en wreven die fijn tussen hun handen, zodat de rijpe korrels uit de aren vielen. Deze korrels aten ze op.

De farizeeën keken elkaar veelbetekenend aan. Nu hadden ze Jezus en zijn metgezellen opnieuw betrapt bij het schenden van de sabbatsvoorschriften. Met strenge en hoogmoedige gezichten wilden ze langs Jezus en zijn leerlingen lopen. Ze waren er zeker van dat de leerlingen, als ze hen zagen, zouden schrikken en ophouden met eten en de korenaren weggooien, zoals kinderen die betrapt worden bij iets waarvan ze weten dat het niet mag.

Maar de leerlingen aten rustig door. Dat verbitterde de farizeeën zó erg, dat een van hen op de leerlingen toekwam en riep: 'Schamen jullie je niet om de sabbat zo te ontheiligen?' En tegen Jezus zei hij: 'U noemt uzelf Meester en U vindt het goed dat zij doen wat verboden is?'

Jezus keek de farizeeën vriendelijk aan en zei: 'Zij hebben honger, waarom zouden ze dan niet wat eten?'

De farizeeën wilden al woedend opvliegen, maar Jezus ging door: 'Zijn de mensen er dan voor de sabbat, of is het juist andersom: is de sabbat er voor de mensen? Daarom vond Ik het goed dat zij aren plukten.'

'Ongehoord!' De twee farizeeën gingen woedend weg. Jezus keek hen na. Toen zei Hij tegen zijn leerlingen: 'Als jullie genoeg gegeten hebben, zullen we maar weer eens verder gaan. We moeten vandaag nog iets belangrijks doen.'

Tegen de avond kwamen ze in een klein, afgelegen stadje, dat ze nog nooit eerder bezocht hadden. Ze kenden hier niemand. In de synagoge werd net een dienst gehouden. De farizeeën waren inmiddels verdwenen. De leerlingen dachten dat ze teruggegaan waren. Alleen Jezus wist dat ze allebei achter in de gebedszaal achter een pilaar stonden te loeren.

Een leviet las voor uit de heilige schrift. Jezus luisterde aandachtig naar hem. Toen hij uitgesproken was, keek Jezus om zich heen; maar hij zocht niet de farizeeën, zijn ogen zochten iemand anders; iemand die in de donkerste hoek van de synagoge stond: een kleine man in vieze kleren, grauw en mager zag hij eruit. Men had hem voor een oude man kunnen houden, terwijl hij toch niet ouder was dan een jaar of dertig. De reden dat hij er zo oud uitzag, was een afschuwelijk gebrek: zijn rechterhand was verlamd en verschrompeld, zijn arm kromgegroeid. Vanaf zijn geboorte was dit al zo. Zijn ouders schaamden zich voor hem en hij mocht zelfs niet meer bij hen in huis komen. Nu was hij een bedelaar, maar omdat de mensen dachten dat zijn gebrek de straf was voor een of andere zonde, gaven ze hem bijna niets, of maar zo weinig dat hij net

niet van de honger stierf. Maar hij was niet verbitterd, hij droeg zijn lot geduldig. Zijn mismaakte arm verborg hij zo goed als hij kon. Zijn hand had hij meestal in oude lappen gewikkeld.

Jezus ging naar deze man toe en zei: 'Kom uit je schuilhoek te voorschijn en ga hier in het midden van de synagoge staan!'

De mensen keken verwonderd op. Wat wilde de vreemde man met die bedelaar? Waarom moest hij midden in de synagoge gaan staan? En nu zei Hij hem zelfs, dat hij de lappen van zijn arm moest doen.

De bedelaar verzette zich eerst, hij schaamde zich; even zag het er naar uit dat hij zich wilde losrukken en weglopen. Maar Jezus hield hem tegen en liet hem zó staan, dat iedereen hem goed kon zien. 'Kijk eens naar deze man', zei Hij tegen de mensen. 'Dit is uw broeder.'

'Broeder!' mompelden de mensen wrevelig. Sinds wanneer was die ver-vloekte hun broeder?

'Ja, uw broeder!' ging Jezus onverstoorbaar verder. 'Niet door zijn zonde, maar door uw onbarmhartigheid is hij de arme tobber geworden die hij nu is. Maar God heeft hem verkozen om door middel van hem te bewijzen hoe barmhartig Hij is. Het is weliswaar sabbat vandaag, en u hebt een gebod, dat de dokter verbiedt om op de sabbat te genezen. Nu echter vraag Ik u: moet men op de sabbat goed of slecht doen? Moet men een leven redden, of moeten we het te gronde laten gaan? Antwoord Mij! - Geef Mij een antwoord!' riep Jezus nog een keer toen niemand zich bewoog, en daarna - voor de derde keer: 'Is hier dan niemand die Mij een antwoord geeft?'

Veel mensen stonden op het punt om te zeggen: U heeft gelijk, op de sabbat moeten we goed doen; u heeft gelijk, natuurlijk moet ook op de sabbat een leven worden gered. Maar de twee farizeeën stonden nog achter de pilaar. Hun aanwezigheid was allang opgemerkt, en in hun tegenwoordigheid durfde niemand de eenvoudige waarheid te zeggen, daarom zwegen ze.

Jezus werd verdrietig en zei: 'U zult moeten erkennen dat de Mensenzoon Heer is over alle wetten, dus ook over de sabbat.' Hij raakte de arm van de ongelukkige man aan en zei: 'Wees gezond!'

Op hetzelfde ogenblik werd de verschrompelde hand precies zoals de andere hand. De spieren strekten zich, de vingers openden zich, de dunne, broze gewrichten waren weer rond en krachtig, net zoals bij zijn andere, gezonde hand.

Er ging een schok door de hele menigte. De mensen drongen naar voren en gingen om Jezus en de genezen man heen staan. Iedereen wilde het wonder met eigen ogen zien. Niemand dacht meer aan de farizeeën.

Tenslotte kwamen ook de ouders van de bedelaar naar voren, omarmden hun zoon en kusten hem. Het was de eerste keer in zijn leven.

Voordat de genezen man in alle drukte Jezus echt kon bedanken, verdrongen zich al andere zieken voor de deur van de synagoge. Ergens op straat had iemand geroepen dat er een grote Wonderdoener in de synagoge was. Iedere zieke kon hij genezen. Deze roep klonk door tot in de verste uithoeken van de stad. Ergens stond iemand van zijn strobed op: hij had een zwerend been, sinds hij met zijn voet in een doorn had getrapt. Op zijn krukken kwam hij aangestrompeld naar de synagoge. Ergens anders zat een blinde, die altijd in het donker leefde. Ook hij stond op, tastte met zijn stok langs de drempel en ging de straat op. In wéér een ander huis maakte een moeder zich zorgen om haar koortsige kind; ze nam het in de armen en ging ermee naar Jezus. 'Waar is Hij, die ons genezen kan?' - 'Waar is Hij?' - 'Waar is Hij?' En zelfs van een zeer afgelegen boerderij buiten de stad kwam een groepje mensen hijgend aanlopen: een vader met zes kinderen; ze droegen hun zieke moeder op een draagbaar mee.

Jezus stond nu bij de poort van de synagoge, omdat er binnen geen plaats meer was voor iedereen. Hij raakte het etterende been aan, en het was genezen. Hij streek de blinde over de ogen, en hij kon zien. Hij legde het koortsige kind de hand op het voorhoofd, en het was meteen gezond; Hij boog zich over de draagbaar waarop de zieke vrouw lag, en ook zij werd beter.

Een groot gejubel ging door de hele stad. Niemand dacht meer aan de farizeeën. Iedereen wilde Jezus, of als dát niet ging, dan toch in ieder geval één van zijn leerlingen uitnodigen om bij zich in huis te komen.

'Hij is de Messias!' riepen ze tegen elkaar.

'De Messias is in ons midden!' Ze braken takken van de bomen en versierden zich; toen het donker werd, ontstaken ze lichten en trokken daarmee door de straten.

Zo eindigde deze sabbat, waarop Jezus had laten zien dat de dag van de Heer een dag is van vreugde. Maar toen de nacht viel en het avondrood in het westen vervaagde, glipten twee donkere gestalten de stad uit: de twee farizeeën.

De storm op het meer van Gennesaret

Opnieuw ging Jezus naar het meer van Gennesaret. Dit keer wilde Hij de steden bezoeken die aan de oostelijke oever lagen. Daarom vroeg Hij Petrus en Andreas om Hem en de andere leerlingen naar de overkant te roeien.

'Het weer is niet zo best, Heer!' vond Andreas. 'In het zuiden komt er onweer opzetten.'

Maar Petrus maakte zonder aarzelen de boot klaar voor de tocht. Sinds de wonderbare visvangst was hij helemaal veranderd. Hij bleef steeds in de buurt van Jezus en deed alles wat deze van hem verlangde, zonder ook maar één vraag te stellen. Als Jezus het volk toesprak, stond hij bij Hem, keek Hem met stralende ogen aan en knikte bij ieder woord. Als ze 's nachts in een herberg kwamen, zorgde hij ervoor dat het zijn Meester aan niets ontbrak; vaak sloop hij, als Jezus al sliep, naar zijn bed en schoof Hem zijn opgerolde mantel onder het hoofd.

Ze klommen in de boot en de leerlingen begonnen te roeien. Ze waren nog niet ver van de oever af, toen Jezus ging liggen om te rusten. Hij had de mensen toegesproken, nu was Hij moe en sliep al gauw in.

Een poosje ging alles goed. Maar de donkere onweerswolken kwamen hoe langer hoe dichterbij. Het meer verloor zijn blauwe kleur, werd donker en dof, en plotseling waren de eerste schuimkoppen op het water te zien. 'Zouden we maar niet liever teruggaan?' vroeg Natanaël. Petrus schudde zijn hoofd.

De schuimkoppen werden al groter en groter. De boot werd heen en weer geslingerd door de golven. De donkere onweerswolken waren nu al vlak boven hen en de eerste bliksemschichten flitsten uit de hemel. Het geluid van de donder vermengde zich met het razen van de golven.

'Waarom ga je niet terug?' schreeuwde Natanaël naar Petrus; hij moest heel hard schreeuwen, omdat Petrus hem anders niet kon horen. Maar Petrus roeide door.

Het schuim kwam nu over de rand van de boot. De golven werden steeds hoger, bliksemflits volgde op bliksemflits. De storm joeg het scheepje

over het water. Andreas hield het roer vast - hoe lang zou het nog duren? Bij de volgende golf zou de boot helemaal volgelopen zijn en dan...

Johannes liet zich naast Jezus neervallen: 'Meester!' riep hij, 'Meester, word wakker!'

Jezus deed zijn ogen open en keek Johannes aan alsof hij uit de diepste slaap wakker werd. Op dat moment verloor Andreas de macht over het roer, en de storm smeet het scheepje heen en weer. 'Red ons!' schreeuwden de leerlingen, 'we vergaan!'

Wat het volgende ogenblik gebeurde, zouden de mannen hun hele leven niet meer vergeten. Jezus stond op in de heen en weer slingerende boot, zó rustig alsof deze stil lag. Hij strekte zijn arm uit naar de golven die vlakbij kwamen aanrollen. Het leek wel alsof die de boot doormidden zouden breken, maar toen splitste de golf zich en kon de boot ertussendoor varen. De volgende golf kwam eraan en ook deze viel in twee stukken uiteen - evenals de derde, vierde en vijfde.

De storm bedaarde tegelijkertijd, de wind raasde niet meer door de haren en baarden van de mannen en niet meer door hun kleren, die hun zopas nog bijna van het lijf waren gerukt. De grijze regenwolken losten op en zelfs de donder werd stil, ze hoorden alleen in de verte nog een zacht gerommel. De strijd met de elementen had maar even geduurd. Ze hadden het bevel van hun Schepper, die hun gebood weer te bedaren, gehoord. Nog steeds rommelde het na in de diepte van het meer, de bliksem flitste nog in de verte, maar de macht van God had de elementen aan banden gelegd. De zwarte wolkenmassa verspreidde zich, en aan de hemel, die nu weer blauw werd, scheen de zon met gouden stralen.

De leerlingen konden nu weer gaan staan in de boot, waarop de storm hen had neergeslagen. De eerste die opstond was Johannes, daarna volgden Jakobus en Petrus; en allemaal keken ze om zich heen. Het schip dreef rustig op het meer, dat nog maar langzaam op en neer deinde. Het water droop van de roeispanen en viel in fonkelende druppels neer. Om hen heen lichtte het landschap helder op; aan de ene kant waren de witte huizen van de stad Kafarnaüm te zien, verderop de roodachtige torens van Gadara.

De Meester zat op een bankje in de roeiboot en keek de mannen met lachende ogen aan. 'Waarom waren jullie toch zo bang, kleingelovigen?', vroeg Hij. 'Waarom waren jullie zo angstig, Ik was toch bij jullie?'

Na een poosje droeg Hij hun op, dat ze verder moesten roeien. Ze gehoorzaamden zwijgend. Ook onder elkaar durfden ze geen woord meer te zeggen. Ieder dacht bij zichzelf: wie is Hij toch, dat zelfs de wind en het water, de storm en de bliksem Hem gehoorzaam zijn?

De genezing van twee bezetenen

Na een poosje waren ze aan de overkant van het meer gekomen en meerden hun boot aan de oever. Hier was het land van de Gerasenen. De leerlingen geloofden, dat Jezus hierheen gegaan was om net als overal ook hier in de synagoge te preken.

Maar Jezus deed dat niet. Hij sloeg een andere weg in.

Op deze weg kwam haast nooit iemand. De weg leidde naar een ravijn, waar twee mannen verlaten tussen de rotsen in een grafspelonk woonden. Boze geesten hadden hen in hun macht. Zij zagen er vreselijk uit: hun kleren hingen hen als vodden om hun uitgemergelde lichamen. Zij waren bijna naakt. Hun haar was verwilderd, hun afschuwelijke gebrul kon men eindeloos tussen de rotsen horen weerklinken. Niemand durfde er meer langs.

Ja, in deze ongelukkige mannen woonden boze geesten. Die pijnigden hen, beroofden hen van hun verstand en lieten hen dingen doen, die ze zelf niet wilden. Eén van hen, een reus van een kerel, kon noch overdag, noch 's nachts, meer rust vinden. Hij sloeg zichzelf met stenen tegen hoofd en borst; hoewel hij gilde van de pijn, kon hij niet ophouden met zichzelf toe te takelen.

En Jezus ging op weg naar de twee mannen. De leerlingen huiverden. Wat zocht hun Meester daarginds? Wilde Hij die boze geesten bezweren? Dat kon toch niemand! Bevend volgden zij Jezus langs het steile, moeilijk begaanbare pad. Ze hoorden de bezetenen al razen in hun spelonk, en daar zagen zij ook een grote afschuwelijke gestalte vanachter de rotsen opduiken. Het was een afschuwelijke reus. Zijn verwilderde haren stonden recht overeind, het schuim stond op zijn lippen.

'Waarom komt U hier?' schreeuwde hij tegen de Heer. 'Wat wilt U van ons? Ik weet wel wie U bent! U bent Jezus, de Zoon van God! Ga toch weg, weg van hier!'

Toen de leerlingen deze woorden hoorden, schrokken ze erg. Zij begrepen: het zijn de boze geesten, die door de mond van deze geteisterde man spreken. Het liefst zouden ze gevlucht zijn. Maar Jezus kwam nog een paar passen naar voren en vroeg: 'Hoe heten jullie?'

De man antwoordde: 'Onze naam is: legioen. Want er is niet één boze geest in ons, maar een hele menigte.'

De Heer sprak: 'Ik beveel jullie: ga uit deze mensen! Ook zij zijn kinderen van God en jullie hebben geen recht op hun ziel.'

De bezetenen kromden zich, en de boze geesten in hen smeekten om medelijden: 'Waarom plaagt U ons zo, Zoon van God? Wij smeken U,

jaag ons niet weg! Waar moeten wij naar toe, als wij deze lichamen verlaten?' Want de boze geesten wisten dat Jezus de macht bezat om over
hen te heersen.

Jezus antwoordde niet. Maar toen Hij omkeek, zag Hij tegen de berghelling een grote kudde zwijnen. Zij weidden daar vlak bij de oever van
het meer. De Heer zei: 'Ga uit deze mensen, jullie boze en slechte geesten.
Als jullie in levende wezens willen wonen, neem dan die zwijnen in bezit.'
Toen verlieten de boze geesten de mensen en namen hun toevlucht tot
de zwijnen.

De dieren werden wild en liepen als razenden door elkaar. Toen stortten
ze zich van de steile helling af het meer in. De herders, die hen hoedden,
schreeuwden en vluchtten weg. Daarna werd het helemaal stil.

De leerlingen hadden hun gezicht van het afschuwelijke schouwspel af-
gewend en durfden nog steeds niet op te kijken.

Een zacht huilen klonk tussen de rotsen. Het kwam uit de buurt waar
Jezus stond. Het klonk alsof twee kinderen huilden, die in een donker
bos verdwaald, eindelijk door hun moeder gevonden waren, en nu
gelukkig en opgelucht in haar armen nog wat nasnikten. Wie huilden
er zo?

De leerlingen haalden de handen voor hun gezichten weg. Toen zagen ze
het zelf: de twee mannen zaten aan de voeten van Jezus. De woeste
wezens waren weer mensen geworden. Die afgrijselijke grote kerel zat
daar met gebogen hoofd, zijn verwilderde haardos hing op de grond.
'Meester', stamelde hij, 'Meester, ik dank U!'

Jezus wenkte zijn leerlingen. Johannes gaf zijn mantel aan de ene
genezen man, Andreas gaf zijn bovenkleed aan de andere. Zo konden ze
zich weer kleden. Zij volgden Jezus en zijn leerlingen naar beneden,
de helling af naar de oever van het meer. Toen gingen ze weer verder
het land in, naar Gezer.

Maar daar gebeurde iets heel vreemds, ja, iets dat eigenlijk heel verdrietig
was. Toen zij er kwamen, waren de straten leeg. Alle mensen waren in
hun huizen gevlucht. Door de ramen en luiken gluurden ze met angstige
ogen. Hier en daar hoorde men een bang geroep: 'Daar komen ze, die
bezetenen! Hij brengt hen hierheen! Hij komt eraan! Wat wil Hij
van ons?'

Want wat was er gebeurd?

De zwijnenhoeders waren voor Jezus en zijn leerlingen weggevlucht en
hadden met veel gejammer hun verhaal verteld. Maar niet de dood van
die zwijnen maakte de mensen zo bang, want ze mochten, voorzover ze
gelovige Joden waren, toch geen varkensvlees eten. En de kudde was het

eigendom van een Romeinse grootgrondbezitter. Maar de mensen waren geschrokken van het bericht dat Jezus die mannen verlost had door de boze geesten uit hun lichaam te verjagen. Wie was die man, die het durfde om de geesten bevelen te geven? Wie was die vreemdeling, voor wie zelfs de duivels sidderden?

Nee, de bewoners van Gezer wilden Hem liever niet ontvangen. Maar wie moest dat tegen Hem zeggen? De oudsten van de stad natuurlijk, die moesten dat doen. En daarom gingen zij Jezus tegemoet. Zij bogen diep en zeiden: 'De burgers van Gezer vragen U om deze stad te verlaten. Wij zien dat U een machtig man bent, een groot wonderdoener. Maar wij zijn eenvoudige mensen, die graag met rust gelaten willen worden. Wij hebben geen wonderen nodig.'

Jezus gaf geen antwoord op dit verzoek. Zwijgend keerde Hij zich om en ging met zijn leerlingen de poort uit.

Slechts één keer was er nóg zoiets gebeurd: eens was in een dorp in Samaria geweigerd om Jezus en zijn vrienden binnen te laten; Johannes en Jakobus waren toen woedend geworden. 'Meester', riepen ze, 'men heeft U versmaad en beledigd. U moet de stad straffen! Laat er toch vuur uit de hemel vallen, zodat de stad verwoest wordt!'

Maar Jezus antwoordde: 'Wat zeg je daar? Moet Ik vuur uit de hemel laten regenen? Ik ben niet gekomen om te oordelen, maar om te redden.'

Zo bleef ook Gezer ongestraft voor het feit dat het de Heer niet had willen ontvangen.

Toen ze aan de andere kant van het meer waren, kwam er een schriftgeleerde naar Jezus toe, die zei: 'Meester, ik wil U volgen, waarheen U ook gaat.'

Jezus antwoordde: 'De vossen hebben holen en de vogels hebben nesten, maar de Mensenzoon heeft geen plaats waar Hij zijn hoofd kan neerleggen.'

De schriftgeleerde schrok van deze woorden van Jezus en ging weg.

De eerste gelijkenis*

Opnieuw verzamelde het volk zich rondom Jezus en wilde Hem horen spreken.

Jezus vertelde: 'Een zaaier ging naar zijn akker toe om hem te bewerken. Toen Hij het zaad zaaide, vielen er enkele korrels op de weg. Daar werden ze door de voorbijgangers vertrapt, en door de vogels opgegeten. Andere korrels vielen op de harde steenachtige grond. Daar verdroogden ze, omdat ze geen voedsel konden vinden en geen wortel konden schieten. Weer andere korrels vielen tussen de doornstruiken, en toen de voorjaarsregen kwam schoot het onkruid op en verstikte de jonge halmen. De rest van het zaad echter viel op goede aarde, groeide goed en leverde mooie vruchten op.'

Toen Jezus dit gezegd had, zweeg Hij. De toehoorders keken Hem vol verwachting aan, want ze wisten niet, wat ze met dit verhaal moesten beginnen. Tenslotte zei een van de leerlingen tegen Jezus: 'Meester, het is waar wat U verteld hebt. Als een boer zijn akker bewerkt en erop zaait, gaat er altijd een deel van het zaad verloren. Maar waarom heeft U ons dit eigenlijk verteld? Wij weten dit toch al lang. Jezus antwoordde: 'Wie goed geluisterd heeft, heeft wel begrepen wat Ik bedoel. Ik heb dit als een gelijkenis verteld. Dit bedoel Ik ermee:

Het zaad is het woord van God. Het wordt in de wereld uitgestrooid, valt op allerlei plaatsen en veel mensen zullen het horen. Maar sommigen vergeten het weer, bij hen is het op de weg gevallen, waar het vertrapt

*Een gelijkenis is een verhaal waarmee Jezus de mensen iets wilde leren.

en door de vogels wordt opgepikt. Bij anderen valt het woord van God op de harde steenachtige grond, dat betekent: ze geloven een tijdje in God, maar dan sterft het geloof weer af, het heeft geen wortel geschoten. Bij weer anderen wordt het Woord van God door doornen en onkruid verstikt, omdat hun harten niet naar het koninkrijk van God, maar naar geld en bezittingen en aards genot verlangen. Dit verlangen drukt de zachte, tere plant van het geloof tegen de grond. Alleen bij hen van wie het hart lijkt op die goede aarde, kan het Woord van God groeien. Deze mensen nemen dat Woord in zich op en houden het vast. Bij hen zal het honderdvoudige vrucht voortbrengen. Begrijpt u nu wat deze gelijkenis te betekenen heeft?'

De leerlingen knikten. Ook het volk begreep de woorden van Jezus.

Het dochtertje van Jaïrus

Terwijl Jezus nog zat te praten, kwam er een man hard aangelopen. De mensen herkenden hem en zeiden: 'Kijk eens, daar heb je de overste van de synagoge van Kafarnaüm. Wat zou er met hem aan de hand zijn? Waarom heeft hij zo'n haast?'

Al van ver riep de man met hijgende stem: 'Is de Meester bij jullie?'

Ja, de Meester was er.

De man liep op Jezus toe, liet zich op zijn knieën vallen en smeekte, terwijl hij naar adem snakte: 'Ik bid U, help mij: mijn enige dochter, mijn enige kind, ligt op sterven. Heer, red mijn kind!'

Jezus stond op en zei: 'Rustig, Jaïrus, je dochter zal geholpen worden.' Zonder een ogenblik te aarzelen, ging Jezus met de man mee naar Kafarnaüm. De hele weg hield deze niet op met Jezus om hulp te smeken en steeds maar weer vroeg hij: 'Ach Heer, mijn kleine meisje is zo ziek. Zou U haar kunnen helpen, Heer?'

Eindelijk kwam de poort van Kafarnaüm in zicht. Maar wat gebeurde daar? Het wemelde van de mensen, alsof bijna alle inwoners van de stad hun huis verlaten hadden en zich hadden verzameld bij de poort, waardoor Jaïrus zou moeten terugkeren. Toen bekend geworden was, dat Jaïrus, de overste van de synagoge, zich in allerijl naar de Nazareense wonderdoener had begeven, stroomden de mensen samen en keken vol spanning en nieuwsgierigheid naar de twee mannen die daar in de verte aankwamen. Zou het Jaïrus echt gelukt zijn om de Meester mee te krijgen? En zou alles nog goed komen? Maar niet alleen nieuwsgierigheid en spanning hadden de mensen naar de stadspoort gedreven. Onder de menigte waren ook velen die Hem iets wilden vragen, of één of andere kwaal hadden.

Zo was er ook een vrouw die al twaalf jaar aan bloedvloeiïngen leed. Eens was ze rijk geweest, nu was ze arm en moest bedelen om geld. Al haar geld en bezittingen had ze ervoor over gehad om weer gezond te worden. Maar geen enkele medicijn en geen enkele dokter konden haar helpen. Nu had ze haar hoop op Jezus gevestigd. Hij was werkelijk haar laatste hoop. Ze schaamde zich voor haar ziekte en zou nooit zomaar in het openbaar naar Jezus toe durven gaan en Hem om genezing vragen. Dan zou iedereen het horen. Maar misschien was het wel genoeg als zij alleen de zoom van Jezus' kleren aan zou raken? Wankelend kwam ze dichterbij, ze had haast geen kracht meer, zo ziek was ze, en ze werd door de dringende menigte heen en weer geduwd.

Toen Jezus de stad in kwam, werd Hij direct door veel mensen omringd en opgehouden. Jaïrus wist niet goed wat hij moest doen. 'Ga toch uit de

weg!' schreeuwde hij, 'ga opzij, want Jezus moet erdoor, wij hebben haast!' Maar dat hielp nauwelijks. Iedereen drong met een of ander verzoek naar voren. Jonge moeders wilden, dat Jezus hun baby's zou zegenen. Kreupelen lieten Hem hun verminkte ledematen zien. Slechts stap voor stap kwamen Jezus en de zijnen vooruit.

Opeens hield Jezus stil en riep: 'Wie heeft Mij aangeraakt?'

Petrus stond bij Hem. Hij had, evenals Jaïrus, vergeefs geprobeerd om Jezus in het gedrang te beschermen.

Hij zei: 'Ach Heer, van alle kanten duwen en stoten de mensen tegen U aan, en U vraagt nu: "Wie heeft Mij aangeraakt?" '

'Ik heb het duidelijk gevoeld', zei Jezus. 'Er ging kracht van Mij uit!'

Hij keek zoekend om zich heen en liet zijn ogen gaan over de gezichten van de mensen die bij Hem in de buurt stonden. Tenslotte liet Hij zijn blik rusten op een gebogen gestalte: een vrouw, geknield op de grond. Ze kromde zich samen en gaf toe: 'Ik was het!'

'Ja, jij was het', sprak Jezus en Hij hielp haar opstaan.

'Je geloof heeft je gered, mijn dochter. Je bent genezen.'

'Genezen?' fluisterde ze, helemaal in de war. Ze durfde nauwelijks op te kijken. Een vreemde kracht trok door haar lichaam. Zoiets had ze nog nooit eerder gevoeld en ze wist nu: dat is de genezing. Op dat ogenblik ontstond er opnieuw een gedrang. Iemand riep de naam van Jaïrus. Er kwam een man naar voren, die zich een weg baande door de mensen-massa. Toen Jaïrus hem aankeek, werd zijn gezicht lijkbleek. 'Mijn broer!' schreeuwde hij. 'Jij brengt mij zeker slecht nieuws?'

Ja, inderdaad, de broer van Jaïrus was gekomen om hem het allerergste nieuws te brengen. Hij hoefde niet eens wat te zeggen, Jaïrus had het al geraden. 'Dood?' vroeg hij met bevende lippen. De ander knikte alleen maar. 'Dood!' riep Jaïrus vertwijfeld. 'Mijn kind, mijn kleine meisje is gestorven!'

De mensen zwegen, enkelen deinsden zelfs achteruit. Medelijdend keken ze naar de huilende vader. Jaïrus' broer liep naar Jezus toe en zei zachtjes: 'U hoeft niet meer te komen, Meester. We hebben de kleine daarnet opgebaard.'

Jezus duwde hem weg, legde zijn hand op de schouder van Jaïrus en zei: 'Wees niet bang!' Denk je dat we te laat zullen komen, Jaïrus? Als je vertrouwen hebt, zal het kind weer gezond worden!'

Jaïrus snikte alleen maar. Zijn kind was dood, waarop kon hij nog hopen? Toch bracht hij Jezus naar zijn huis. Dit huis lag wat verder het stadje Kafarnaüm in, aan een smalle, vriendelijke straat. Achter de muren waren kleine tuinen; bloeiende struiken bogen zich van weerskanten van de straat naar elkaar toe. De zon stond al laag in het westen en haar stralen maakten dat de marmeren poort van goud leek.

'Hier is het!' zei Jaïrus en hij deed het tuinhek open. Ze kwamen op een kleine binnenplaats. Daar klaterde een fontein en langs de stenen paadjes groeiden in allerlei kleuren de prachtigste bloemen.

Uit het huis kwam het geluid van schrille fluittonen en klaagliederen. Op de stoep voor het huis zaten een stuk of zes oude, lelijke vrouwen met as op hun hoofden en met gescheurde kleren; ze huilden en jammerden terwijl ze met hun bovenlichamen heen en weer wiegden.

Dat waren de klaagvrouwen, die - dat was zo de gewoonte - direct naar het huis toegingen waar iemand gestorven was. Dan hieven ze hun klaag-liederen aan, of ze nu de dode gekend hadden of niet.

Toen Jezus hen daar zo zag zitten, zei Hij: 'Houdt op met dat gejammer. Het kind is niet gestorven, het slaapt alleen maar!'

De vrouwen zwegen beduusd. Maar direct daarop begonnen ze weer met hun geklaag en de oudste riep: 'Wat zegt U? Niet gestorven? Dood is de kleine, heus waar. Kom maar, dan zal ik het U laten zien!'

298

Maar Jezus stuurde haar en de anderen weg. Alle nieuwsgierigen moesten het huis verlaten. Alleen de ouders van het kind en Petrus, Johannes en Jakobus mochten blijven.

Daarna liet Jezus de deur sluiten. Eindelijk werd het een beetje stiller. Het lawaai verstomde. Jezus ging naar de baar waarop het kind lag.

In een hoek van de ruimte stonden de leerlingen bij elkaar, in een andere hoek de ouders van het kind. Er kwam nog wat licht door de spijlen van het raam; de laatste straal van de ondergaande zon viel op het bleke gezichtje van het gestorven meisje.

Jezus nam haar hand en zei: 'Meisje! Meisje, Ik zeg je: sta op!'

De oogleden van het kind begonnen zich te bewegen. Langzaam begon ze te ademen. De lippen trilden, daarna sloeg ze de ogen op, lachte verward en verbaasd en kwam tenslotte overeind.

Haar eerste vraag was: 'Wat is er gebeurd?'

De ouders schreeuwden van schrik, het had niet veel gescheeld of ze waren flauwgevallen of weggelopen voor hun eigen kind, dat dood was geweest en nu weer leefde. Maar toen kwam de vreugde en die verdreef de schrik. Ze wankelden naar de baar, omhelsden hun kind en kusten het. 'Ons kind, ons leven!', riepen ze, 'o, ons lieve, lieve kind!' Ze snikten en waren buiten zichzelf van geluk.

Ondertussen stonden de leerlingen stil in hun hoekje. Hun harten klopten hevig. Ze waren diep ontroerd. Johannes fluisterde: 'Hij is werkelijk Gods Zoon.'

Jezus had de verrukte ouders even met hun kind alleengelaten. Ze konden hun geluk niet op! Maar toen zei Hij: 'Nu is het genoeg. Zien jullie niet dat de kleine nog zwak is? Geef haar vlug iets te eten!'

Jaïrus dankte Jezus. Het wonder had hem zó geschokt en in de war gebracht, dat hij er niet eens aan dacht om Jezus en zijn leerlingen uit te nodigen bij hem te blijven overnachten. Het was al bijna donker, toen Jezus met zijn drie leerlingen het huis verliet.

De stad Jeruzalem

Bijna alle wonderen die Jezus tot nu toe gedaan had, gebeurden in Galilea, de meeste bij het meer van Gennesaret. Jezus hield veel van dit land. Hier had Hij bijna al zijn leerlingen gevonden. Hier verkondigde Hij de blijde boodschap.

Ten zuiden van Galilea lag Judea; dat land was niet zo lieflijk en niet zo vruchtbaar als Galilea. De bergen waren er kaal, de akkers steenachtig. Maar Judea was het heilige land van het volk Israël. Daar lag de stad van David, Betlehem. Daar verrees de berg Sion, die in de tijd van Abraham, Moria heette. Deze berg Moria had Abraham beklommen om zijn zoon Isaäk te gaan offeren. Nu stond op diezelfde berg het huis van God, de tempel, de tempel van Jeruzalem. Het joodse volk vierde daar drie keer per jaar een groot feest, het paasfeest in het voorjaar, het feest van de oogst, het pinksterfeest, en het loofhuttenfeest in de herfst. Dan kwamen er duizenden Joden uit het hele land bij elkaar. Er kwamen er zelfs van nog verder weg. Want het volk leefde toen al verstrooid over de aarde. Er woonden Joden in Rome, in Athene, in Spanje en in Klein-Azië. Als ze maar enigszins konden, reisden ze voor die drie grote feesten naar Jeruzalem. Het was voor hen een lange pelgrimstocht, waar ze zich al lang van te voren op verheugden. Maar als ze eenmaal in hun heilige stad waren, overmeesterde hen een groot verdriet. Want ze konden maar kort blijven en moesten dan weer vertrekken naar het vreemde land waar ze woonden. Ze verwachtten dat alles stellig eens anders zou worden: ja, eens zouden de Romeinen verjaagd worden. Dan zou Israël weer een groot en sterk rijk zijn, waar al de kinderen van Abraham in vrede zouden kunnen wonen. Eens zou de Messias, de grote sterke held, verschijnen. Daarop wachtten ze.

In de tempel van Jeruzalem hadden de overpriesters de leiding. Ze stamden af van rijke en voorname families. Maar ook zij konden alleen tot hogepriester gekozen worden als de Romeinen daar hun toestemming voor gaven. Men noemde hen de sadduceeën. Ze deden alles om het de stadhouder van de Romeinse keizer zo goed mogelijk naar de zin te maken. Daar ergerde de andere partij, die van de farizeeën, zich aan. Zij wilden met de Romeinen niets te maken hebben. Zo was er vaak onenigheid tussen deze twee partijen. En dan was er nog een derde groep: de Zeloten. Zij haatten de Romeinen het meest van allemaal en benadeelden hen wanneer ze maar konden. Ze woonden vaak in afgelegen streken of hielden zich schuil in de woestijn. Maar als er dan een groep Romeinse soldaten kwam opdagen, of als er een eenzame Romein langs kwam, slopen ze vlug hun schuilplaatsen uit, sloegen erop los en doodden de Romeinen, om daarna weer even plotseling als ze gekomen waren in het gebergte te verdwijnen.

De Romeinen lieten dat niet op zich zitten en vervolgden de Zeloten; als ze er een te pakken kregen, brachten ze hem naar Jeruzalem en sleepten hem voor het gerecht.

In hun burcht Antonia, die nog ver boven de tempel uitstak, waren al veel van die rebellen ter dood veroordeeld. Meestal werden ze dan buiten de stad gebracht en daar gekruisigd, zodat het volk hen kon zien.

Nee, Jeruzalem was in die tijd geen vrolijke stad. En toch wist iedere Jood, dat God deze plaats had uitgekozen om zich aan de wereld bekend te maken.

Hoe dat zou gebeuren, wist niemand. Alleen Jezus wist het. Maar zijn uur was nog niet gekomen.

Een wonder in Betesda

Weer ging Jezus ter gelegenheid van het paasfeest naar Jeruzalem, zijn heilige stad. Zijn leerlingen waren bij Hem. De tocht van Galilea naar Jeruzalem duurde drie of vier dagen. De leerlingen waren al behoorlijk moe, toen zij vanuit het noorden de voorstad Betesda naderden. Zij zouden naar een herberg gaan om daar te eten en uit te rusten. Maar Jezus sloeg een andere weg in.

'Waar gaat U heen, Meester?' vroegen zij Hem. 'Onze herberg ligt midden in de stad.'

Jezus antwoordde: 'Ik ga naar de vijver.'

'Naar de vijver met de vijf zuilengangen?'

'Ja.'

Rondom de vijver waren vier zuilengangen en een vijfde gang deelde hem in tweeën. De vijver was diep. Trappen voerden naar een donker onderaards gewelf, waarvan de muren vochtig waren en vol modderspatten zaten. Van het plafond druppelde steeds maar water. Niemand lette op het voortdurende gedrup, men hoorde het niet eens. Allerlei geluiden overstemden het: een eindeloos gesteun en gezucht en het getik van krukken. Maar zo nu en dan was het plotseling even doodstil en meteen daarna brak er een vreselijk geschreeuw los. Dan hoorde men schrille kreten, haastige stappen, een plonzen en plassen alsof iemand zich voorover in het water had laten vallen. En kort daarna klonk overal gevloek en geklaag. Wie in de vijver was gesprongen, kwam druipend de stenen treden opgeklommen met een stralend en zegevierend gezicht. Die zwaaide met zijn krukken en ging er vandoor, zonder zich te bekommeren om de jammerende mensen die achterbleven.

Wat gebeurde hier?

Deze vijver van Betesda bevatte geen gewóón water. Men noemde het heilig water, er ging een genezende kracht van uit. Maar niet altijd. Zo nu en dan kwam er beweging in het water, dan ging het golven. Vanuit onderaardse bronnen werd het water aangevoerd. Deze bronnen gaven echter de ene keer veel meer water dan de andere. Soms golfde het water elke dag, dan weer maar één keer in de week; ook gebeurde het wel, dat de golven een hele poos wegbleven.

De mensen geloofden, dat een engel het water in beweging bracht, en de eerste die zich dan in het water stortte - ja, alleen maar de eerste - zou beter worden, wat voor ziekte hij ook had.

Daarom waren er altijd heel veel zieken rondom de vijver. Ze zaten op de treden, lagen op de natte tegels en gingen niet weg. Daarom was er steeds geroezemoes in de gangen; daarom ook was er die plotselinge stilte als het water opsteeg uit de diepte. Daarom klonken er ook schelle kreten, want iedere zieke haastte zich om als eerste bij de vijver te komen. Daarom was er tenslotte het klaaglijke gejammer als het wéér niet gelukt was.

Nu kwam Jezus bij deze plaats.

De leerlingen volgden Hem toen Hij de stenen zuilengangen inging. Ze zagen de kreupelen en lammen op de treden bij elkaar zitten; allen wachtten op het ogenblik dat het water in beweging zou komen.

Maar Jezus liep een andere kant op. Hij ging naar het verste hoekje van de zuilenhal. Daar boog Hij zich voorover en raakte iemand aan, een zielige, ineengekrompen gestalte, die zachtjes steunde.

Op een oude, halfvergane houten plank lag een verlamde man. Hij lag daar al zo lang, achtendertig jaar, want hij kon zich al die tijd niet meer verroeren. Hij was de armste van allen die daar lagen. Niemand keek naar hem om. Zo nu en dan gaf iemand hem wel eens een broodkorst.

Jezus zei tot hem: 'Mijn zoon, wat doe je hier? Wacht je op je genezing?'

De arme man mompelde iets onverstaanbaars, maar Jezus begreep hem. 'Ik weet het', zei Hij begrijpend, 'je hebt niemand die je naar het water kan brengen als het beweegt. Daarom ben je altijd te laat gekomen en tenslotte heb je het maar opgegeven.'

Weer mompelde de man iets. Jezus raakte hem nog een keer aan en zei: 'Sta op, neem je bed en loop!'

Meteen kwam er iemand overeind daar bij die achterste pilaar. Het was de verlamde man. Ja, hij was gezond. Hij nam zijn bed op en liep langs de muur. Hoe dichter hij bij de uitgang kwam, hoe zekerder hij zich bewoog, en toen hij de trap bereikte die naar de vrijheid leidde, was het geen hoopje ellende meer, maar een gezonde man. Alleen het bed, dat hij onder zijn arm droeg, was nog het teken van de pijn en ellende die hij achtendertig jaar geleden had. Zingend van blijdschap liep hij de trap op en daar stond hij nu: buiten, in de open lucht.

Een ogenblik was het bij de vijver van Betesda doodstil. Maar toen brak het rumoer los! De ziekste van allemaal was plotseling beter geworden, en dat, zonder dat het water bewogen had! Wie had dit wonder gedaan? Zij zagen Jezus niet en konden het niet verklaren. Slechts één man wist wie Jezus was. Hij was juist uit Galilea gekomen. Temidden van het tumult riep hij: 'Dat was Jezus van Nazaret!'

God is mijn Vader

Ondertussen liep de genezene door de straten van Jeruzalem. Hij liep alsof hij dronken was, half waanzinnig van blijdschap. Nog steeds droeg hij zijn bed, waarvan Jezus hem gezegd had: 'Neem het op!' Het was juist op de sabbat.

Toen de genezen man bij de tempel gekomen was om daar God te danken omdat hij had verzuimd zijn weldoener dank te brengen, liep hij een groepje farizeeën tegen het lijf. Meteen keken zij met strenge ogen naar het bed. 'Wat sleep je daar met je mee? Geef antwoord! Weet je niet, dat het verboden is om op de sabbat een bed te dragen?'

De arme man stond met open mond, hij begreep helemaal niet wat die heren van hem wilden. Hoe kon hij in vredesnaam weten wat voor een dag het was! Hij had geen flauw benul van werkdagen en vrije dagen. Hij wist amper of het lente of herfst was. Maar toen de farizeeën het hem nóg een keer vroegen, dacht hij te begrijpen wat ze van hem wilden.

Triomferend tilde hij zijn gammele bed in de hoogte en riep: 'Kijk toch eens! Op dit bed heb ik achtendertig jaar gelegen, helemaal verlamd was ik. Maar nu ben ik beter, ik kan weer lopen! En de man die mij gezond gemaakt heeft, zei tegen mij: "Neem je bed op en loop!" '

'Ongelooflijk', mompelde een van de farizeeën, 'heeft Hij je vandaag genezen?'

'Ja, een uur geleden.' - 'En wie was die man?' - 'Ik ken Hem niet.' - 'Maar je moet zijn naam toch wel gehoord hebben!' - 'Ik weet zijn naam niet.'

En de genezene liep verder.

De farizeeën bleven staan. Ook een lid van de Hoge Raad was erbij. Zijn naam was Nikodemus.

'Wordt er van die Nazarener Jezus niet verteld, dat Hij allerlei wonderen doet?' vroeg een farizeeër. 'Hij viert de sabbat niet. Wat zouden wij moeten doen, als Hij nu eens naar Jeruzalem gekomen was?'

'Onmogelijk!' zei een ander, een dikke farizeeër, 'dat durft Hij toch niet.'

'Niet durven?' zei de eerste. 'Je kunt van Hem alles verwachten. Hij is een rebel!'

'Maar Hij schijnt grote macht te bezitten', kwam Nikodemus tussenbeiden. 'Ik heb gehoord, dat Hij zelfs doden opwekken kan.'

'Onzin', zei de dikke farizeeër nors. 'Dat kan toch niet.'

'En als het nu tóch eens waar is?' wond een ander zich op. 'Misschien helpt de duivel Hem wel bij de wonderen, die Hij doet.'

'Ze zouden Hem gevangen moeten nemen', riep een vierde, 'en dan voor de Hoge Raad brengen. Wat vindt u daarvan, Nikodemus?'

Nikodemus gaf niet dadelijk antwoord, want hij was een voorzichtig man en wilde niemand tegen zich in het harnas jagen. 'Het zou wel goed zijn', zei hij bedachtzaam, 'om deze Jezus eerst eens ter verantwoording te roepen en erachter te komen wat Hij nu eigenlijk van plan is.' En na enige aarzeling voegde hij er nog aan toe: 'Ik heb gehoord dat Hij spreekt als een godsgezant, als een profeet.'

De farizeeën lachten spottend. 'Een profeet, die de wet veracht?'

Nikodemus haalde zijn schouders op. Toen zei hij om de anderen te kalmeren: 'Maar waar praten we eigenlijk over? Wij weten immers helemaal niet of de Nazarener zich werkelijk in Jeruzalem bevindt en of Hij het was die de verlamde heeft genezen.'

Maar op dat ogenblik verscheen de genezene. Hij had zijn bed nog steeds bij zich. 'Ik heb Hem gevonden', riep hij tegen de farizeeën, 'de man, die mij genezen heeft! Kijk! Daar komt Hij al!'

De farizeeën keken om en tuurden naar de poort waar Jezus zojuist met zijn leerlingen en een hele volksmenigte doorheen kwam. Iedereen wilde zo dicht mogelijk bij Hem zijn, het was een enorm gedrang. Naast Jezus liep een al wat oudere, eenvoudige vrouw. Haar bruinverbrande, rimpelige gezicht straalde van blijdschap.

De farizeeën stootten elkaar aan: 'Wie is dat? Is dat Dina niet?'
'Dina, Dina met die bult?' - 'Geen sprake van.' - 'Heus, kijk maar, het is Dina!' - 'Ja, maar zij was echt toch helemaal kromgegroeid?' - 'Hoe kan dat nu?' - 'Toch is ze het echt!' - 'Haar bochel is verdwenen!' - 'Een wonder!' - 'Twee genezingen op één dag!'
De farizeeën waren er bleek van geworden en nu siste één van hen: 'Twee keer heeft Hij de sabbat ontheiligd!' Hij pakte zijn lange zwarte kleed bij elkaar en liep op Jezus toe: 'Wie heeft U toestemming gegeven om de wet te overtreden? Weet U niet dat het vandaag sabbat is? Hoe durfde U deze vrouw te genezen?'
Dina stapte geschrokken achteruit, alsof ze zich achter Jezus wilde verbergen. 'Hoe Ik dat durfde?' herhaalde Hij op liefdevolle toon. 'Wat een vraag! Had zij nog niet lang genoeg geleden met haar gebogen, kromme gestalte? Niet waar, Dina? Waarom zou zij ook maar één dag langer haar leed moeten dragen? Kijk eens hoe gelukkig ze is!'
Toen Hij dit gezegd had, betrok zijn gezicht. Hij keek de farizeeën streng in de ogen. 'Maar wat doet u, huichelaars? Ja, u', zei Hij tegen de dikke farizeeër, 'u hebt thuis op de boerderij een paar ossen. Drijft u die óók op de sabbat niet naar de waterbak om ze te laten drinken? En u', zei Hij tegen een ander, 'is kortgeleden uw ezel niet in een put gevallen en hebt u hem er toen niet uitgetrokken, hoewel het sabbat was? Als het goed is om dieren te helpen, zal het toch zeker óók goed zijn om mensen te helpen? Is ook Dina geen dochter van Abraham? Waarom heeft u geen medelijden met uw naaste?'
'Maar de wet dan', stotterde een van de farizeeën. Hij stikte bijna van woede. 'De wet verbiedt het.'
'De wet heeft Mozes u gegeven', antwoordde Jezus. 'En u denkt dat u de wet volbrengt. Maar als u Mozes goed begrijpt, zou u weten dat hij over Mij gesproken heeft.'
'Over U?'
Jezus zweeg even. Toen zei Hij: 'Tot nu toe heeft mijn Vader in deze wereld gewerkt. Maar van nu af aan werk Ik met Hem mee.'
'Wie is dan uw Vader?' riep iemand uit het volk. Jezus zei: 'God is mijn Vader!'
Toen weken de mensen terug, zelfs Dina deed van schrik een stap achteruit. De leerlingen hielden de adem in.
Jezus keek van de een naar de ander en zei: 'Ja, u verwondert u nu nog over mijn woorden. Maar Ik zeg u: Ik zoek niet mijn eigen eer, maar ben alleen maar gehoorzaam aan Hem die Mij gezonden heeft. De Vader kent Mij, en Ik ken Hem. De Vader houdt van zijn Zoon en heeft Hem

dit alles opgedragen. Wie in Mij gelooft, heeft het leven en dat zal hem niet meer afgenomen worden. Hij zal het hemelrijk binnengaan.'

Na deze woorden keerde Hij zich om en ging weg. De menigte was sprakeloos van verbazing.

Een nachtelijk bezoek

De avond kwam, de nacht viel. De straten van Jeruzalem waren leeg, donker en stil.

Net wilde de herbergier, bij wie Jezus en zijn leerlingen onderdak gekregen hadden, het laatste olielampje doven, toen iemand op de poort klopte. Het was nauwelijks te horen. Maar toen het zich herhaalde, ging de herbergier naar buiten en vroeg wie er was.

Buiten stond een man in een lange zwarte mantel, waarvan de kraag hoog opstond en de kap bijna het hele gezicht verborg. Hij vroeg naar Jezus van Nazaret.

'Hij slaapt al', antwoordde de herbergier en wilde de poort al weer dicht doen.

Maar de vreemdeling zette zijn voet ervoor, zodat de herbergier hem niet sluiten kon. 'Laat me erin! Hij verwacht me.'

De herbergier aarzelde. Hij vertrouwde het niet helemaal. Maar toen de man hem een zilveren geldstuk in de hand drukte, ging hij Jezus halen.

De Heer kwam. 'Ik zou graag met U alleen willen spreken', fluisterde de vreemdeling en hij keek schuw om zich heen, want de herberg was overvol. Overal lagen de slapende gasten, gehuld in hun mantels, op de banken en op de vloer.

Jezus nam hem mee achter het huis naar een kleine tuin. Die tuin lag tegen een heuvel aan. In een soort prieeltje gingen ze zitten. Een kleine lamp verspreidde een zacht licht.

Hier kon niemand horen, waarover ze spraken en niemand kon hen zien. Nu pas deed de vreemdeling zijn kap af en zei: 'U weet wie ik ben, en U moet begrijpen, Meester, dat ik in het geheim naar U ben toegekomen. Een lid van de Hoge Raad heeft veel vijanden, alles wat hij doet wordt nagegaan. Als iemand zou merken dat ik U opgezocht heb, klaagt men mij aan bij de hogepriester Kajafas en dan zou ik een verloren man zijn.'

'Dat weet ik, Nikodemus', antwoordde Jezus, 'je bent erg bang voor de mensen en toch zoek je de waarheid. Je hebt nu de moed nog niet om eerlijk voor de waarheid uit te komen. Maar ééns zul je die moed vinden. Dan zul je vragen of je Mij een goede dienst mag bewijzen.' Nikodemus schudde zijn hoofd. Hij begreep niet wat Jezus bedoelde. Hoe had hij ook kunnen vermoeden wat er met die goede dienst bedoeld werd, waarvan Jezus sprak? Daar zou pas sprake van zijn nadat Jezus aan het kruis was gestorven. Dan zou Nikodemus zich ontfermen over het dode lichaam van Jezus.

'Ach Meester', zei hij, 'U heeft vandaag in de tempel zulke machtige woorden gesproken. Alleen de Heiland, die gezonden is door God, kan zo spreken. Maar U moet meer op uw hoede zijn. U heeft U gehaat gemaakt bij de farizeeën en nu proberen zij om ook de Hoge Raad tegen U op te zetten. Zo brengt U uzelf in gevaar.'

'Is dat álles wat je Mij te zeggen hebt?' vroeg Jezus.

Nikodemus schudde zijn hoofd. 'Nee', antwoordde hij haperend. 'Ik weet dat U door God gezonden bent. U doet wonderen, die alleen iemand doen kan die van God komt. Maar...'

'Zie je?' zei Jezus, 'waar maak je je zorgen over? Er is nu een nieuwe tijd aangebroken. Je begrijpt dat niet, laat het me daarom uitleggen. Gods Geest is beweeglijk en lijkt op de wind. De wind blaast waarheen hij wil. Gods Geest is als de storm. Weet jij waar die vandaan komt? Nee. Of weet jij waarheen hij gaat? Nee. Je hoort alleen zijn gesuis in de lucht. Zo hoor je ook mijn boodschap, terwijl je nog niet weet wat zij precies betekent. Tot nu toe heb Ik alleen maar over de dingen gesproken die op aarde reeds bekend zijn, en toch begrijp je Mij niet. Hoe zul je Mij dan begrijpen als Ik over de dingen spreek die totaal nieuw zijn?'

Jezus zweeg even. Toen sprak Hij verder: 'Ik ben de Mensenzoon, die door de Vader naar de aarde is gezonden. Ik zal ook weer naar de Vader terugkeren. Nee, onderbreek Me nog niet, Nikodemus. Je kent de heilige boeken van ons volk en je hebt ook wel gelezen over de koperen slang, die Mozes aan een paal omhoogstak, zodat het volk kon zien. Het volk verkeerde toen in grote nood, maar allen die met vertrouwen naar de slang keken, werden gered. En net als die koperen slang moet ook de Mensenzoon omhoog worden geheven, zodat ieder, die gelovig naar Hem opkijkt, genezen en gered zal worden. God heeft Mij, zijn Zoon, niet in de wereld gezonden om deze wereld te veroordelen. O nee. Hij heeft Mij juist gezonden om deze wereld te bevrijden en het leven te geven. Wie in Mij gelooft, wordt niet veroordeeld, maar heeft het eeuwige leven.'

Het bleef nu een poosje stil. Niets bewoog. Alleen het kleine vlammetje trilde in de lamp.

Tenslotte zei Nikodemus: 'Vergeef me, Heer, als ik het niet begrijp.'

Jezus antwoordde: 'Ik vergeef het je. Maar let op wat Ik je nu zeggen zal: 'Je kunt gaan waarheen je wilt, maar mijn woorden zul je nooit meer kwijtraken. Je kunt je voor Mij verbergen, waar je maar wilt, maar Ik zal steeds bij je zijn. Je durft Mij nu nog niet openlijk te belijden. Later zul je dat wel durven.'

'Ja, Heer', zei Nikodemus, 'heb geduld met mij.'

Jezus stond op en gaf hem de lamp aan. 'Ga nu', zei Hij, 'het licht zal bij je zijn.'

Nieuwe leerlingen

Nadat Jezus in Jeruzalem geweest was en daar verteld had wie Hij was, keerde Hij naar Galilea terug.

Hij had al veel leerlingen om zich heen verzameld, ongeveer zeventig. Van die zeventig waren er twaalf uitgekozen, die steeds bij Hem waren. Daarbij hoorden Simon Petrus en zijn broer Andreas, de jonge Johannes en zijn broer Jakobus. Enkelen waren vissers geweest, anderen handwerkslieden. Er was ook een tollenaar bij. Zijn naam was Levi. Maar sinds hij bij Jezus hoorde, werd hij Matteüs genoemd.

Het beroep van tollenaar werd in die tijd vooral in Israël veracht. Want een tollenaar was in dienst van de Romeinen, hij moest de belasting innen voor de keizer. Het was dus de handlanger, de helper, van die vreemde heidenen en onderdrukkers. De Joden keken op een tollenaar neer en beschouwden hem als een verrader.

Niemand had graag een tollenaar als vriend. Niemand gaf hem zijn dochter tot vrouw. En als er een in de synagoge durfde te komen, dan mocht hij blij zijn als niemand hem naar buiten joeg of naar hem spuwde. Zo'n tollenaar was die Levi.

Hij was een serieus iemand, goed voor zijn werk, maar meestal nogal somber gestemd. Hij zat dan in zijn tolhuisje bij de stadspoort en zag de mensen de stad in- en uitgaan. Hij was blij als hij niemand moest aanhouden of moest nakijken wat ze bij zich hadden. Hij telde zijn geld na, of schreef en rekende op zijn leitjes of papyrusrollen. Hij schreef veel, ofschoon hij graag iets anders geschreven had dan de inkomsten en afrekeningen voor de Romeinse belastingambtenaren, in wier dienst hij stond.

Zijn leven verliep zó eentonig dat er verder niets over te vertellen valt. Vaak dacht hij: 'Eens zal er Iemand komen, die mij uit mijn tolhuisje haalt. Eénmaal zal ik mogen rondtrekken en een vrij man zijn.'

Zo zat hij weer eens op zijn plaats en hij telde de geldstukken, de kleine koperstukjes, die niet veel waard waren en die de Joden zelf mochten maken, en de grote zilver- en goudstukken, die het beeld van de keizer droegen. Levi wist het: alles wat hij inde, was voor de Romeinen bestemd. Het werd zorgvuldig verzameld en tenslotte voor grote zware staven ingewisseld en naar Rome gebracht. Daar werd het verbrast en verboemeld. Geen leuk werk dat hij moest doen. Levi steunde met zijn hoofd in de handen en zuchtte.

Plotseling viel er een schaduw door het venster op de tafel van Levi. Toen hij opkeek, zag hij een vreemde man buiten staan. Wat wilde Hij? Moest

Hij misschien iets betalen? Levi wilde het al vragen, maar zag toen de ogen van de ander op zich gericht, rustig, ernstig en afwachtend. 'Deze ogen ken ik, ja ik moet toch weten van wie die ogen zijn', dacht Levi. Toen schoot het hem te binnen: zulke ogen had de man van wie hij gedroomd had, en in zijn droom had deze man tegen hem gezegd: 'Kom, volg Mij!'

Deze woorden waren zo zachtjes gezegd, dat Levi ze haast niet kon verstaan. Maar ze klonken door tot diep in zijn hart, en hij wist het nu: Hij was het, Hij, van wie hij al zo lang gedacht had, dat Hij eens zou komen om hem te halen. Hij vroeg niets, hij aarzelde geen seconde, stond op en ging mee. De plichtsgetrouwe Levi liet zijn geld, zijn rekentabellen en papyrusrollen liggen en volgde Jezus.

De andere leerlingen verwonderden zich, toen de Meester met een tollenaar bij hen kwam. Maar de meesten van hen hadden allang afgeleerd om tegen de een of andere beslissing van hun Meester in te gaan. Ondanks dat schroomden ze een beetje om de nieuweling in hun kring te begroeten, alleen Johannes stond dadelijk op en heette hem welkom.

In die dagen had ook Judas Iskariot zich bij Jezus en zijn leerlingen gevoegd.

Wij weten niet welk beroep Judas uitgeoefend had, voordat hij zich aansloot bij de volgelingen van Jezus. Al gauw werd hij degene, die de kas beheerde van de kleine groep die bij Jezus hoorde. Ja, Judas zorgde voor het geld. Een boer of een visser zou deze taak waarschijnlijk niet op zich hebben genomen. Hoe weinig geld er ook was - waarschijnlijk bestond de hele kas uit een versleten leren buideltje, waarin nauwelijks een half dozijn muntjes paste -, toch moest de man die voor het geld zorgde, gewend zijn met geld om te gaan. Hij moest eerlijk kunnen verdelen en handig kunnen inkopen. En die kunst verstond Judas heel goed. De kleine, magere man maakte zich op zijn terrein onmisbaar. Hij kende de namen van de goedkoopste herbergen en wist steeds de kooplieden te vinden, die het minst rekenden voor brood en wijn, vis en zout.

Wij moeten ons Judas niet voorstellen als een man met een hart van steen. Ook moeten we niet denken dat hij al vanaf het begin van plan was om de Heer te verraden. Ook hij was gegrepen door de woorden van Jezus en zal zeker een poosje in de Heer geloofd hebben.

Eerst behoorde hij tot de zeventig leerlingen, die wel vaak, maar niet altijd bij Jezus waren. Maar geleidelijk hechtte hij zich steeds meer aan de Meester. Hij wilde bij de twaalf horen die altijd bij Jezus waren. Jezus duldde hem, omdat Hij wist: één zou er bij moeten zijn, die Hem verraden zou.

Jezus stuurt zijn leerlingen erop uit

Nu had Jezus dus de twaalf mannen om zich heen die wij de apostelen noemen.

'Ik heb jullie nu genoeg geleerd', zei Hij tegen hen. 'Jullie weten nu wie Ik ben en wat mijn Vader Mij opgedragen heeft. Laat nu zien, dat jullie Mij begrepen hebt. Ik kan niet alles alleen doen en Ik zal ook niet altijd hier blijven. Op een gegeven ogenblik moeten jullie mijn plaats innemen.'

Zo stuurde Jezus zijn leerlingen erop uit om hetzelfde werk te gaan doen als Hijzelf. Zij moesten tot de mensen gaan spreken en het rijk van God verkondigen.

'Ik geef jullie zelfs de macht om zieken te genezen en boze geesten uit te drijven. Deze macht geef Ik jullie, omdat de mensen jullie dan eerder zullen gaan geloven en als mijn boodschappers gaan aanvaarden. Kom dichterbij, dan zal Ik jullie zegenen.'

De twaalf mannen zaten in een kring om Hem heen. Toen ze deze woorden hoorden, waren ze erg verbaasd; niemand durfde als eerste op te staan om de zegen van Jezus in ontvangst te nemen. Want niemand kon van zichzelf geloven dat hij zoals Jezus zou kunnen spreken, laat staan zieken genezen en boze geesten uitdrijven. Wie waren zij immers? Arme, zwakke, onwetende mensen!

Jezus zag hun verlegenheid en hun angst. Hij zei: 'Heb Ik de gelijkenis van het mosterdzaadje wel eens verteld? Het rijk van God is met een mosterdzaadje te vergelijken. Het is het allerkleinste zaadje dat er bestaat, het is bijna niets. Maar als het gezaaid is en opkomt, wordt het groter dan al de andere gewassen; het wordt een prachtige, dichtbebladerde boom, waarin de vogels hun nesten maken. Zo is het nu ook met jullie: jullie voelen je klein, onbetekenend en zwak. Maar als je in mijn naam uittrekt in de wereld, zul je grote dingen doen. Je zult de blijde boodschap brengen.'

Toen kregen de leerlingen moed, de een na de ander stond op om de zegen van Jezus te ontvangen.

Nadat Hij hen gezegend had, zei Hij tegen hen: 'Twee aan twee moeten jullie reizen. Neem niets mee voor onderweg, zelfs geen stok. Neem ook geen brood mee en geen reiszak en geen geld. Doe sandalen aan de voeten. Trek geen tweede kleed aan. Als een arme bedelaar moeten jullie op reis gaan. Ook een bedelaar heeft geen keus, waar hij zal aankloppen en om onderdak of eten vragen. Hij moet het bij ieder huis proberen. Zo moeten ook jullie naar ieder huis gaan, de geringste hut zal jullie niet te min zijn. Maar onthoudt goed: jullie zijn geen bedelaars, maar jullie brengen het grootste geschenk en de grootste rijkdom, namelijk het Woord van God en de blijde boodschap.

Men zal jullie ontvangen en luisteren, en velen zullen bekeerd worden. Maar als de mensen dat niet doen, schudt dan het stof van jullie voeten en trekt verder. Ga nu!'

Zo gingen ze op weg: Petrus met Andreas, Johannes met Jakobus; ook Judas Iskariot ging met een reisgezel. Een paar gingen in westelijke richting, anderen trokken naar het noorden. En een derde groep begaf zich naar de stadjes ten oosten van het meer. Jezus bleef alleen achter en bad voor hen.

Nog maar een poosje...

Herodes Antipas zat in zijn paleis in Tiberias en hield zich bezig met zijn regeringszaken. Hij droeg het koninklijke diadeem en was gekleed in purperen gewaden. Maar in werkelijkheid had hij in zijn land niet veel in te brengen. Hij was volkomen afhankelijk van de Romeinen. Het was zijn grootste zorg, dat hij bij de keizer van Rome belasterd werd en zo bij hem in ongenade zou vallen. Vandaar, dat hij zelf veel kwaad van anderen sprak en allerlei listen en streken uithaalde om toch maar te maken dat de keizer in Rome goed over hem zou denken. Zo dikwijls als hij maar kon, reisde hij naar Italië om de nieuwe keizer Tiberias te vleien. Hij had er alles voor over om bij de keizer in de gunst te komen. Herodes was juist weer terug van zo'n reis. Herodias wachtte op hem. Ja, zij woonde nog steeds bij hem. Sinds de tijd dat zij het hoofd van de profeet Johannes de doper van hem gevraagd en ook gekregen had, mocht hij haar niet meer zo graag. Hij kon haar wrede, bloeddorstige verzoek maar niet vergeten.

Bij zijn terugkomst merkte Herodes, dat zijn hof nogal in opschudding verkeerde. Eerst wilde niemand hem zeggen wat er gebeurd was. Maar hij merkte al dadelijk dat men hem schuw en verlegen aankeek.

Hij wilde de reden daarvan weten.

Eindelijk kwamen ze dan met hun verhaal voor de dag: een profeet en wonderdoener was bezig wonderen te doen in het land, hij genas de zieken, wekte zelfs doden op, het volk kwam overal vandaan om Hem te zien en te horen.

Herodes fronste zijn wenkbrauwen.

Sinds de tijd dat hij Johannes de doper had laten onthoofden, vreesde hij een of andere vloek. Alleen al het woord 'profeet' maakte hem bang, want die Johannes was toch ook een profeet geweest? Herodes was erg bijgelovig zoals zoveel boosdoeners, er kwam een vreselijke angst in hem op. Daarom liet hij in de hele omtrek navraag doen: 'Wie is die Jezus?' Er kwamen van allerlei antwoorden. De een zei: 'Hij is een profeet zoals alle profeten. Anderen meenden: 'Nee, Hij is meer! Hij is Elia!' En de overigen, wat dachten die?

Dat waren mensen die geen antwoord durfden geven. Ze stonden verward en met neergeslagen ogen voor de vorst en zwamden er maar een beetje op los. Ze zeiden onzinnige dingen die nergens op sloegen. Maar hoe meer zij stotterden, des te donkerder keek Herodes, en tenslotte schreeuwde hij: 'Eruit met jullie! Eruit met jullie allemaal!' En ze maakten dat ze wegkwamen.

Herodes Antipas bleef met Herodias achter. Zij zat wat in haar sieradenkistje te rommelen. Hij keek woedend naar haar en riep: 'Je hebt het gehoord! Zij durven het mij niet te zeggen, maar hun stotteren verried al genoeg. Ja, hij is het, deze Jezus is de profeet Johannes!'

'Johannes?'

'Ja, die jij vermoord hebt. Hij is opgestaan.'

Herodias liet van schrik haar kettingen en ringen vallen. Maar ze her-

stelde zich, hief haar roodgelokte hoofd op en riep: 'Ben je krankzinnig geworden?'

'Nee', zei Herodes. 'Maar misschien word ik het wel eens. Iedere nacht droom ik van hem. Dan zie ik hem uit zijn kerker tevoorschijn komen met zijn eigen hoofd op een schotel. Niet ik heb zijn dood gewild, maar jij! En over jou zal de wraak komen!'

Herodias werd spierwit en riep: 'Help mij! Bescherm mij voor Hem!' Want ook in haar sprak het kwade geweten en ook zij was bang.

Ze staken de koppen bij elkaar en als twee samenzweerders overlegden ze, hoe ze die straf konden ontgaan en hoe ze die Jezus (of was het Johannes?) te pakken konden krijgen. Een kwaad geweten is geen goede raadgever. Meestal komt het er dan van, dat men de straf voor de misdaad wil afwenden door een nog veel grotere misdaad. Ze besloten om Jezus eerst in hun paleis te lokken, de rest zou dan vanzelf wel komen.

Twee farizeeën die Jezus goedgezind waren, hoorden van dit plan en boden aan om Jezus de uitnodiging van Herodes over te brengen. Herodes vond het goed en ze trokken erop uit om Jezus te vinden. Dat lukte al vlug. 'Luister eens, Meester', zeiden ze, 'wij komen met een uitnodiging van Herodes, maar wij raden U aan: ga er niet naar toe! Want Herodes heeft boze bedoelingen met U.'

Jezus antwoordde hun: 'Maak u geen zorgen om Mij. Zeg maar tegen Herodes die u gestuurd heeft: eens zal Ik voor zijn troon staan. Maar dat uur is nog niet gekomen. Ik zal nog een poosje rondtrekken, dan hierheen, dan daarheen; Ik zal nog een poosje Gods Woord verkondigen, zieken genezen en boze geesten uitdrijven. Niemand kan Mij iets doen voordat Ik het zelf wil. Bovendien staat er in de boeken van de profeten geschreven: de Zoon van God zal in Jeruzalem omkomen.'

De farizeeën waren verbaasd over deze geheimzinnige woorden en gingen weg.

Petrus had deze woorden ook gehoord; ze deden hem pijn. Waarom sprak Jezus erover dat Hij nog maar een poosje zou rondtrekken? En waarom had Hij gezegd: de Zoon van God zal in Jeruzalem omkomen? Zou dat misschien betekenen dat Jezus al vroeg zou sterven?

Hij trok de Heer aan zijn arm en verzocht Hem of hij Hem even onder vier ogen kon spreken. 'Meester', zei hij toen, 'waarom spreekt U alsof U ons al vlug verlaten gaat? Dat moet in geen geval gebeuren. Geen één van ons zal toestaan, dat er ook maar een haar van uw hoofd gekrenkt zal worden.'

Jezus antwoordde: 'Ga weg van Mij, Simon! Je lijkt de Satan wel! Jouw gedachten zijn niet de gedachten van God.'

Een wonderbaarlijke maaltijd

Het was alweer enkele weken geleden, dat de Heer zijn leerlingen de opdracht had gegeven erop uit te trekken. Langzamerhand kwamen ze nu terug, twee aan twee, zoals ze ook weggegaan waren.

Ze waren moe geworden van de lange zwerftochten, hun gezichten waren mager, hun kleren waren verbleekt door de zon en hun schoenen waren stuk gelopen. Maar uit hun ogen straalde een onbeschrijfelijk geluk.

Alles was zo gegaan als Jezus had gezegd: ze hadden gesproken, zij, eenvoudige vissers en handwerkslieden, die nooit eerder op een bijeenkomst het woord hadden gevoerd, ja, zij hadden in het openbaar gesproken en de mensen hadden met grote aandacht naar hen geluisterd. In drommen was men gekomen en steeds wilde men nog meer horen. Dat was nog niet alles: de leerlingen hadden ook zieken genezen (ja zij), terwijl ze een tijdje geleden nog niet eens wisten hoe ze hun zieke kinderen moesten helpen. Ze hoefden alleen de handen maar uit te steken en een kreupele of lamme aan te raken en deze stond meteen op en was gezond.

Ook mensen met een zieke geest waren beter geworden. En veel mensen hadden geloofd in de blijde boodschap.

Wat voelden de twaalf leerlingen zich gelukkig! Ze waren nu niet meer de eenvoudige leerlingen van de Heer, maar mochten zich van nu af aan apostel noemen, dat betekent: door God gezondene. En in hun blijdschap dachten ze dat ze nu wel bewezen hadden dat hun Meester echt op hen rekenen kon. Het liefst waren ze meteen weer op pad gegaan. Maar Jezus zei tegen hen: 'Het is genoeg. Rust maar wat uit. We zullen ons voor een paar dagen terugtrekken op een stille plaats.'

Ze verlieten de bloedhete kust van het meer van Gennesaret en togen het heuvelland in. Hier kwamen ze in een afgelegen streek, een steenachtige, kale hoogvlakte, waarover alleen zo nu en dan een paar herders met hun schapen voorbijtrokken.

Maar nauwelijks waren de leerlingen gaan liggen rusten, of ze merkten dat ze niet alleen bleven. Iemand moest gezien hebben, dat Jezus zich in deze streek terugtrok. Uit alle windstreken kwamen de mensen al weer naar Hem toe. Her en der doken groepjes op. Ja, overal kwamen ze vandaan. Het hele dal wemelde van de mensen, tenslotte hadden zich wel zo'n vierduizend mensen rondom Jezus verzameld.

'Spreek tot ons, Meester', smeekten ze. 'We hebben gehoord, dat U de blijde boodschap verkondigt. Laat die ook aan óns horen.'

Jezus sprak tot hen: 'Het is hier een herdersstreek en ook onder u zijn veel herders. Daarom zult u Mij wel begrijpen als Ik zeg: Ook Ik heb een kudde en mijn kudde is erg groot. Ik ben de goede Herder en Ik ken mijn schapen en mijn schapen kennen Mij. Als er een schaap afgedwaald is, dan zoek Ik net zolang tot Ik het gevonden heb. Ik leg het op mijn schouder en breng het naar de kudde terug. Mijn vreugde over dat ene schaap, dat verdwaald was en weer gevonden werd, is groter dan over die andere schapen die in de kudde gebleven zijn. Een slechte herder vlucht als de wolf komt en de kudde besluipt. Maar een goede herder geeft zijn leven voor zijn kudde. Ook Ik zal mijn leven voor mijn kudde geven.'

Zo sprak Jezus tot die duizenden mensen, en tegen de avond wilde Hij ze naar huis sturen, naar hun dorpen en hun boerderijen, maar niemand maakte aanstalten om te gaan.

De volgende dag sprak Hij weer tot hen. De mensen stelden Hem veel vragen en wilden steeds meer horen. Ook de tweede avond gingen ze niet weg.

Nu kwam de derde dag, en de mensen waren er nog steeds. 's Nachts hadden ze op de kale grond geslapen onder de blote hemel, totdat de morgendauw hun kleren nat maakte. Rillend stonden ze op en probeerden

iets te eten te vinden. Het eten dat ze van huis hadden meegenomen, was allang op. Toch dachten ze er nog niet over om weg te gaan. 'Spreekt U nog eenmaal tot ons, Meester!'

Toen ook deze derde dag ten einde liep, riep Jezus zijn leerlingen bij zich en zei: 'Ik heb medelijden met al die mensen. Ze zijn nu al zolang bij Mij en ze hebben niets te eten. Als Ik ze nu naar huis stuur, zullen ze onderweg van zwakte neervallen, want veel mensen zijn van ver gekomen.'

'Wat moeten we doen?' vroegen de leerlingen. 'Waar moeten we in deze onherbergzame streek brood vandaan halen om de mensen te eten te geven?'

Maar Jezus vroeg aan zijn leerlingen: 'Hoeveel brood is er nog?' Eén antwoordde: 'Vijf broden - en hier zijn nog een paar vissen.'

Jezus beval: 'Leg alles in een mand en breng het bij Mij.'

De leerlingen verwonderden zich over dit bevel, maar ze brachten toch de mand met de vijf kleine platte broden en de vissen. Jezus brak het brood, zegende het en zei: 'Deel het nu uit!'

De leerlingen aarzelden. Wat wás er uit te delen? Er was niet eens genoeg

voor één gezin. Alleen Johannes had de moed om de mand te pakken en de mensen die dichtbij zaten het brood aan te reiken. De eersten pakten een stuk brood uit de mand en een hapje vis. En wat gebeurde er? De leerling kon blijven uitdelen. Het brood raakte niet op en ook de hoeveelheid vis bleef hetzelfde. Er bleef evenveel in de mand.

Johannes was al langs een hele rij mensen gelopen en nu begon hij al aan de tweede rij. De mensen waren erg verbaasd. Ze begrepen het niet. Nu begonnen ook de andere leerlingen uit te delen. Zij pakten manden en gingen de rijen langs. Steeds vlugger namen de mensen het wonderbaarlijke brood uit de mand. Er waren er nu al honderd, tweehonderd, vijfhonderd, ja wel duizend mensen die brood uit de mand hadden genomen... Het was ongelooflijk! De mensen die achteraan zaten, kwamen naar voren gelopen om te zien of er nog wel echt genoeg zou zijn voor allemaal. Steeds vlugger grepen ze in de mand, niet alleen omdat ze honger hadden, maar ook uit nieuwsgierigheid, blijdschap en verrukking. Sommigen namen zelfs voor de derde of vierde keer. Maar de mand was nog steeds niet leeg. De mensen aten tot ze genoeg hadden. Er waren mensen die dit wonderbaarlijke brood zelfs kusten.

Nu hadden al die vierduizend mensen gegeten en het leek wel één groot feest. De mensen begonnen te zingen en Jezus te prijzen. Ze drongen om Hem heen en zouden Hem het liefst op hun schouders hebben genomen en tot hun koning uitgeroepen.

Maar Jezus ging weg. Toen Hij terugkwam, was de menigte toch eindelijk uiteengegaan. De leerlingen hadden ondertussen het veld afgezocht en hadden nog zeven manden met overgebleven stukken brood verzameld.

Jezus wandelt over het water

Na dit grote, heerlijke wonder, gingen Jezus en zijn leerlingen weer naar het meer van Gennesaret terug. Ook hier wachtte het volk op Hem, het drong om Hem heen en wilde Hem niet laten gaan.

Jezus zei tegen een paar leerlingen: 'Ga naar de oever en wacht daar op Mij! Ik zal hier eerst afscheid nemen van het volk, daarna ga Ik met jullie naar de overkant, naar Kafarnaüm.'

De leerlingen gehoorzaamden. Ze gingen in de boot, die ze in een stille baai achter hadden gelaten, en wachtten.

Maar de Heer kwam niet.

Urenlang wachtten zij, bijna de hele dag. De leerlingen begrepen het niet. Misschien was Jezus wel te voet naar Kafarnaüm gegaan, of misschien had Hij wel een rijdier gehuurd. Het werd al een beetje schemerig. Het was een sombere avond, en over de oppervlakte van het meer rolden de witte schuimkoppen van de golven af en aan. De leerlingen wilden nu niet langer wachten en voeren weg. Petrus stuurde, de anderen roeiden. Ze haastten zich, want ze waren ongerust. Nog nooit had de Meester hen laten wachten. Zou Hem iets overkomen zijn? Niemand zei iets.

Opeens riep Johannes: 'Kijk toch eens!'

Ze keken in de richting waarheen hij wees. Ze zagen niets. Maar Johannes riep nog een keer: 'Kijk toch, dáár!'

Nu zagen zij het ook. Iets lichtends kwam vanaf de oever over het water op hen af. Het was geen zeilboot, ook geen andere boot. Het leek een wapperende witte sluier die een menselijke gestalte omhulde.

De mannen hielden op met roeien, en Petrus liet het roer los. Ze staarden naar de verschijning, die steeds dichterbij kwam. De omtrek van de gestalte werd steeds duidelijker. Toen schreeuwde één van de mannen: ''t Is de Heer!'

Er was nu geen twijfel meer mogelijk. Jezus liep over het water; het water droeg Hem. Hij zonk er niet in weg. Petrus, die anders zo bedacht- zame visser, sprong op, zijn gezicht veranderde, zijn ogen werden groot, zijn hart bonsde hevig. 'Ik kom naar U toe', riep hij. 'Ik kom naar U toe!'

En nog voordat de leerlingen goed en wel begrepen wat er gebeurde, stapte Petrus de boot uit en ging Jezus tegemoet. Ook hij, Petrus, liep nu over het water. Het water droeg hem, alsof het een stevige bodem was. Petrus wist zelf niet precies wat hem overkwam, maar zolang als hij geloofde dat hij met een paar stappen bij Jezus was, ja zolang hij alleen maar onuitsprekelijk verlangde om bij Jezus te zijn en voor Hem te knielen, zolang duurde dit wonder: ook Petrus wandelde over het water. Plotseling dacht Petrus eraan, dat het meer op deze plaats heel erg diep was. En op die diepste plaats lag tussen het slijk en de klippen een gezonken schip. Petrus huiverde, want hij kon niet zwemmen; heel even keek hij niet naar Jezus, maar naar het donkere water en toen zakte hij weg in de diepte.

Hij werd bang. Hij voelde zijn enkels nat worden, en zijn knieën. Nu had het water zijn heupen al bereikt en bijna ging hij helemaal onder. Maar op dat ogenblik, in een fractie van een seconde, voelde hij een onuitsprekelijk verdriet over zich komen. Het was geen angst, geen doodsangst, maar het was het verdriet dat hij de Meester niet zou bereiken en zomaar vlak voor zijn ogen zou verdrinken.

Maar toen voelde hij dat Iemand zijn hand pakte en hem uit het water omhoog trok. Jezus stond naast hem en hield hem vast.
'Jij kleingelovige', zei Jezus, 'waarom twijfelde je?' En Hij bracht hem naar de boot terug.

De verheerlijking

Korte tijd daarna ging Jezus met zijn drie trouwe leerlingen, Petrus, Jakobus en Johannes, de berg van de verheerlijking op. Dat kan de berg Tabor geweest zijn, maar daar is men niet zeker van.

De Tabor is een hoge berg. Vanaf de top kan men over het hele land Galilea kijken. Jezus had tegen zijn leerlingen gezegd, dat Hij spoedig van dit landschap afscheid wilde nemen om naar Judea te trekken. Hij had hun al verteld over zijn lijden dat Hem te wachten stond. Daarom dachten de leerlingen: Hij heeft de berg beklommen om hier nog eenmaal rond te kijken. Maar op deze dag was de hemel bedekt. De wolken hingen in een krans om de top van de berg.

Toen zij bijna boven waren aangekomen, gingen de leerlingen zitten om wat uit te rusten. Misschien wilden zij ook de Meester niet storen, die, zoals zij wisten, vaak graag alleen wilde zijn. Jezus ging alvast voor hen uit en de leerlingen dommelden wat in.

Na een poosje werden ze wakker.

Ze schrokken van wat ze toen zagen.

Twee vreemde mannen stonden bij Jezus. De ene, een machtige gestalte, gehuld in een wazig blauw kleed, hield twee stenen tafels in de handen. Zijn gezicht glansde.

De andere was wat kleiner, hij droeg een ruige mantel met een leren riem. Achter hem, een beetje terzijde, stond een wagen waarvoor vier paarden waren gespannen, omgeven door een rode vuurgloed. Jezus stond tussen de beide mannen in. De man met de stenen tafels stond aan zijn rechter-, de man met de wagen aan zijn linkerkant.

Het gezicht van Jezus straalde als de zon en zijn kleed blonk als pasgevallen sneeuw.

Sprakeloos van verbazing keken de leerlingen naar deze bijzondere verschijning. Eindelijk fluisterde Petrus: 'Die met de stenen tafels, dat moet Mozes zijn.' En Jakobus: 'Die met de wagen: Elia! Zij spreken met de Heer!'

Ja, de afgezanten van God spraken met Jezus: Mozes, die de wet ontvangen had en aan het volk had doorgegeven, en Elia, die gebeden had om vuur uit de hemel en in een vurige wagen van deze aarde was weggevoerd. In oude tijden hadden zij Gods Woord verkondigd. Nu waren ze teruggekomen om met Jezus te spreken. En waar hadden ze het over? Zij spraken over het oude verbond dat nu vervuld was en over het nieuwe verbond dat nu gesloten zou worden en bezegeld moest worden door de dood van de Mensenzoon in Jeruzalem.

Wat gebeurde hier? Een grote angst bekroop Petrus. Waarom waren Mozes en Elia gekomen? Wilden zij de Meester met zich meenemen? Waarom stond de vurige wagen klaar? Was het uur waarop ze afscheid moesten nemen, misschien nu aangebroken? Dat uur, waarover Jezus af en toe gesproken had?

'O Heer, blijf bij ons!' riep Petrus. Hij stak zijn handen smekend omhoog. 'Ga niet met hen mee! Kijk toch eens! Hier is het toch goed. Als U het goed vindt, dan zullen wij op de top van de berg drie tenten opslaan, één voor U, één voor Elia en één voor Mozes. Daar kunt U dan wonen.'

Zijn stem brak, zijn ogen schoten vol tranen. Maar voordat hij verder kon spreken, daalde er een wolk naar beneden en overschaduwde de gestalte van Jezus. Een machtige stem sprak uit de hemel: 'Dit is mijn lieve Zoon. In Hem heb Ik mijn welbehagen.'

Petrus viel op zijn knieën en ook de beide anderen, Johannes en Jakobus, verborgen hun gezichten.

Zo lagen ze een poosje.

Toen ze eindelijk weer durfden op te kijken, stond Jezus tussen hen in. Zijn gezicht had die vreemde glans verloren, zijn kleed had weer de normale kleur, en Hij was weer alleen.

'Sta op', zei Hij, 'waarom zijn jullie bang voor hen? Ik verlaat jullie niet voordat het werk volbracht is.'

Op de terugweg zei Hij tegen hen dat ze moesten zwijgen over wat ze gezien hadden. Dat beloofden ze Hem.

Wees goed voor de kinderen

We weten, dat Johannes en Jakobus broers waren. Hun vader Zebedeüs was jong gestorven, maar hun moeder leefde nog. Ze was niet erg blij geweest, toen haar beide zoons zich als leerlingen bij Jezus aansloten. Want nu was zij meestal alleen in haar huisje. Maar toen zij hoorde, welke wonderen de Meester deed en dat Hij zelfs bij machte was om enkele duizenden mensen met een paar broden en vissen te eten te geven, veranderde zij van mening. Een man die zulke dingen deed, was machtiger dan een koning, zelfs machtiger dan de keizer in Rome. En het kon niet uitblijven, zo dacht die goede, eenvoudige vrouw, dat Hij op een dag de troon zou bestijgen en een groot rijk stichten zou. Ze stelde zich dit alles zeer levendig voor: Jezus als een gekroonde vorst in een prachtig paleis, en haar zoons aan beide kanten van zijn troon, in purperen kleren of met schitterende wapenrustingen. Ja, zo moest het zijn! Johannes moest de stadhouder van Jezus worden en Jakobus zijn eerste minister - en zij zelf? Ach, wat er met haar gebeurde, dat deed er niet zoveel toe, maar zij kende haar zoons goed genoeg om te weten: ze zullen hun moeder niet vergeten en haar laten delen in hun geluk.

Nu hoorde ze, dat Jezus naar Judea wilde gaan en ook haar zoons zouden met Hem meekomen. In haar moederliefde wist ze niets beters te doen dan naar de Meester toe te gaan. Ze wilde Hem, voordat Hij vertrok, een belofte laten geven.

Toen ze bij Jezus kwam, boog ze diep en zei: 'Heer, ik heb U iets te vragen. Beloof mij, dat U, als U uw rijk gesticht hebt en de kroon op uw hoofd draagt, dan mijn twee zonen de hoogste ereplaatsen zult geven. Laat één aan uw linker- en de ander aan uw rechterhand zitten, zoals ze verdiend hebben door hun trouw aan U.'

Toen Jezus deze woorden hoorde, kon Hij nog net een lachje onderdrukken. Hij wenkte Jakobus en Johannes, dat ze bij Hem moesten komen. 'Hebben jullie gehoord', vroeg Hij, 'wat jullie moeder vraagt?'

De zoons bloosden, want zij schaamden zich een beetje voor de wel verregaande bezorgdheid van hun moeder. Zelf zouden ze nooit om zoiets hebben durven vragen, ofschoon ook zij al vaak, al was het maar vluchtig, aan iets dergelijks gedacht hadden.

Nu keek Jezus hen ernstig aan en zei: 'Jullie moeder weet niet wat ze vraagt. Maar ook jullie weten niet waarnaar je verlangt. Kunnen jullie de beker drinken, die Ik ga drinken?'

Johannes en Jakobus sloegen de ogen neer. Zij begrepen niet helemaal wat Jezus bedoelde. Hij bedoelde de beker van het lijden, het lijden dat Hem te wachten stond. Want Hij zou immers aan het kruis sterven? En zouden Johannes en Jakobus dan bereid zijn om voor Hem, hun Meester, te lijden? Zouden zij die beker vol leed kunnen leegdrinken?

'Ja', zei Johannes met overtuiging, 'als het moet, kan ik het.' En ook Jakobus bevestigde: 'Ik kan het.'

Jezus knikte. Toen zei Hij: 'Ik ben niet gekomen om een rijk te stichten, dat op de koninkrijken van deze wereld lijkt. Ik zal op deze aarde geen erebaantjes uitdelen. De hoogste eer die jullie kunnen krijgen, is de eer om voor het Woord van God te lijden. Maar of jullie in het koninkrijk nu aan mijn rechter- of linkerhand zullen zitten, zoons van Zebedeüs, dat heb niet Ik te bepalen, maar mijn Vader, die Mij gezonden heeft.'

Nu keerde Hij zich naar de vrouw en zei: 'Ga naar huis en wees getroost, want je zoons zijn de goede weg ingeslagen.' De vrouw dankte

Jezus en ging terug naar huis. Hoewel ze de belofte waarvoor ze naar Jezus was gekomen, niet gekregen had, voelde zij zich toch gerustgesteld en tevreden.

Maar de andere leerlingen mopperden. Ze hadden gehoord wat de weduwe van Zebedeüs gewild had, en ze vermoedden dat Johannes en Jakobus wel net zo zouden denken als hun moeder. Behoorden die twee al niet tot de lievelingsleerlingen van de Meester? Wilden zij zich nu nog verder boven de anderen verheffen?

Jezus kende hun gedachten. Hij las die op hun gezichten.

Hij zei tot hen: 'Kinderen, jullie willen toch niet zijn zoals de heersers van deze wereld, die niets anders willen dan hun volken onderdrukken? Zo mag het bij jullie niet gaan. Pas op voor jaloezie en wees niet trots. Wie de grootste wil zijn, moet de ander dienen. Ook Ik ben niet gekomen om over jullie te heersen. Jullie zijn mijn knechten niet, maar mijn vrienden.'

De leerlingen waren ontroerd door die woorden van Jezus. Ze waren er even stil van. Toen kwam een van hen naar voren, trok Jezus aan zijn arm en vroeg zachtjes: 'Als het op aarde dan al zo moet zijn, dat wij elkaar dienen en dat niemand zich boven de ander stelt, hoe zal het dan in het koninkrijk zijn? Wie is daar dan de voornaamste?'

Jezus bleef staan en keek om zich heen.

Toen zag Hij een kind aan de kant van de weg spelen. Het bouwde een huisje van stenen en legde er kleinere steentjes en kiezelstenen omheen. Deze noemde het kind: zijn paarden, schapen en geiten. Tevreden keek het naar wat het had gemaakt.

Jezus nam het kind bij de hand en bracht het bij zijn leerlingen. Hij liet het tussen hen in staan. Toen zei Hij: 'Ja, Ik zeg jullie: hij die is zoals dit kind, zal de eerste van jullie allemaal zijn. Het speelt in het zand langs de weg met steentjes en is daar heel gelukkig mee. En als het vrolijk is, lacht het, als het verdriet heeft, huilt het. Een kind is blij met een bloem en het bekommert zich niet om voordeel of eer. Wie goed is voor zo'n kind, is goed voor Mij. En wie zo'n kind kwaad doet of iets verkeerds leert, heeft straf verdiend. Wees altijd goed voor kinderen en pas op dat jullie hen niet verachten! Want Ik zeg jullie, dat de engelen in de hemel voor hen zorgen.'

Wie van u zonder zonde is...

Eén van de grote feesten die het volk Israël ieder jaar viert, is het Loofhuttenfeest in de herfst. De Joden moeten dan acht dagen lang hun huizen uitgaan en in tenten of kleine hutten wonen, die ze vlechten van bladeren en takken. Net als bij de feesten in het voorjaar kwamen er ook dat jaar veel pelgrims naar Jeruzalem. Rondom de stad was een tweede stad opgetrokken: een brede krans groene tenten. Het was een zeldzaam mooi gezicht.

Zelfs de Romeinse stadhouder Pontius Pilatus genoot van het uitzicht op al die tenten en hutten. Hij kon vanaf het dak van de burcht Antonia over heel Jeruzalem heen blikken.

Meestal was hij nóch met de stad, nóch met het volk, waarover hij was aangesteld, erg gelukkig; steeds weer was hij bang voor een oproer en relletjes, en iedere volksoploop ergerde hem.

Het duurde niet lang dat hij daar zo stond te genieten van het uitzicht op die vrolijke tentenstad buiten de poorten. Want wat gebeurde daar op het tempelplein, precies onder de burcht Antonia? Een wemelende mensenmassa kwam van alle kanten aangelopen en verzamelde zich op één punt. Pilatus fronste zijn wenkbrauwen en wenkte zijn secretaris. 'Vraag eens, wat dáár nu weer aan de hand is.' Kort daarop kwam de man terug. 'Wees maar niet bang, Heer. Het is niets van betekenis. De farizeeën hebben een vrouw ontdekt die haar man ontrouw is geweest en nu willen ze haar door het volk laten stenigen. De Joden hebben immers de wet, dat iedereen die echtbreuk pleegt moet sterven? Dit karweitje zullen ze wel gauw opknappen en dan zal het volk zich weer verspreiden.'

Pilatus haalde zijn schouders op en draaide zich om. Hij had een hekel aan dit eigenmachtige optreden van de farizeeën. Maar wat konden hem de gewoonten van dit volk schelen? Een poosje later keek hij weer naar buiten. Maar tot zijn verbazing zag hij, dat de mensenmenigte zich verspreid had zonder dat er iemand gestenigd was. Slechts één man en één vrouw waren achtergebleven. Zij hurkte aan zijn voeten en huilde. Nu stak de man zijn hand uit en gaf haar een teken om ook weg te gaan. Zij probeerde te gehoorzamen, maar ze wankelde op haar benen. Tenslotte verzamelde ze al haar kracht en ging weg. Nu wilde ook de man weggaan, maar terwijl Hij zich omkeerde keek Hij naar boven, naar de burcht Antonia. Het was net alsof Pilatus de ogen van de man op zich gericht voelde, het duurde maar even. Maar de Romein voelde iets bijzonders door zich heen trekken. Het was hem, alsof een god hem had aangekeken. De man was Jezus.

Wat was daar beneden op het plein gebeurd?

De farizeeën hadden een jonge, lichtzinnige vrouw in de tentenstad betrapt. Zij was weggelopen van haar man en haar kind, met een soldaat van Herodes. Daarvoor moest ze sterven. Dit afschuwelijke oordeel vonden de farizeeën nog niet genoeg. Eigenlijk kon het hun niet schelen wat er met de vrouw gebeurde. Maar nu ze wisten dat Jezus in de stad was, probeerden ze een val voor Hem te zetten. Het bericht, dat de Wonderdoener van Galilea opnieuw gedurfd had naar Jeruzalem te komen, bracht hen buiten zichzelf van woede. Nu wilden ze wel eens horen, hoe Jezus over deze lichtzinnige vrouw dacht. Hij sprak immers steeds over liefde en vergeving en dat de zondaars gered moesten worden. Wanneer Hij nu zou zeggen: deze vrouw verdient de doodstraf, dan zou Hij daarmee bewijzen dat Hij een leugenaar was, en het volk dat achter Hem

aanliep zou Hem niet meer geloven. Maar als Hij zou zeggen: laat haar vrij, zij mag niet sterven, ging Hij tegen de wet in. En dan - de farizeeën wreven al in hun handen van plezier - konden ze Hem gevangen nemen, voor de Hoge Raad brengen en Hem aanklagen.

Ja, Hem gevangen te nemen en aan te klagen, daarop hadden die gemene farizeeën het voorzien. Zij waren bang voor Jezus omdat Hij over de liefde en de vaderlijke goedheid sprak, terwijl zijzelf alleen maar konden dreigen met de vergeldende straf van God. Zij haatten Hem, omdat Hij

alleen maar goed deed, terwijl hun eigen hart overliep van haat en nijd. Dus sleepten ze die ongelukkige vrouw naar Jezus toe en vroegen Hem: 'Meester, wat zegt U van deze slechte vrouw? Moet ze gestenigd worden?' Jezus keek de vrouw aan. Toen keerde Hij zich van haar af, bukte zich en begon met zijn vinger in het stof te schrijven. De vrouw snikte en smeekte om medelijden. Maar de farizeeën drongen er bij Jezus op aan: 'Zeg op! Bent U niet de nieuwe leraar van Israël? Overal heeft U immers een antwoord op. Spreek dan toch!'

Ondertussen waren er heel veel mensen aan komen lopen, de meesten wilden de dood van de vrouw. Sommigen van hen hielden al stenen in hun handen en wachtten alleen maar op een teken om die te gooien. Toen zei Jezus, zonder op te kijken en terwijl Hij nog steeds op de grond schreef: 'Wie van u zonder zonde is, die moet de eerste steen maar gooien!' De farizeeën schrokken; dit antwoord hadden ze niet verwacht. Iedereen wist wel van zichzelf, dat hij niet zonder zonde was. Het volk, dat er in een kring omheen stond, was ook geschrokken; plotseling schaamde het zich over zijn moordlust en wreedheid, de een na de ander liet zijn stenen vallen en ging er vandoor. En vlugger dan ze bij elkaar waren gestroomd, gingen de mensen nu uiteen; het duurde niet lang of Jezus en de vrouw waren alleen overgebleven.

Nu hield Jezus op met schrijven. Hij keek de vrouw aan, die als een ongelukkig hoopje ellende in elkaar gehurkt op de grond zat. Jezus wist dat ze berouw had van wat ze had gedaan, ze wilde God om vergeving vragen.

'Kijk eens op', zei Hij. 'Heeft niemand je veroordeeld?'

'Nee', fluisterde de vrouw. 'Niemand.'

'Dan veroordeel Ik je ook niet. Ga nu maar en doe geen zondige dingen meer!'

De verloren zoon

Jezus hield weer een toespraak voor het volk en Hij vertelde de volgende gelijkenis:

'Een man had twee zoons. De jongste van hen zei tegen zijn vader: "Ik heb het hier thuis niet meer naar mijn zin. Geef mij het erfdeel dat mij toekomt en laat mij de wijde wereld in trekken."

De vader had verdriet over deze woorden, maar hij deed wat zijn zoon

wilde, gaf hem zijn erfdeel en liet hem gaan. De zoon trok naar een ver land. Eerst leidde hij daar een vrolijk leventje en verbraste alles wat hij had. Toen zijn beurs leeg was, bleef hem niets anders over, dan zich als knecht te verhuren. Hij moest de varkens van zijn baas hoeden. Het ging erg slecht met hem, want er was hongersnood gekomen en er was geen brood meer. Hij had zo'n erge honger, dat hij zelfs van het varkensvoer zou hebben willen eten: maar dat vond zijn baas niet goed. Telkens dacht hij aan zijn vader. Hij wist, hoe goed de eenvoudigste dagloner het had die bij zijn vader werkte. Hij kreeg spijt van zijn lichtzinnigheid en overmoed, waarmee hij zijn vader verdriet had gedaan. "Ik zal naar huis teruggaan", dacht hij bij zichzelf, "en om vergeving vragen."

Dus ging hij op weg. Toen hij zijn huis naderde, zag hij zijn vader voor de deur staan. De vader herkende zijn zoon al vanuit de verte. Hij huilde van blijdschap. Hij liep hem vlug tegemoet en kuste hem. Maar zijn zoon liet zich op de knieën vallen en zei: "Vader, ik heb verkeerd gedaan tegen God, mijn hemelse Vader en tegen u. Ik ben niet meer waard uw zoon te zijn." Maar de vader trok hem omhoog, riep zijn knechten en zei: "Breng hem vlug een mooi kleed, het mooiste dat je vinden kunt. Geef hem een ring aan zijn vinger en nieuwe schoenen aan zijn voeten! Haal dan een mestkalf en slacht het. We zullen een feestmaal klaarmaken.

Want het was net alsof mijn zoon dood was, maar hij leeft! Hij was verloren, maar is weer gevonden! Laat iedereen vrolijk zijn."

Terwijl ze aan tafel zaten om het feestmaal te gebruiken, kwam de oudste zoon van zijn werk op het land terug. Hij had daar geploegd en hard gewerkt. Nu hoorde hij muziek en gelach. Hij was verbaasd en vroeg: "Wat heeft dat te betekenen?"

"Uw broer is thuisgekomen", zei de knecht, "en daarom vieren we feest." Toen werd de oudste zoon heel erg kwaad en wilde niet naar binnen. "Wat!", zei hij, "voor die nietsnut van een broer van me wordt er feest gevierd?" De vader hoorde, dat zijn oudste zoon niet binnen wilde komen. Hij ging meteen naar buiten, liep naar zijn oudste zoon toe en sprak vriendelijk met hem. "Vader", zei de zoon, "heb ik dáárvoor nu zo hard gewerkt? Ik was u altijd gehoorzaam en heb u nooit verdriet gedaan. Mijn broer was ongehoorzaam en heeft zijn erfdeel verbrast. Toch viert u nu feest omdat hij teruggekomen is!" De vader antwoordde: "Mijn zoon, jij bent altijd bij me, en alles wat van mij is, is ook van jou. Maar mag ik niet blij zijn dat ook mijn andere zoon thuis is gekomen? Daar moet je niet kwaad op zijn. Begrijp het toch: ik dacht dat hij dood was, maar hij is er weer en hij leeft. Hij was verloren en nu is hij weer thuis. Ja, ook bij de engelen in de hemel is er blijdschap als iemand die verloren was, zich bekeert." '

De man die blind geboren was

In die tijd deed Jezus nog steeds veel wonderen. Op een dag - Jezus was weer in Jeruzalem - zag Hij een blinde bedelaar langs de kant van de weg zitten. Toen de leerlingen hem ontdekten, vroegen ze aan Jezus: 'Wiens schuld is het nu dat hij blind is? Van hemzelf of van zijn ouders?'

Jezus antwoordde: 'Het is de schuld van niemand. Hij werd blind geboren opdat iedereen aan hem zou kunnen zien hoe groot God is!' Hij liep naar de blinde man toe en maakte een papje van wat slijk en speeksel, streek dit papje op de oogleden van de man en zei: 'Ga je nu wassen in de vijver van Siloam. Als je dat gedaan hebt, kun je weer zien.'

De blinde man deed dit. En werkelijk, nadat hij zich een keer gewassen had, kon hij licht en donker onderscheiden. Toen hij zich nóg een keer gewassen had, zag hij al kleuren; ook zag hij dingen bewegen, maar alles draaide om hem heen, en de mensen leken op bomen, die bewogen in de wind. Toen waste hij zich voor de derde keer. Nu zag hij alles volkomen duidelijk en helder; hij onderscheidde de voegen tussen de straatstenen net zo goed als de torens. Hij kon honden, vogels en paarden zien. Vol verbazing keek hij naar de spitse kruinen van de cypressen, die altijd groene naaldbomen. Hij zag de bontgekleurde manden van de fruithandelaren. En wat hij ook zag: de stomverbaasde ogen van de mensen, die hem onthutst stonden aan te gapen.

'Wie ben jij?' vroegen ze hem. 'Was je vroeger niet blind?'

'Ja', antwoordde de genezen man, 'ik was blind, maar een man die Jezus heet, heeft mij het licht in de ogen gegeven.'

'En wanneer heeft hij dat gedaan?'

'Zojuist!'

'Wat? Zojuist? Vandaag? Maar vandaag is het sabbat!'

Ja, het was weer sabbat, weer had de Heer een arm, ongelukkig mens op de rustdag genezen, en weer vonden kleinzielige en bekrompen mensen, dat Jezus een heilig gebod had overtreden. Een man pakte de genezene bij de arm en riep: 'Waar is die Jezus?' En toen de genezene dat niet bleek te weten, zei de man: 'Kom met me mee naar de tempel. We moeten dit aan de farizeeën vertellen.'

De genezene was nog te verbouwereerd om ertegenin te gaan. Hij liet zich meenemen door de straten waardoor hij zo dikwijls gelopen had, terwijl hij met zijn stok de weg had moeten aftasten. Alles was nieuw voor hem. Alles was even wonderlijk. Maar de man die hem meenam, vond het niet goed dat hij bleef staan. Pas toen ze op het tempelplein waren gekomen, liet hij hem los.

Een heleboel mensen kwamen nu naar hem toe en begonnen hem uit te horen: 'Ben je werkelijk blind geweest? Geef toch toe dat je liegt!'

'Waarom zou ik liegen?' antwoordde de genezen man. 'Vraag het maar aan mijn ouders. Die kunnen het bevestigen! Een man die Jezus heet, heeft mij beter gemaakt.'

Toen riepen de mannen kwaad: 'Noem de naam van die man niet meer, die man is een zondaar.'

'Een zondaar?' vroeg de genezene. 'Dat geloof ik niet. Ik geloof eerder dat Hij een profeet is. Hoe had Hij mij anders beter kunnen maken? Vanaf het begin van de wereld is er nog nooit iemand geweest die een blindgeboren mens weer kon laten zien. Deze man komt van God.'

Toen stortten ze zich op hem, sloegen hem in zijn gezicht en joegen hem het tempelplein af.

Zó ver was het nu al met de farizeeën gekomen, dat zij iedereen vervolgden die in Jezus geloofde. Het geluk van deze man, die altijd blind geweest was en nog nooit het stralende zonlicht gezien had, liet hen koud. En zij schaamden zich helemaal niet voor hun woede en hun haat.

Alsof hij opnieuw blind geworden was, wankelde de man weg. Tot nu toe had hij niet geweten, hoe slecht de mensen wel konden zijn. Had hij daarom nu het licht in zijn ogen gekregen, om dat te moeten meemaken? Hij liep de poort uit en daalde af naar het Kidrondal. Daar ging hij in een verborgen hoekje zitten huilen.

Plotseling stond Jezus voor hem en vroeg: 'Wat hebben ze met je gedaan?' En toen de man stotterend en snikkend vertelde wat er gebeurd was, zei Hij: 'Ik ben het, die je genezen hebt. Geloof je in de Mensenzoon?'

En de man die blind geweest was riep uit: 'Ja, ik geloof!' Hij viel voor Jezus neer en aanbad Hem.

De vrienden in Betanië

Aan de andere kant van het Kidrondal lag een klein marktplaatsje, Betanië geheten. Vlak bij dat stadje was een eenzame boerderij. Daar woonden twee zusjes met een broer: Maria, Marta en Lazarus. Bij deze drie kwam Jezus graag. Altijd wanneer Hij hen opzocht, ontvingen ze Hem hartelijk en waren blij. Het waren zijn vrienden.

Maria was een rustige vrouw, die graag aan de voeten van Jezus zat en naar Hem luisterde. Maar Marta was juist heel ijverig. Ze was de hele dag in de weer, in de keuken, in de kelder, en dan was ze weer in de moestuin of in het kippenhok. En wanneer ze drie eters had, wist ze helemaal niet meer, wat ze allemaal koken, braden en bakken moest. Het vuur knetterde in het fornuis, het was een gerommel met de pannen, en Marta liep met hoogrode wangen heen en weer.

Het was een prachtige winterdag, toen Jezus weer eens in Betanië kwam. De zon scheen door de bladeren van de wijnstokken en wierp een milde gloed over de lage muren, die rondom het huis waren. Jezus zat met zijn leerlingen te praten. Ook Maria was erbij. Met haar hoofd in haar handen luisterde ze aandachtig.

Toen kwam Marta naar buiten. In haar linkerhand hield ze een kruik, in haar rechter een pook, het haar hing in slierten voor haar gezicht. 'Heer!' zei ze tegen Jezus, 'Meester!'

'Wat is er, Marta?'

'Meester, ergert U er zich nu niet aan dat Maria niets doet, terwijl ik het

zo druk heb? Zeg haar toch, dat ze mij eens wat helpen moet!' Jezus zweeg even. Hij glimlachte. 'Luister eens, Marta', zei Hij toen. 'Je kunt altijd nog werken, ook als Ik niet meer bij jullie ben en met je praat. En dan zal Maria je vast wel helpen, nietwaar Maria?'
Maria knikte.
Maar Marta hield vol: 'Begrijpt U het dan niet, Meester? Ik wil zo graag een heerlijke maaltijd voor U klaarmaken. Ik zorg zo graag voor U.'
'Ja Marta', knikte de Heer. 'Ik weet het, je maakt je erg druk en je doet veel moeite voor Mij. Maar is het heus zo belangrijk wat je Mij voorzet? Maria heeft echt het beste deel gekozen. Want maar één ding is belangrijk, Marta: dat je luistert naar mijn woorden en die nooit meer vergeet.'

Zacheüs, de tollenaar

Het oude jaar was bijna voorbij en het nieuwe jaar stond voor de deur. De dagen werden weer langer en de nachten korter, en op de door de regen vochtig geworden akkers begonnen het jonge gras en het koren te ontkiemen. Langs de waterkanten bloeiden blauwe en gele lelies en de hoger gelegen weidevlakten stonden vol anemonen. Het duurde niet lang meer of het zou weer paasfeest zijn. Iedere huisvader in Israël bekeek zijn kudde en de jonge, pasgeboren lammetjes; hij koos er één uit, dat hij aan de vooravond van het paasfeest zou slachten.
Op weg naar Galilea naar Jeruzalem kwam Jezus door Jericho. Dat was niet zo'n lange reis, zij voerde door een ruig gebergte, waar zich allerlei roversgespuis ophield. In Jericho wachtte Hem opnieuw een grote mensenmenigte. Er was een enorm gedrang, iedereen wilde Jezus zien. Veel voorname mensen wilden Hem uitnodigen hun gast te zijn. Maar Hij zei tegen hen: 'Ik geloof, dat er een ander is die Mij te eten wil vragen.'
In de stad woonde een tollenaar, die Zacheüs heette. Hij werd zoals alle tollenaars veracht en gehaat. Ook hij wilde Jezus zien. Hij wilde tenminste een blik werpen op de man, die steeds vaker de Messias genoemd werd.
Maar Zacheüs durfde zich niet tussen de mensen te begeven. En omdat hij ook nog erg klein van stuk was, klom hij in een boom. Hij klom steeds hoger en hoger, tenslotte zat hij in de kruin van de boom en probeerde Jezus te ontdekken.
Opeens keerde Jezus zich om en riep: 'Zacheüs!'

'Wie roept Hij?' vroegen de mensen.

'Zacheüs, kom naar beneden. Ik wil vandaag je gast zijn.'

Zacheüs kwam nu zo vlug als hij kon de boom uit, en bracht Jezus naar zijn huis. Hij was overgelukkig, zó gelukkig, dat hij Jezus spontaan beloofde om de helft van zijn geld aan de armen te geven. 'En als ik iemand iets afgeperst heb, geef ik het hem vierdubbel terug', zei hij.

Jezus zei: 'Dat is goed, want de Mensenzoon is immers gekomen om te zoeken en te redden wat verloren was.'

De barmhartige Samaritaan

In die tijd kwam er een schriftgeleerde naar Jezus toe en stelde Hem de volgende vraag: 'Meester, wat moeten we doen, om het eeuwige leven te krijgen?'

Deze vraag klonk heel beleefd en vroom, maar de Heer hoefde de schriftgeleerde alleen maar aan te kijken om te weten dat zijn vraag niet echt gemeend was. De schriftgeleerde had het alleen maar gevraagd om aan Jezus een uitspraak te ontlokken, die Hem in een kwaad daglicht zou plaatsen bij zijn vijanden.

Jezus antwoordde hem met een andere vraag: 'Wat is het belangrijkste gebod, dat Mozes ons gegeven heeft?'

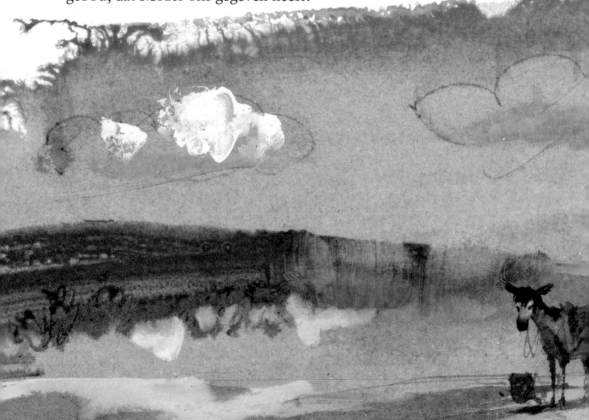

De schriftgeleerde antwoordde: 'Het hoogste gebod is: U moet God, onze Heer, liefhebben met uw hele hart, met heel uw ziel en met al uw krachten. En uw naaste moet u liefhebben als uzelf.'

'Dat is een goed antwoord', zei Jezus. 'Als we ons aan dit gebod houden, zullen we eeuwig leven.'

Jezus wilde zich omkeren en verder gaan. Maar de schriftgeleerde hield Hem vast en riep: 'Maar nu weet ik nog niet wie mijn naaste is. Kunt U mij dat vertellen?'

Jezus antwoordde hem met een gelijkenis en zei:

'Een man was op reis van Jeruzalem naar Jericho en werd door rovers overvallen. Ze rukten hem de kleren van het lijf, sloegen hem en wierpen hem langs de weg in de doornstruiken. Daarna gingen ze ervandoor. De arme man kon niet meer opstaan; hij hoopte nu maar, dat er iemand langs zou komen die zich zijn lot zou aantrekken.

En werkelijk, daar kwam een priester aan. Deze priester gold voor een vroom man. Ook in zijn eigen ogen was hij erg vroom. Maar toen hij de gewonde man langs de kant zag liggen, was hij bang om te blijven staan, want misschien waren de rovers nog wel in de buurt. Dus liep de priester

door. Een tijdje later kwam er een leviet langs - ook hij was een broeder, een volksgenoot van de geslagene, maar ook hij liep door. Nu kwam er al een hele poos niemand meer voorbij en de man dacht al dat hij zou moeten sterven. Eindelijk kwam er een Samaritaan aan, een vreemdeling dus, en, wat je noemt: een echte heiden.

De man uit Jeruzalem durfde helemaal niet te roepen. Maar de Samaritaan zag hem en had medelijden met de arme man. Hij haalde hem uit de doornen, waste zijn wonden met olie en wijn, verbond ze, zette de man op zijn rijdier en bracht hem naar de herberg.

De Samaritaan zelf moest de volgende dag verder. Maar voordat hij wegging, gaf hij de waard twee geldstukken en vroeg hem om voor de gewonde man te willen zorgen. "En als u méér geld nodig mocht hebben", zei hij, "zal ik op mijn terugreis de rest betalen!" '

Dat was het verhaal van Jezus. Daarna keerde Hij zich weer tot de schriftgeleerde en vroeg: 'Zeg mij nu eens, wie van deze drie is volgens u de naaste van de man die door de rovers overvallen was?'

De schriftgeleerde boog beschaamd zijn hoofd en zei: 'Wel, de man, die medelijden had met de gewonde man.'

'Ja', knikte Jezus. 'Die is het. Ga dan heen en wees voortaan ook barmhartig.'

Lazarus staat op uit de dood

Over vier weken zou het al paasfeest zijn. Er kwam een bode naar Jezus toe en deze zei het volgende tegen Hem: 'Lazarus is ziek. De vriend van wie U zoveel houdt, ligt op sterven. Alleen Ú kunt hem nog redden.' Toen de leerlingen dit hoorden, schrokken ze. Want ze waren er zeker van, dat Jezus zijn vriend niet in de steek zou laten, maar dat Hij naar Betanië zou gaan om hem te genezen. Maar Betanië ligt dicht bij Jeruzalem en daar woonden Jezus' ergste vijanden. Als Hij nu op reis zou gaan, nu de stad volstroomde met mensen die het paasfeest wilden vieren, gebeurde er vast een ongeluk. 'Heer', smeekten ze. 'Weet U dan niet, dat het uw dood kan betekenen, als U nu naar Jeruzalem gaat? U kunt beter hier blijven, hier bent U veilig!'

Maar Jezus antwoordde: 'Laat Mij gaan, onze vriend Lazarus slaapt. Ik ga naar hem toe om hem wakker te maken.'

'Als hij slaapt, zal hij vast weer beter worden', riepen de leerlingen. 'Blijft U dus hier!'

Jezus schudde zijn hoofd en zei: 'Jullie begrijpen Mij niet. Lazarus is gestorven en Ik ben blij dat Ik er niet bij was, want nu zullen jullie geloven, omdat jullie Gods heerlijkheid zullen zien.'

Het stond dus vast, dat Jezus naar Jeruzalem zou gaan. Zijn trouwe leerlingen waren bang en maakten zich zorgen. Alleen Tomas, die ook wel Didymus genoemd werd, meende: 'Als Hij gaat, gaan we met Hem mee, dan kunnen we met Hem sterven.'

Toch duurde het nog twee dagen voordat ze vertrokken, en voor de reis naar Jeruzalem hadden ze óók nog eens twee dagen nodig. Dus kwamen ze pas op de avond van de vierde dag aan. Toen ze Betanië naderden, liep Marta hen al tegemoet. Nu Marta Jezus zag, brak ze in tranen uit en riep: 'Ach Heer, als U hier geweest was, zou mijn broer niet gestorven zijn.'

Jezus liet haar een poosje huilen, daarna zei Hij:
'Wees stil, Marta, je broer zal opstaan.'

Marta begreep Hem niet. Hoe hád ze Hem ook kunnen begrijpen?
'Zeker', knikte ze, 'hij zal opstaan, op de jongste dag zullen we allemaal weer bij elkaar zijn.'

Jezus pakte haar hand en zei: 'Ik ben de opstanding en het leven. Wie in Mij gelooft, zal leven, ook als hij sterft.'

Nog altijd begreep Marta het niet en ze dacht, dat Jezus haar wilde troosten. Ze ging haar zus halen. Maria huilde ook en ze zei hetzelfde als Marta: 'Ach Heer, als U hier geweest was, zou onze broer Lazarus niet gestorven zijn.'

Deze woorden ontroerden de Heer. Toen Hij zag, hoe verdrietig de twee zussen waren, zei Hij: 'Waar hebben jullie je broer neergelegd? Breng Mij naar zijn graf.'

Meteen brachten ze Jezus naar het graf van Lazarus. En de Joden, die gekomen waren om de zusjes te troosten, volgden hen op de voet.

Het lichaam van Lazarus lag in een rotsgraf, en voor het graf bevond zich een grote steen. Toen Jezus naar het graf keek, was Hij diep bedroefd, Hij huilde. De mensen zeiden tegen elkaar: 'Kijk toch eens, hoeveel Hij van de dode heeft gehouden.' Maar anderen zeiden: 'Waarom heeft Hij hem dan niet gered, Hij, die zoveel mensen beter gemaakt heeft en zoveel blinden weer heeft laten zien?'

Toen Jezus dit hoorde, beval Hij: 'Haal de steen weg!' Maria en Marta schrokken. Marta zei: 'Heer, waarom wilt U dat? Hij is al vier dagen in het graf en de lucht is niet meer te verdragen.' Toen herhaalde Jezus met luide stem: 'Rol de steen weg!'

Er kwam vlug een man aangelopen, die de steen wegrolde.

De vrouwen gingen een eindje verderop staan en bedekten hun gezicht met de handen.

Jezus riep bij de ingang van de rots: 'Lazarus! Lazarus! Kom naar buiten!' Iedereen hield zijn adem in en stond doodstil.

Toen bewoog er iets in de rots. Er klonk een diepe zucht, daarna geschuifel. Nu kwam er iets wits uit de donkere grot. 'Lazarus!', schreeuwden Maria en Marta tegelijk. Er was een bleek, in witte doeken omwikkeld gezicht te zien. Ook de handen en voeten waren met zwachtels gebonden. Iedereen huiverde. Toen Lazarus, verblind door het felle licht, Jezus herkende, lachte hij gelukkig.

'Haal die doeken van zijn lichaam af en laat hem naar huis gaan', zei Jezus.

De Hoge Raad

'Lazarus - Lazarus - Lazarus...' Honderden stemmen fluisterden in die nacht deze naam. In de omgeving van de tempel, in de wandelgangen en op de weg, de weg die trapsgewijs naar boven liep, naar het paleis van de hogepriester Kajafas. 'Uit de dood opgewekt.' - 'Op de vierde dag.' - 'Niet te geloven!'

In het paleis van Kajafas vergaderde de Hoge Raad. Ze waren allemaal gekomen: de farizeeën, die Jezus haatten en zich verbeeldden dat ze beter waren dan de tempelpriesters, samen met de heren van de Raad. Vandaag vergaten ze hun hoogmoed en de meningsverschillen, die ze hadden met Kajafas en zijn aanhang. Ook de schriftgeleerden, die anders alleen maar over hun boekrollen zaten gebogen, waren van de partij.

Er kwamen ook mensen die Jezus in de tempel hadden horen spreken en anderen, die alleen maar allerlei geruchten over Hem gehoord hadden. Het wemelde in het paleis van de mensen. Het laatste wonder van de Nazarener had hen allemaal erg opgewonden.

'Wat moeten we met zo'n man beginnen!' vroegen ze zich af, 'een man die zulke wonderen doet? Al vlug begint het paasfeest. Als het volk merkt dat Hij in Jeruzalem is, zal er vast oproer van komen!' - 'Het volk zal Hem hogepriester maken!' - 'Of het zal Hem tot koning uitroepen!' - 'Wat zal er dan met ons gebeuren?' Zo spraken ze over en weer. Eén stelde voor om Lazarus in het geheim te vermoorden, om zo het bewijs weg te nemen dat Jezus zelfs doden kon opwekken. Maar anderen

schreeuwden ertegenin: 'Wat heeft het voor zin om Lazarus te doden? Morgen wekt Hij wel weer een andere dode op!' - 'Heeft Hij niet gezegd, dat Hij de tempel zal afbreken en in drie dagen weer zal opbouwen?' - 'Kooplieden en geldwisselaars heeft Hij uit de tempel verjaagd!' - 'Hij heeft beweerd, dat Hij de Zoon van God is!'

Zo praatten ze allemaal door elkaar. Ze balden hun vuisten, de een hitste de ander op, zodat ze tenslotte allemaal vervuld waren van woede en haat. Eindelijk kwam de hogepriester binnen. Hij liep langzaam en met slepende stappen door de zaal. Naast Hem liep de grijze Annas, zijn schoonvader, een kleine, gebogen, tandeloze oude man. Iedereen wist dat Kajafas altijd deed wat Annas wilde, en dat die in werkelijkheid de machtigste was.

Nu werd het stil.

Kajafas nam plaats op zijn troon en Annas ging naast hem zitten. Meteen

341

wilde er een farizeeër naar voren gaan om zijn klacht tegen Jezus uit te spreken. Maar Kajafas legde hem het zwijgen op. Terwijl hij in zijn zwarte baard zat te plukken, begon hij te spreken: 'Ik heb me laten inlichten en ik weet alles. Ik heb deze conclusie getrokken: 'Het is beter dat er één man sterft, dan dat een heel volk in opstand komt en te gronde gaat. En daarom', - hij aarzelde even en keek naar Annas. Nu ging ook Annas staan, keek de doodstille zaal rond en sprak: 'En daarom moet Hij sterven.'

'Sterven, sterven!' schreeuwden de anderen in koor. Hun geschreeuw was door het hele paleis te horen.

Nu hadden de mensen het verschrikkelijke oordeel over Gods Zoon uit-gesproken: Hij moet sterven! Dit ontzettende oordeel galmde naar buiten en klonk door de nacht. De raven, die in de bomen zaten, hoorden het en vlogen geschrokken op. Het leek alsof de bomen sidderden, en al de dieren, zelfs de jakhalzen in de woestijn, vluchtten hun holen in.

Jezus in Betanië

Over zes dagen zou het paasfeest zijn. Jezus was nog bij zijn vrienden in Betanië. Daar werd een maaltijd ter ere van Hem gegeven. Marta had allerlei heerlijkheden klaargemaakt. En ook Lazarus, die door Jezus uit de dood was opgewekt, was erbij. De eetzaal was prachtig versierd, overal brandden lampjes.

Daar kwam een vrouw stilletjes binnen. Het was Maria. Zij had een albasten kruikje bij zich, waar kostbare nardusbalsem in zat. Zij opende de kruik, en een zoete balsemgeur verspreidde zich door het hele huis. Dit was wel de kostbaarste balsem die er bestond.

Maria knielde bij Jezus neer, zalfde zijn voeten en droogde ze met haar haren af.

Sommigen van Jezus' leerlingen begonnen te mopperen en noemden het verkwistend. Vooral Judas (de leerling, die Jezus verraden zou), die aan

het eind van de tafel zat, keek boos naar Maria. Het ergerde hem, dat Maria die dure balsem zo maar uitgoot. En hij wond er zich vooral over op, dat Maria zóveel van Jezus hield, dat ze dit voor Hem over had. Judas benijdde haar om die liefde, maar dat zou hij nooit willen toegeven. Hij riep over de tafel heen naar Jezus: 'Meester, heeft U niet altijd gezegd dat we voor de armen moeten zorgen? We moeten onze bezittingen toch met hen delen? En vindt U het dan nu goed dat deze vrouw die hele kruik met nardusbalsem over uw voeten uitgiet, terwijl die balsem toch zeker driehonderd geldstukken zou opbrengen? Het was beter geweest als we dat geld aan de armen hadden gegeven!' Judas zei dit heus niet omdat hij zo graag geld aan de armen wilde geven. Maar Judas was de man die het geld beheerde. En soms stal hij van dat geld en stak het in zijn eigen zak. Jezus keek hem aan en antwoordde: 'Judas, waarom zeg je dat en waarom doe je Maria zo'n pijn met je woorden? Zij wilde Mij alleen maar een dienst bewijzen. En wat zij deed, herinnert al aan mijn begrafenis. De armen zullen er altijd zijn. Maar Ik zal niet lang meer bij jullie blijven.' Intussen hadden veel Joden ontdekt waar Jezus was. Zij gingen naar het huis waar Jezus en zijn vrienden gegeten hadden. Ze kwamen niet alleen omdat ze Jezus wilden zien, maar ook omdat Lazarus daar woonde, die uit de dood was opgewekt.

Toen stond Judas van tafel op en liep kwaad naar buiten.

De verrader

Het was nacht. De hemel was bewolkt, geen ster liet zich zien. De regendruppels sloegen Judas in het gezicht. Hij verliet Betanië, zonder dat hij een bepaald doel voor ogen had. Hij was woedend en verdrietig. Een wilde haat kwam in hem op, haat tegen zichzelf en tegen de Heer.

Hij had er al een hele poos spijt van, dat hij zich bij Jezus had aangesloten. Hij merkte dat Jezus iets van hem wist, wat hem zelf nog niet duidelijk was. Wat had Jezus tegen hem? Met de anderen praatte Hij zo vertrouwelijk, alsof het broers van Hem waren. Hij hield veel van Johannes en was ook op Petrus heel erg gesteld. Zelfs aan die Levi, die nu Matteüs heette, schonk Hij meer vertrouwen dan aan hem, Judas Iskariot.

Judas balde zijn vuisten en liep zachtjes voor zich uit te praten. Ja, het was waar, hij had zo nu en dan wel eens een geldstukje uit de kas genomen. Maar hoe kon de Meester dat weten? Hij bemoeide zich nooit met het geld. Het zat Judas vooral dwars, dat Hij de farizeeën en de over-priesters zo tegen zich opzette. Hoe kon dat goed aflopen? En als de Hoge Raad Jezus nu eens gevangen wilde nemen en doden, wat zou er dan met zijn leerlingen gebeuren? Waarschijnlijk hetzelfde!

Judas huiverde. Hij wilde niet sterven!

Was hij dan alleen maar uit zijn geboortestreek weggegaan om te sterven? Had hij dan alleen daarom dit moeizame en armzalige zwerversbestaan op zich genomen, om tenslotte als een misdadiger gestenigd of aan het kruis geslagen te worden?

Met zulke gedachten in zijn hoofd was Judas ondertussen al ver van Betanië verwijderd en aangekomen onder de muren van Jeruzalem. In het donker sloop hij de stad binnen; voor het paleis van de hogepriester Kajafas zaten drie mannen bij de poort te praten. Toen Judas hoorde dat ze over Jezus spraken, verborg hij zich achter een pilaar en luisterde. 'Dertig zilverstukken zijn er op zijn hoofd gezet', zei de een. 'Dat is veel geld.' 'Daarvan kun je een groot stuk land kopen', zei de ander. 'Ondanks dat, zou ik dat bloedgeld niet in handen willen krijgen', sprak de derde. 'Deze Jezus is misschien toch de Messias. Hij zal ons van de Romeinen bevrijden en dan zal Hij een machtig rijk stichten.'

'Onzin', zei de tweede. 'Er zijn er al zoveel geweest die gezegd hebben: "Ik ben de Messias." En naderhand bleek dat ze bedriegers waren en dat alles bij het oude bleef.'

Toen Judas deze woorden hoorde, duizelde het hem. Hij moest zich aan de pilaar waar hij achter stond, vasthouden. Op dat ogenblik ging achter hem de poort van het paleis van Kajafas open. Hij zag, dat een paar mensen naar binnen gingen en vlug glipte Judas met hen mee. Daar werd hij door een secretaris ontvangen. Toen hij zei dat hij iets over Jezus van Nazaret te vertellen had, werd hij dadelijk verder gebracht. Tenslotte stond hij voor Kajafas zelf.

Stotterend vertelde Judas wat hij op zijn hart had: hij kon de verblijfplaats van Jezus wel te weten komen en hij was eventueel bereid... 'Hem uit te leveren?' viel Kajafas hem snel en verheugd in de rede. 'Dat is verstandig van je, vriend! Maar luister', ging hij toen zachtjes verder en greep Judas bij zijn overkleed. 'Eén ding is belangrijk! Je moet ons de plek vertellen, waar wij Hem alléén kunnen aantreffen, niet tussen het volk, want we willen geen opstand, begrijp je! Zodra je ons de plek hebt aangewezen en wij Hem gevangen hebben, krijg je het geld. Twintig zilverstukken!'

'Dertig!' fluisterde Judas met droge lippen.

'Goed, dertig dan!' riep Kajafas en duwde Judas met een verachtelijk gebaar bij zich vandaan. 'Ga nu maar!'

Palmzondag

De volgende dag stroomden de pelgrims in groepen Jeruzalem binnen, want de paasweek was nu begonnen. Overal in de straten en in de herbergen, ja, van alle kanten, werd hun toegeroepen:

'Goed, dat u komt! De Messias is opgestaan uit ons volk. Hij geneest de zieken, Hij wekt de doden op. In Betanië is een man, die al vier dagen in zijn graf gelegen had en nu loopt hij weer rond, hij leeft weer!'

Dadelijk trok een vrolijke opgewonden menigte de beek Kidron over in de richting van Betanië.

Toen men Jezus, die op weg was naar Jeruzalem, tegenkwam, sloot men zich bij Hem aan en liep met Hem mee. Ze rukten takken en bladeren van de bomen en legden hun mantels voor Hem op de grond, zodat Hij eroverheen kon lopen. Ze riepen: 'Hosanna, Zoon van David! Gezegend Hij, die komt in de naam van de Heer! Gezegend Hij, de Heiland en Koning!' Ze brachten Hem een jonge ezel, Jezus ging daarop zitten en zo reed Hij voor de menigte uit, Jeruzalem tegemoet. Het juichen en zingen schalden door de tuinen en over de olijfbomen heen. Steeds meer mensen kwamen aangelopen en riepen: 'Hosanna! Hosanna!'

Twee farizeeën versperden de weg voor de Heer en vroegen: 'Wat heeft dit te betekenen? Waarom vindt U het goed dat de mensen zo schreeuwen?' Jezus pakte de teugels wat vaster beet en zei: 'De hemel en de aarde weten wie Ik ben. Alleen u weet het niet. Ja, Ik zeg u: als deze mensen geen Hosanna riepen, dan zouden de stenen het doen!' Met deze woorden passeerde Hij hen.

De weg maakte nu een bocht. Voor zich, aan de overkant van het Kidrondal, zag Jezus Jeruzalem liggen, met haar machtige muren en hoge torens. Het morgenlicht zette de stad in een gouden glans. Daar lag zij, de heilige stad, waar de Heer van het heelal door zijn uitverkoren volk bezongen en geprezen wilde worden. Daar stond de Davidstoren, een machtig bouwwerk van reusachtige steenblokken. Daar lichtte de gouden poort op, en daarachter verhief zich de tempel, het huis van God, de Allerhoogste.

Jezus verborg zijn gezicht in de handen en zei: 'O Jeruzalem, Jeruzalem! Wat zal er met je gebeuren? Hoe vaak heb Ik jouw kinderen om mij heen willen verzamelen, zoals een kloek haar kuikens onder haar vleugels verzamelt! Maar jij zal een profeet ter dood laten brengen en daarvoor zal je moeten boeten, ongelukkige stad! Geen steen zal op de ander blijven. Jouw vijanden zullen jou met jouw kinderen totaal onder de voet lopen. O, wilde je nog maar op deze dag inzien wat er nodig is voor jouw vrede!

Maar je keert je af. Waarom heb je Mij niet geloofd!'

De leerlingen schrokken bij het horen van deze woorden en ze zagen dat Jezus huilde. Waarom huilde de Meester nu juist op dit ogenblik? Hoorde Hij de juichende mensen dan niet, die nog steeds 'hosanna, hosanna!' riepen? Zag Hij de vele handen dan niet, die naar Hem zwaaiden? Wist Hij niet, dat veel voorname mensen erover dachten zich bij Hem aan te sluiten en dat zelfs de tempelwacht en de soldaten van Herodes bereid waren om Hem te volgen? Eén woord van Hem, en de één zou het paleis van Kajafas bestormen, de ander zou de tempel in bezit nemen. En wat de Romeinen betrof - een man die de macht bezat om doden uit het graf terug te roepen, had toch zeker ook de macht wel om vuur van de hemel te laten vallen en de Romeinse onderdrukkers tot as te verbranden! 'Slechts één woord, Jezus, o spreek toch dat ene woord!' Maar de Heer sprak dat ene woord niet. Voor de tempelpoort klom Hij van zijn rijdier af en ging het tempelplein op, zoals zo vaak. Daar praatte Hij zoals steeds met de bedelaars, die langs de kanten zaten en hun ver- lamde en kreupele ledematen naar Hem uitstrekten. In een hoek van het tempelplein ging Hij zitten en daar begon Hij te spreken. Het was werkelijk allemaal net als anders. De menigte begon te mopperen. Waar-

om gaf de Meester nu niet eindelijk het bevel om aan te vallen?

Jezus zei: 'Het uur is nu dichtbij gekomen, dat de Mensenzoon verheerlijkt zal worden. Maar Hij zal niet verheerlijkt worden zoals jullie dat verwachten. Denk eens aan de tarwekorrel die gezaaid wordt. Kan die vrucht voortbrengen voordat hijzelf in de aarde sterft? Zo is het ook met Mij. Ook Ik moet sterven, om de vrucht te kunnen voortbrengen die mijn hemelse Vader van Mij verwacht. Wie zijn leven liefheeft, die zal het verliezen, maar wie het weggeeft, zal het duizendvoudig terugkrijgen.'

Na deze woorden verstomde het hosannageroep. Veel mensen gooiden hun takken en bladeren weg en verspreidden zich, het hele tempelplein lag tenslotte vol verwelkt groen.

Toen de leerlingen zagen wat er gebeurd was, drongen ze dichter om Jezus heen, en Johannes vroeg Hem: 'U heeft zojuist op weg hiernaartoe gesproken over een grote ramp die over deze stad zal komen. Hoe heeft U dat bedoeld?'

Jezus antwoordde: 'Deze stad is te vergelijken met de hele wereld, en het volk Israël met al de volken van deze wereld. Ja, Ik zeg jullie: Op een dag zal men het teken van de Mensenzoon aan de hemel zien verschijnen. De zon zal verduisteren en de maan geen licht meer geven. De sterren zullen van de hemel vallen. En de mensen zullen vervuld worden met grote angst, omdat de zeeën tekeer zullen gaan en de gehele aarde zal beven. Dan zal de Mensenzoon komen op de wolken, de graven zullen opengaan en de doden zullen opstaan. En allen zullen voor zijn aangezicht verschijnen. Hij zal hen in twee groepen verdelen. De rechtvaardigen zal Hij aan zijn rechterhand zetten en tot hen zal Hij zeggen: "Kom gezegenden, ga het koninkrijk binnen. Want Ik had honger en u hebt Mij te eten gegeven. Ik had dorst en u hebt Mij te drinken gegeven. Ik was eenzaam en u hebt Mij vriendschap gegeven. Ik was naakt en u hebt Mij kleren gegeven. Ik was ziek en u hebt voor Mij gezorgd. Ik was in de gevangenis en u hebt Mij daar opgezocht." Dan zullen de rechtvaardigen zeggen: "Heer, wanneer hebben wij gezien dat U honger had? Wanneer was U ziek, wanneer hebben wij U kleren gegeven?" Dan zal de Mensenzoon dit antwoord geven: "Wat jullie voor één van mijn geringste broeders gedaan hebben, dat hebben jullie voor Mij gedaan."

Maar dan zal Hij zich keren tot degenen die aan zijn linkerhand staan. En tot hen zal Hij zeggen: "Ga weg van Mij, de eeuwige straf tegemoet! Want Ik had honger en u hebt Mij niet te eten gegeven. Ik had dorst en u hebt Mij niet te drinken gegeven. Ik was naakt en u hebt Mij geen kleren gegeven. Ik was ziek en in de gevangenis en u hebt Mij niet opgezocht." Dan zullen zij verschrikt roepen: "Heer, Heer, wanneer hebben wij U zo gezien, wanneer had U honger en dorst, of wanneer was U ziek of gevangen?" Dan zal de Mensenzoon antwoorden: "Wat jullie onthouden hebben aan jullie armste broeder, dat hebben jullie aan Mij onthouden." En dezen zullen verloren zijn.'

Het laatste avondmaal

Toen het donderdagsmorgens licht begon te worden, zei Jezus tegen de twaalf leerlingen, die bij Hem waren: 'Al lang heb Ik ernaar uitgezien het paaslam met jullie te eten. Ga de stad in, en zeg tegen de man die je met een waterkruik op de schouder tegemoetkomt: 'De Meester wil bij u het paasmaal gebruiken. Maak het klaar!'
Zo gebeurde het ook. En voor de laatste keer zat Jezus met zijn leerlingen aan tafel. Voordat de maaltijd begon, ging Jezus staan, deed een witte linnen doek om zijn middel, goot water in een kom en knielde om de voeten van de leerlingen te wassen. Dezen wisten eerst niet goed wat er gebeurde: de Meester wilde hen dienen als de geringste knecht? Was dat mogelijk? Toen Jezus voor Petrus neerhurkte, sprong Petrus op en riep: 'Heer, wat doet U? Nooit mag U mijn voeten wassen!'
Jezus antwoordde: 'Stil, Petrus, laat Mij doen wat Ik wil. Ik wil jullie voeten wassen. Je begrijpt nog niet wat Ik doe. Je zult dat pas later begrijpen!' Toen Petrus nog steeds tegenstribbelde, zei Jezus: 'Als je je voeten niet door Mij laat wassen, hoor je niet meer bij Mij.'
Petrus schrok. 'Ach Heer', zei hij, 'als dát zo is, was dan niet alleen mijn voeten, maar ook mijn handen en mijn hoofd.'
Jezus antwoordde: 'Het is genoeg, als Ik je voeten was.'
Zo waste Jezus de voeten van zijn twaalf leerlingen, de een na de ander, de Meester voor zijn leerlingen, de Heer voor zijn knechten, de eeuwige God voor zijn nietige schepselen. Hij waste zelfs de voeten van Judas Iskariot. Zwijgend en ontroerd lieten ze het toe. Maar op het voorhoofd van Judas stonden grote druppels angstzweet.
Nu stond Jezus op, deed de linnen doek af, ging aan tafel zitten en zei: 'Begrijpen jullie, waarom Ik dit gedaan heb? Ik ben jullie Heer en Meester en toch bewijs Ik jullie een dienst. Zo moeten jullie ook elkaar dienen. Heb elkaar lief, zoals Ik jullie liefheb. En wees eensgezind, zoals Ik met de Vader één ben. Nu zal Ik jullie spoedig alleen laten, en de wereld zal Mij niet meer zien. Maar Ik laat jullie niet als wezen achter,

mijn kinderen! Jullie hoeven niet angstig en bang te zijn. Ik ga naar de Vader om daar een plaats voor jullie te bereiden. En ik zeg jullie: in het huis van mijn Vader is ruimte genoeg.'

Nu werd de maaltijd opgediend. Maar Jezus kon nauwelijks eten, zo ontroerd was Hij. Johannes zat naast Hem. Hij legde zijn hoofd op de schouder van de Heer en zei: 'Meester, U weet toch hoeveel wij allemaal van U houden?' Dit had Petrus ook al gezegd.

Jezus werd bleek, keek de kring rond en zei: 'Nee, niet allemaal. Er is er één onder jullie, die Mij verraden zal.'

Johannes week verschrikt terug en riep: 'Verraden?'

Ook de andere leerlingen schrokken en waren erg in de war, ze keken elkaar onthutst aan. 'Verraden? Wie van ons zou U kunnen verraden?' In Petrus kwam een ontzettende woede op en hij gaf Johannes een wenk, dat hij aan Jezus moest vragen wie het was. Want hij had een zwaard bij zich en was bereid om de man die Jezus verraden zou aan te vallen en te doden. Maar Jezus gaf geen antwoord. Pas na een poosje zei Hij zachtjes tegen Johannes: 'Wie zijn brood tegelijk met Mij in de schotel doopt, die is het.' Jezus nam een stukje brood en strekte zijn hand uit om het in de schaal te dopen. Op hetzelfde ogenblik ging ook de hand van Judas naar de schaal en Jezus gaf hem het stukje brood.

Johannes huiverde en drukte zijn gezicht tegen Jezus' borst. Maar Jezus duwde hem zachtjes weg en Judas vroeg opgewonden: 'Ik ben het toch niet, Meester?' Zachtjes antwoordde Jezus: 'Je hebt het gezegd.'

Judas zat daar met een verwrongen gezicht. Wat moest hij antwoorden? Deze nacht, zo had hij de hogepriester Kajafas beloofd, zou hij Jezus overleveren. Het hart klopte hem in de keel. Wat hij van plan was te gaan doen, lag als een afgrond voor hem. Hij wist dat zijn daad hemzelf vernietigen zou, maar op dit ogenblik wilde hij zijn eigen ondergang, want de duivel had hem in zijn macht. Toen zei Jezus: 'Waarom aarzel je nog? Wat je doen wilt, doe dat vlug.'

Judas boog zijn hoofd. Toen liep hij naar buiten en rende naar het paleis van Kajafas. Buiten adem kwam hij daar.

Nu was de verrader weggegaan. Met uitzondering van Johannes wist niemand van de leerlingen dat Judas de verrader was. Ze geloofden, dat de Meester hem weggestuurd had om iets te gaan kopen en ze dachten er niet verder over na.

Nu was het een poosje stil in de zaal. De schaal waar het paaslam op gelegen had, was weggeruimd. Op de tafel lag alleen nog brood, en voor de Meester stond een beker met wijn.

Het was al laat, en Jezus wist, dat Hij weldra moest gaan om zich uit te leveren aan zijn vijanden. Het uur van afscheid was gekomen. Wat kon Hij nog voor zijn leerlingen doen? Hij had veel dingen gezegd, Hij had zijn liefde aan hen bekendgemaakt. En toch leek het Hem nog niet genoeg. Hij wilde bij hen blijven, niet op de manier waarop Hij tot nu toe bij hen was geweest, maar anders, zó, dat Hij voor altijd bij hen zou kunnen zijn. Hij wilde deze wereld niet verlaten zonder haar iets te geven waardoor zij altijd aan Hem zou denken. Hij wilde voorgoed in de harten van de mensen wonen.

De eeuwen door wilde Hij voor alle mensen iets betekenen. Op dit ogenblik zag Hij de wereld voor zich zoals die door het heelal zweeft, en vóór Hem lagen alle steden en landen, en ook de kleinste hut, van het uiterste noorden tot het uiterste zuiden, vertoonde zich aan Hem. Hij zag alle mensen, de mensen van toen en die nog geboren zouden worden. Hij zag ook jou, ook mij. En omdat Hij zijn liefde aan ieder van hen wilde geven, nam Hij het brood in zijn heilige handen, zegende het en sprak: 'Neemt, eet, dit is mijn lichaam. Mijn lichaam, dat voor u wordt overgeleverd.'

En daarna nam Hij de beker, zegende die en sprak: 'Drinkt allen hieruit. Want dit is mijn bloed, dat voor velen vergoten wordt tot vergeving van zonden.'

Toen gaf Hij hun het brood en de beker en liet hen daarvan eten en drinken; tenslotte zei Hij: 'Blijf zo met brood en wijn aan Mij denken.' Nu duurde het niet lang meer, of Hij stond op en verliet de zaal waar ze dit avondmaal hadden gebruikt. Hij sloeg de weg in naar de Olijfberg, naar Getsemane. En toen ze daar gekomen waren, ging Hij slechts met drie leerlingen verder. De anderen bleven achter en vielen al gauw in slaap.

De doodsangst

De voetstappen van Jezus en de drie leerlingen knerpten in het grind. Verder was er niets te horen. Het was alsof de nacht zelf de adem inhield en zich verborg in de mantel van de duisternis, om maar niet te zien wat er zou gebeuren.

Jezus zweeg, ook de leerlingen spraken niet. Vóór hen lag het Kidrondal. Johannes vroeg zachtjes: 'Waar gaat U heen, Heer?' En toen hij geen antwoord kreeg, voegde hij er fluisterend aan toe: 'Wilt U maar niet liever teruggaan?' Ook daarop gaf Jezus geen antwoord.

Petrus smeekte: 'Heer, ga toch terug. U weet het: wij zijn bereid om voor U te sterven, en wat mij betreft: ik ben niet bang om gevangen genomen te worden en ik ben ook niet bang voor de dood...'

'Ach Simon', Jezus keerde zich om en keek hem aan, 'Simon!'

'Ja, Heer!'

'Ik zeg je, nog deze nacht, vóór het kraaien van de haan, zul je driemaal beweerd hebben dat je Mij niet kent.'

Nee, wilde Petrus al tegenspreken, nooit! Maar er ging iets van Jezus uit, dat de woorden in zijn mond deed verstommen. Ze hadden nu de voet van de Olijfberg bereikt, en Jezus zei tegen de leerlingen: 'Wacht hier op Mij, terwijl Ik bid. Waak en bid, want de geest is wel gewillig, maar het vlees is zwak.' Hij liet hen achter en liep een eind verder.

De drie leerlingen bleven alleen achter. Ze waren bedroefd en onthutst. Ze voelden zich zo moe. Ze gingen aan de kant van het pad zitten en na een poosje waren ze in slaap gevallen.

Ondertussen was Jezus een eind verder gelopen. Hij kende deze plaats goed. Tussen kale rotsen rezen enorme bomen omhoog. Hun kale kromgegroeide stammen waren door de bliksem gespleten, of van ouderdom verteerd. Als slangen kronkelden hun wortels zich over de grond.

Jezus dacht aan de tuin van Eden, die God aan de mensen had gegeven, het mooie, jonge paradijs. Hij dacht aan de zondeval van Adam en aan Kaïns misdaad, en aan de slechtheid van degenen die zich eens de zondvloed op de hals hadden gehaald.

Toen had de Vader dat verschrikkelijke woord uitgesproken: 'Ik heb er spijt van, dat Ik de mensen gemaakt heb.' Ja, de Schepper had berouw gehad van zijn mooiste en kostbaarste werk, het scheppen van de mens. En nu moest Hij, Jezus, dat berouw veranderen in vreugde. Daarom was Hij op aarde gekomen. Daarom moest Hij nu sterven. Jezus moest er verschrikkelijke kwellingen voor doorstaan. Hij knielde op de grond, wrong zijn handen en bad: 'O Vader, als het mogelijk is, laat deze beker dan aan Mij voorbijgaan.'

Na een poosje stond Hij op en ging naar zijn leerlingen terug. Hij wilde in dit droeve en bange uur zijn leerlingen bij zich hebben. Maar zij sliepen. Jezus ging weer weg. In gedachten zag Hij nog iets afschuwelijkers voor zich dan wat er in het verleden was gebeurd. Hij zag nu ook wat er in de toekomst gebeuren zou: het verraad van Judas en zijn eigen dood, en de dood van zijn leerlingen; de haat van de wereld tegen zijn naam en de eenzaamheid van God temidden van zijn mensen; moord, diefstal en leugen, laster, hardvochtigheid, ontucht en hoogmoed. Hij zag de komende eeuwen aan zich voorbijrollen als rode golven, rood van het bloed van oorlogen. Hij zag de nood van de armen en de hebzucht van de rijken. Ach, waartoe was Hij, Gods Zoon, op deze aarde gekomen? De mensen deden alkaar toch alleen maar verdriet en pijn! Jezus was

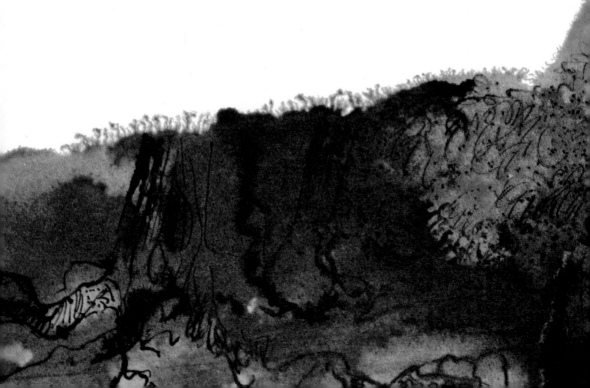

bedroefd. Hij sidderde en het angstzweet brak Hem uit. Het zweet was met bloed vermengd. Hij bad: 'Vader, Vader, luister naar Mij! Als het mogelijk is, laat deze beker aan Mij voorbijgaan. Maar niet mijn wil, doch uw wil zal geschieden!'

Een vaal licht scheen door de bomen. Een engel daalde bij Jezus neer. Hij hield een beker in de handen en gaf die aan Jezus. Jezus nam een slok en Hij kreeg weer kracht. De engel verdween weer.

Nu stond Jezus op en maakte de slapende leerlingen wakker, want het uur was gekomen dat de Mensenzoon zou worden overgeleverd. De verrader kwam er al aan.

Jezus wordt gevangen genomen

Aan de overkant van de beek Kidron ging een poort open. Uit de stad kwam een groep gewapende mannen. Ze droegen fakkels, speren en knuppels. Het licht van hun fakkels weerspiegelde zich in hun helmen. Naast de aanvoerder liep een donkere, in elkaar gedoken gestalte. Het was Judas Iskariot.

Ze liepen de weg af, ze gingen over de brug... Judas wees in de richting van Getsemane. 'Daar is Hij!' fluisterde hij tegen de aanvoerder. Judas wist wel dat hij Jezus in Getsemane kon vinden, want Jezus kwam hier vaak.

'Er zijn maar een paar leerlingen bij Hem!' fluisterde hij, 'maar opdat jullie zullen weten wie je grijpen moet, zal Ik Hem een kus geven.'

Jezus zag hen aankomen, ook de leerlingen zagen hen. Eén van hen riep: 'Heer, laten we vluchten.' Maar Jezus schudde zijn hoofd, en daar kwam Judas al op Hem af.

'Gegroet, Meester!' zei hij en kuste Jezus op de wang. Jezus liet het toe. Toen keek Hij Judas aan en vroeg: 'Vriend, waarom ben je gekomen? Verraad jij de Mensenzoon met een kus?'

Petrus stond achter Jezus en schreeuwde: 'Meester, hoe kunt U dit dulden? Sta ons toe met onze zwaarden erop los te slaan!' Meteen stormde hij al op het legertje af. Hij zwaaide wild met zijn zwaard, en hakte iemand het rechteroor af.

Jezus keerde zich om en riep: 'Ho! Hou op!'

Hij liep op de gewonde man toe, die ineengekrompen stond van de pijn, raakte het oor aan en genas hem.

Toen de andere knechten dat zagen, deinsden ze terug. Niemand durfde Jezus aan te raken. Dat duurde zo een minuut of twee. Bevend van angst stonden ze daar in hun pantsers en met hun helmen op. De man die de kettingen droeg, liet ze rammelend op de grond vallen.

Jezus zei tegen hen: 'Waar wacht u nog op? U bent naar Mij toegekomen met speren en knuppels alsof Ik een rover ben. Dagelijks was Ik bij u in de tempel, en niemand durfde Mij iets te doen. Maar nu het donker is, nu durft u en bent u gekomen.'

Er kwam beweging in de groep. Pas toen Jezus zelf zijn handen uitstak, grepen ze Hem. De man die Hem binden moest, raapte de kettingen op en boeide Hem.

Petrus en de andere leerlingen hadden zich bij de woorden van Jezus tussen de bomen teruggetrokken. Nu zagen ze dat de soldaten de Meester tussen zich in meenamen.

Het verhoor

In het paleis van Kajafas brandden alle lichten. Het was vol in de zalen, in de gangen en op de trappen. Weer waren al de voorname mannen van Jeruzalem daar aanwezig, de Hoge Raad met de zeventig leden en de getuigen die opgeroepen waren. Waren ze er werkelijk allemaal? Misschien ontbrak Nikodemus, die midden in de nacht een bezoek aan Jezus had gebracht. Hij had Hem toen in het geheim zijn sympathie betuigd. Het zou best kunnen dat er nog meer leden afwezig waren, bijvoorbeeld Eljakim, die met Jezus gesproken had toen Hij als twaalfjarige jongen in de tempel was geweest. Maar Kajafas was er en ook Annas, de stokoude grijsaard, die als eerste had gezegd dat Jezus sterven moest.
Nu werd Jezus binnengebracht.
Zijn handen waren gebonden en twee gewapende knechten hielden Hem bij zijn armen vast, alsof ze bang waren dat Hij nog ontvluchten kon.
Kajafas stond op en vroeg Hem: 'Bent U Jezus van Nazaret?'
Jezus zweeg.
Een ander riep: 'Ik vraag U, bent U de Messias? Bent U de Zoon van de allerhoogste God?'
Jezus antwoordde: 'Ja, die ben Ik, en van nu af aan zal de Mensenzoon aan de rechterhand zitten van de Almachtige en Hij zal terugkomen op de wolken des hemels.' Een woedend gebrul steeg op, honderden vuisten werden omhoog gestoken en men riep verontwaardigd: 'Dit is laster!'
De hogepriester pakte zijn kleed bij de zoom beet, scheurde het in tweeën en riep: 'Hij heeft God beledigd. We hebben geen getuigen meer nodig.'
Uit de soldaten die op wacht stonden, kwam een grote, ruwe kerel naar voren snellen.
De man begreep helemaal niet wat er precies aan de hand was, maar omdat iedereen tegen Jezus schreeuwde, vond hij, dat hij er ook iets aan moest doen. Daarom sloeg hij Jezus met zijn vuist in het gezicht. Jezus wankelde.
Toen de anderen zagen dat Jezus zich niet verweerde, sloegen ook zij Hem. Ze spuwden Hem, het liefst hadden ze Hem maar meteen gedood. Maar toen riep Kajafas hen tot de orde: 'Houdt op! Weten jullie dan niet, dat het verboden is om iemand zomaar te doden? Alleen de Romeinen hebben het recht een vonnis uit te spreken. Leidt Hem weg. En als de morgen aanbreekt, brengt Hem dan naar Pontius Pilatus, de landvoogd.'

Voordat de haan kraait

In deze nacht had de wacht op de binnenplaats van het paleis een vuur aangelegd, want het was kil geworden. De knechten en dienstmeisjes zaten eromheen, niemand dacht aan slapen gaan. Men praatte alleen maar over wat er gebeurd was.

Een donkere schaduw gleed langs de muur van de stallen van het paleis. Het was Petrus. Hij wilde naar binnen, hij wilde bij zijn Heer zijn. Hij was niet zoals de andere leerlingen meteen naar Betanië gevlucht. Hij moest weten wat er gebeurde, hij moest horen wat men met Jezus wilde doen. Hij wilde zijn Heer niet in de steek laten.

Het bloed van de man, die hij het oor had afgeslagen, zat nog op zijn kleed. Het zwaard had Petrus weggegooid. Hij had Jezus er niet mee geholpen. 'Mijn Jezus, mijn Meester', fluisterde hij zacht voor zich heen. Bij de poort zat de portierster. Ze riep: 'Maar ik ken u! Bent u ook niet één van zijn leerlingen?'

Petrus schrok. 'Nee', zei hij, 'waar heeft u het eigenlijk over?' Maar de vrouw hield aan. Het was een flinke, forse vrouw. Ze greep hem bij de arm en sleurde hem mee de binnenplaats op, om hem bij het licht van het vuur beter te bekijken. 'Welzeker, ik heb u bij die Nazoreeër gezien!' De soldaten draaiden zich om en keken naar Petrus. Maar die stamelde: 'Ik ken die man helemaal niet!'

En toen een soldaat aanstalten maakte om hem te grijpen, schreeuwde hij: 'Zowaar als ik leef, ik kén Hem niet!' en rukte zich los.

Het lukte Petrus om te ontsnappen. Toevallig stond de achterpoort op een kier. Badend in het zweet holde hij naar buiten. De morgen begon al aan te breken, vanuit de stallen klonk het kraaien van een haan.

Petrus herinnerde zich opeens, dat de Heer had gezegd: 'Voordat de haan kraait, zul je drie keer gezegd hebben dat je Mij niet kent!' Hij sloeg zich met zijn vuisten tegen het gezicht en huilde wanhopig.

Langzaam werd het lichter. In het oosten, boven de bergen van Judea, was de lucht bloedrood met zwart gestreept. Het was alsof de zon niet voldoende kracht had om boven de horizon uit te komen. De morgenster doofde langzaam als een kaars die opbrandt. Het toch al zo trage water van de beek Kidron leek nu wel helemaal stil te staan. Door de doornige struiken die daar groeiden, liep een wanhopig man, Judas, de verrader. Hij had zijn zilverstukken ontvangen, dertig zilverstukken in een leren buidel. Maar de dag daarna, toen men Jezus naar Kajafas had gebracht, was pas goed tot hem doorgedrongen wat hij had gedaan: nu zouden ze Jezus doden. O, wat had hij gedaan? Hij nam zijn geldbuidel, rende ermee naar de tempel en schreeuwde tegen Kajafas: 'Ik heb verkeerd gedaan. De man die ik aan u overgeleverd heb, is onschuldig!'

'Wat gaat óns dat aan? Dat is úw zaak', zeiden de priesters. Judas smeet het geld door de tempel en stormde naar buiten.

Nu wilde Judas sterven. Hij hing zichzelf op.

De hogepriesters raapten de geldstukken bijeen. 'Wij mogen dit geld niet in het tempelfonds doen', zeiden ze, 'want het is bloedgeld.' Zij besloten er een stuk land van te kopen om dat te gebruiken als begraafplaats voor de vreemdelingen.

Uit het noorden kwamen grote groepen pelgrims. Pelgrims, die, zoals alle jaren, voor het paasfeest naar Jeruzalem trokken. Ze hadden de halve nacht doorgelopen om op tijd in Jeruzalem te zijn. Niemand van hen vermoedde wat er in de stad gebeurd was.

Bij de pelgrims bevond zich ook een wat oudere vrouw. Ze zag er vermoeid uit. Ze was met vrienden en familieleden van huis vertrokken. Maar nu ze zo dicht Jeruzalem naderde, was ze vooruitgelopen. Een vreemde angst, een pijnlijke onrust, dreef haar voort. Ze hoopte maar, dat ze haar Zoon in de stad zou ontmoeten, haar lieve Zoon, die ze al zolang niet meer gezien had en over wie ze zich zulke zorgen maakte. Zij wist niet waarom, maar zij vermoedde dat Hij in gevaar verkeerde. Daarom was ze de lange weg van huis naar Jeruzalem gegaan, en daarom haastte ze zich nu vooruit en liet haar reisgenoten in de steek.

Nu zou ze er zó zijn. Achter de laatste heuvelrug zag ze Jeruzalem al liggen. Ze had zich erop verheugd om de heilige stad weer te zien. Maar nu maakte ze zich hoe langer hoe meer ongerust. Waarom zagen de muren er vandaag zo dreigend en donker uit? En waarom moest ze nu plotseling aan de woorden denken, die eens, drieëndertig jaar geleden, door een oude man in de tempel tot haar gesproken waren? 'En u, u zult veel moeten lijden. Er zal een zwaard door uw ziel gaan!'

De stroom pelgrims verdrong zich bij de poort. Even kon de vrouw niet verder door het gedrang. Terwijl zij zich tussen de mensen, de wagens en paarden met moeite een weg baande, hoorde ze naast zich de naam van haar Zoon noemen: 'Jezus van Nazaret...' En ze ving het woord op: 'gevangen...'.

Voor Pontius Pilatus

De Romeinse landvoogd - tegenwoordig zou men 'stadhouder' zeggen - Pontius Pilatus was een hardvochtig man. Palestina was niet de eerste provincie die hij moest besturen voor zijn keizer, maar geen enkel land had hem zoveel verdriet bezorgd als dit.

Zoals elke Romein de onderworpen volken verachtte, zo verachtt hij het volk van de Joden; maar dit volk vond hij wel bijzonder weerspannig en lastig. Steeds was er ruzie, en telkens moest men oppassen dat zich geen relletjes en volksoplopen voordeden. En ginds in de woestijn haalden de Zeloten, die Romeinenhaters, steeds nieuwe gruweldaden uit. Drie dagen geleden nog was er weer zo'n rebel gevangen en aan hem overgeleverd op de burcht Antonia. Zijn naam was Barabbas. Pontius Pilatus had hem het liefst meteen ter dood laten brengen. Maar nu kwam het paasfeest, dat de Joden met zoveel vertoon vierden, en het was de gewoonte, dat met dit paasfeest zo'n misdadiger zou worden vrijgelaten. Het volk mocht dus de vrijlating van Barabbas vragen. Dat ergerde Pilatus, want hij hield Barabbas voor een gevaarlijk man.

De landvoogd was bijna blij, toen men hem 's morgens vertelde dat de overpriesters 's nachts nog een tweede man gevangen hadden genomen, een zekere Jezus van Nazaret. Pontius Pilatus kende die naam wel. Was die Jezus niet die bijzondere weldoener, die rondtrok en het evangelie van de liefde leerde? Liefde! Dat was een vreemd woord voor de landvoogd. Pilatus wist alleen maar van macht en geweld, maar toch, in een klein hoekje van zijn hart deed het hem wel iets. Waarom zou die Man het niet over liefde mogen hebben? Dat kon men toch geen misdaad noemen?

Jazeker, de overpriesters beweerden ook dat Hij zich tot koning van de Joden wilde laten kronen. Dat was wel wat anders. Maar de Romeinse stadhouder Pontius Pilatus vertrouwde de aanklagers niet, hij wilde de gevangene zelf verhoren.

Hij ging op zijn rechterstoel zitten en liet Jezus binnenbrengen. De gevangene verscheen, geboeid en met gescheurde kleren. Op zijn gezicht kon men de sporen zien van mishandeling. Uit een wond aan zijn slaap sijpelde bloed. Toch kwam Hij de landvoogd bekend voor - en toen herinnerde hij het zich weer: dit was de man die de steniging verhinderd had van de vrouw die echtbreuk had gepleegd. In Pontius Pilatus groeide een zeker ontzag en respect voor Hem: zeker, deze man was geen gewoon mens. Daarom lukte het de landvoogd niet om zijn eerste vraag op dezelfde harde toon te stellen als waarop hij gewoonlijk de beklaagden aan-

sprak: 'Bent U de koning van de Joden?' vroeg hij.

Jezus hief zijn hoofd op en keek Pilatus aan, en in deze blik was geen vrees, eerder welwillendheid en geduld. 'Zegt u dat uit uzelf, of hebben ánderen dat van Mij gezegd?'

Wat een vraag aan die machtige Romein!

Pilatus antwoordde bijna heftig: 'Ja, inderdaad hebben anderen dat aan mij verteld. Want ben ik soms een Jood? Uw volk en de overpriesters van uw volk hebben U voor mijn rechterstoel gebracht. Spreek nu, wat hebt U misdaan?'

Jezus antwoordde: 'Ja, Ik ben koning, maar mijn koningschap is niet van deze wereld. Want, geloof Mij, als dat zo zou zijn, dan zouden mijn leerlingen Mij wel verdedigen en voor Mij vechten.'

Pilatus trok zijn wenkbrauwen op. Hij begreep niet helemaal, waar de aangeklaagde over sprak. Wat was dat voor een rijk, waar men niet voor hoefde te vechten? Waar zou dat geheimzinnige rijk zich bevinden? Daarom vroeg hij bijna verlegen: 'Maar U bent toch een koning?'

Jezus antwoordde: 'Ja, u hebt het gezegd. Ik ben een koning. Bovendien ben ik geboren en op deze wereld gekomen om de waarheid te verkondigen. De waarheid is mijn koninkrijk. En wie uit de waarheid is, hoort mijn stem.'

Pilatus zweeg even. Ook déze woorden van Jezus begreep hij niet. Hij haalde zijn schouders op, ging staan en liep naar buiten om de aanklagers die daar stonden te wachten, te zeggen: 'Ik kan in deze man niets misdadigs vinden.'

De geseling

Wat Pilatus vanaf zijn grote balkon zag, dat had hij niet verwacht, hij schrok ervan. Een geweldige mensenmassa stond daar beneden. Het hele plein was zwart van de mensen. Ze waren zelfs op de daken en op de torens en gebouwen geklommen, en allemaal keken ze vol spanning naar Pilatus op. De landvoogd begreep al vlug, dat men Jezus vijandig gezind was en van hem verwachtte dat hij Jezus zou veroordelen. Hij wierp een snelle blik op de soldaten die voor zijn poort op wacht stonden. Zouden zij in geval van nood wel weerstand kunnen bieden?

'Ik kan niets misdadigs in deze man vinden', herhaalde hij, maar zijn stem haperde, en hij voegde er vlug aan toe: 'Maar opdat u ziet dat ik streng optreed, zal ik Hem laten geselen.' Toen hij dat gezegd had, ging hij de rechtszaal weer binnen.

Het volk mopperde, en de farizeeën en schriftgeleerden, die de mensen al vanaf middernacht aan het ophitsen waren, begonnen opnieuw tegen de mensen te spreken om hen nog feller tegen Jezus te maken.

Ondertussen werd Jezus binnen in het paleis aan een pilaar gebonden en met de gesel geslagen.

Pilatus had zich in de rechtszaal opgesloten en liep opgewonden heen en

weer. Hij wilde deze man niet veroordelen! Laten de Joden maar met Hem doen wat ze zelf willen. Maar had hij niet vernomen dat deze man uit Galilea kwam? En Galilea behoorde tot het machtsgebied van Herodes Antipas, die juist in Jeruzalem was. Nu hoefde hij, de Romein, zijn handen niet met onschuldig bloed te bezoedelen. Maar had hij Jezus al niet laten geselen? Deze afschuwelijke, zinloze straf was al uitgevoerd, en Jezus bloedde over zijn gehele lichaam, uit honderden wonden. Zo werd hij nu naar Herodes Antipas gebracht, de moordenaar van Johannes de doper.

De bespotting

Nog maar kort geleden had Herodes Antipas voor Jezus gesidderd, omdat hij dacht dat Hij de opgestane Johannes was. Nu sidderde hij niet meer. Vol gemeen leedvermaak ontving hij de gevangen en mishandelde Jezus. Jezus kon hem nu geen kwaad meer doen, want Hij was een verloren man. Toch wilde Herodes Hem graag nog een paar vragen stellen: 'Bent U misschien de Messias, waarvan Johannes heeft gezegd dat Hij komen zou? Waar is uw macht gebleven, die het hele land Galilea in opschudding heeft gebracht? Men zegt dat U zelfs de storm en de golven bevelen hebt gegeven, waarom geeft U dan nú niemand meer een bevel?' Maar Jezus zweeg en gaf de moordenaar van Johannes de doper geen antwoord.
Toen zond Herodes Jezus terug naar Pilatus.
Maar voordat ze Hem de rechtszaal weer binnenbrachten, werd Jezus omsingeld door een joelende troep soldaten. Het waren de ruwste en slechtste kerels van het hele legioen. Ze genoten ervan, dat ze iemand gevonden hadden die ze ongestraft plagen en bespotten konden. De één vlocht een kroon van doorntakken en zette die op Jezus' hoofd, een ander wierp een rode mantel over zijn bloedende schouders, een derde gaf Hem een riet in zijn hand alsof het een koningsstaf was. 'Nu bent U een koning!' schreeuwden ze. 'Een machtige koning! Gegroet, koning van de Joden!' Ze bogen zich voor Hem en lachten, een van hen nam Hem de rietstok weer af en sloeg Hem ermee in het gezicht.
Jezus verdroeg dit alles zonder iets te zeggen. De doornen drongen in zijn slapen en in zijn voorhoofd. Het bloed liep over zijn oogleden en brandde in zijn ogen. Maar toen Hij zijn ogen weer open deed, zag Hij, dat er een geboeide man langs Hem gevoerd werd en ook naar de rechtszaal werd gebracht. Het was Barabbas.

Kruisigt Hem!

Boven al het geroezemoes van stemmen, dat vanaf het plein in de burcht Antonia te horen was, hoorde men nu heel duidelijk de telkens herhaalde roep: 'Kruisigt Hem!' Steeds meer mensen schreeuwden: 'Kruisigt Hem!' En tenslotte klonk het in koor: 'Kruisigt Hem!'

Niet het hele volk deed mee, maar al gauw hoorde men ook vanuit andere hoeken van het plein de roep weerklinken. Hoe vaker men riep, des te luider schreeuwde men: 'Kruisigt Hem!'

Op dit ogenblik kwam een knecht binnen om te zeggen dat Jezus, de Nazareeër, er weer was.

Pilatus keerde zich driftig om. Hij kon zijn ogen haast niet geloven, toen hij Jezus op de drempel zag staan. Wat hadden ze Hem toegetakeld! De landvoogd voelde een machteloze woede in zich opkomen. Was hij dan vergeten dat hijzelf het bevel had gegeven om Jezus te laten geselen? Nu herinnerde hij zich alleen maar dat hij Hem had willen sparen, en dat wilde hij ook nú nog. Hij liet Jezus naar het balkon brengen. Dat leek hem de laatste mogelijkheid om de menigte te doen kalmeren en tot andere gedachten te brengen. Als ze Hem zó zagen, moesten ze wel medelijden krijgen.

Toen Jezus voor hen verscheen, hield het geschreeuw even op. Pilatus dacht al dat hij gewonnen had en riep: 'Zie deze mens toch eens!'

Maar daar klonk weer een stem van beneden: 'Kruisigt Hem!' En Joelend begon de menigte weer: 'Ja, kruisigt Hem!'

'Wat', riep Pilatus, 'wilt u, dat ik uw koning kruisig?' En weer antwoordde de stem die zoëven ook geroepen had: 'Wij Joden hebben geen andere koning dan de keizer!' Pilatus wilde nog steeds niet toegeven. Hij boog zich over de balustrade en schreeuwde naar beneden: 'Maar ik zeg u, ik vind geen schuld in Hem!'

Op dat ogenblik kwam er een man uit de menigte naar voren, hij droeg de lange zwarte mantel van een farizeeër. Hij balde zijn vuist tegen Pilatus en schreeuwde naar boven: 'Als u Jezus niet kruisigt, bent u geen vriend van de keizer!'

Pilatus deinsde achteruit. Zijn ronde, rode gezicht werd lijkbleek. Hij wierp een blik vol haat op de menigte, maar hij was te trots om te laten merken dat die bedreiging hem van z'n stuk had gebracht. Hij gaf een teken en liet Barabbas naar buiten brengen, die rebel, die moordenaar. Hij liet hem naast Jezus plaats nemen en riep: 'Moet ik nu déze man vrijlaten - of Jezus?'

Het volk aarzelde even. Het zag die donkere gedrongen gestalte daar boven staan. Aan zijn gemene gezicht was te zien dat hij zijn hele leven lang alleen maar ruw geweld had gebruikt. Als hij vrijgelaten zou worden, zou hij opnieuw geweld gebruiken, hij zou weer gaan roven, moorden en plunderen. Maar het volk had nu al zo lang geroepen: 'Kruisigt Jezus!', dat het niet meer tot bezinning kwam. En daarom riep het nu, in zijn verblinding en zijn koppigheid, als uit één mond: 'Barabbas! Barabbas! Laat Barabbas maar vrij!'

Pilatus vloekte en ging weer naar binnen. Maar meteen daarna kwam hij weer naar buiten. Achter hem aan liep een slaaf met een kan water, een kom en een handdoek. Nog eenmaal stond hij bij de balustrade. 'Goed', zei hij, terwijl hij vol verachting op het volk neerkeek, 'doet dan maar wat u wilt, en kruisigt deze rechtvaardige mens! Maar als teken dat ik niet schuldig ben aan dit doodvonnis, was ik mijn handen.

Hij stak zijn handen in de kom en de slaaf goot er water over uit. Toen gaf hij Pilatus de handdoek, en deze droogde zijn handen ermee af.

De weg naar Golgota

Nu was het onheil gebeurd: de mensen hadden hun zin gekregen. Ze haastten zich om Jezus aan het kruis te slaan, want 's avonds begon de sabbat al en bovendien was het paasfeest. Dan mocht er niemand aan het kruis blijven hangen. Daarom moest Jezus vandaag nog sterven. In aller ijl werd alles voorbereid. Omdat er nóg twee veroordeelden op hun terechtstelling wachtten, die schuldig waren aan roof en moord, werden die twee er ook bijgehaald. Zij moesten samen met Jezus op de heuvel Golgota worden gekruisigd.

De treurige stoet ging op weg. Voorop liep iemand die een houten bordje droeg met de naam van de veroordeelde en z'n misdaad erop. Pilatus had dit persoonlijk voor Jezus laten opstellen, en het opschrift luidde: 'Jezus van Nazaret, de koning van de Joden.' Deze woorden had de Romein uitgekozen om de Joden te ergeren en ook om hen voor gek te zetten. Meteen kwamen er mannen van de Hoge Raad naar Pilatus toe en beklaagden zich erover. Zij wilden een ander opschrift hebben. Pilatus antwoordde: 'Wat ik geschreven heb, heb ik geschreven!' en hij liet de deur voor hun neus dichtgooien.

Eén van de treurige gebruiken rond een terechtstelling was de bepaling dat de veroordeelde zijn eigen kruis moest dragen. Zo was dat ook bij

Jezus het geval. Over zijn gewonde schouders werden de houten balken gelegd. Hij wankelde onder de zware last. Maar toen sloeg Hij zijn beide armen om het kruis heen: ook dit laatste zou Hij op zich nemen.

De weg was niet lang, maar voerde door kronkelige straatjes en over veel oneffenheden. De Romeinse soldaten zullen de weg wel vrijgemaakt en de mensen, die de weg blokkeerden, naar de kant gedrongen hebben. Heel langzaam kwam de stoet vooruit. Drie keer zakte Jezus onder de last van zijn kruis in elkaar, en telkens werd hij weer overeind getrokken en voortgedreven. Bij de derde keer zagen ze, dat Hij het kruis niet meer alléén dragen kon. Ze pakten zomaar een man, die toevallig voorbij kwam - hij heette Simon en kwam uit Cyrene - en lieten hem Jezus helpen met het dragen van zijn kruis.

Er stonden ook snikkende vrouwen langs de kant, die hun bevende armen naar Jezus uitstrekten. Eén van hen, Veronika, ging naar Hem toe en droogde zijn gezicht, dat droop van bloed en zweet, met een doek af.

Zo daalde de trieste stoet af in het dal en ging aan de andere kant weer de heuvel op. Tenslotte bereikte men een kale rots, die de vorm had van een schedel. Dit was de plaats van de terechtstelling: Golgota.

De laatste uren

Wat er nu gebeurde, was verschrikkelijk. Er werden drie kruisen opgericht, en aan die drie kruisen hingen drie mannen: Jezus in het midden, de ene misdadiger links, de andere rechts. Jezus' handen en voeten waren met dikke spijkers doorboord en aan het kruis vastgeslagen.

Zijn bloed liep uit de gaten in zijn handen en voeten naar beneden en druppelde op de grond; zijn lichaam, dat bijna naakt was, hing verwrongen en gepijnigd aan de ijzeren spijkers.

Zijn kleren hadden de soldaten onder elkaar verdeeld. Maar over zijn mooiste kleed, de rok, die zonder naad geweven was, konden ze het niet eens worden. Toen spraken ze af - dat was toen de gewoonte - dat het lot beslissen moest. Ze gingen zitten en dobbelden om de rok.

Nog een poosje bleven de soldaten in de buurt van de gekruisigden. Het volk, dat de stoet met de veroordeelden gevolgd had, was beneden aan de heuvel blijven staan en keek vanop een afstand toe naar wat er gebeurde. Zelfs de heren van de Raad en de farizeeën waren bang om dichterbij te komen. De luide kreten van de twee mannen naast Jezus gingen hen door merg en been. Jezus zelf schreeuwde niet. Hij leed in stilte. Een paar mensen die vlak bij Hem stonden, hoonden: 'Heeft deze Nazarener niet gezegd, dat Hij de Zoon van God is? Nu hangt Hij daar hulpeloos. Anderen heeft Hij geholpen, maar zichzelf kan Hij niet helpen, die grote profeet!'

Deze woorden hoorden ook de misdadigers. En de ene, die aan de linkerkant van Jezus gekruisigd was, beet hem hatelijk toe: 'Ja, het is waar, U heeft gezegd dat U de Christus bent. Ga van uw kruis af en help ons! Dan zullen wij in U geloven!'

Maar de andere zei steunend: 'Wat zeg je daar, jij ongelukkige? Wij sterven om onze misdaden. Maar Hij is rechtvaardig en volkomen onschuldig.' Hij keerde zijn verkrampte gezicht naar Jezus en smeekte: 'Heer, denk aan mij wanneer U in uw koninkrijk gekomen bent!'

Voor de eerste keer sinds Hij aan het kruis hing, opende Jezus zijn mond en zei: 'Dat beloof Ik, nog vandaag zul je met Mij in het paradijs zijn.'
Het zesde uur van de dag was al verstreken. De middag begon. Wanneer zou het lijden van de gekruisigden voorbij zijn? Ook de wreedste mensen begonnen de kwelling nu wel genoeg te vinden. Zelfs de soldaten, die al ontelbare mensen hadden zien sterven, gingen wat terzijde zitten en probeerden met dobbelen enige afleiding te zoeken. Tenslotte was het doodstil op Golgota. Eenzaam staken de kruisen de hoogte in.

Daar kwamen drie mensen de heuvel op, twee vrouwen en een jonge man. De man ondersteunde de oudste van de twee vrouwen. Onder het kruis van Jezus bleven ze staan. De jongste vrouw knielde en sloeg haar armen om het kruishout heen. Het was Maria Magdalena. De andere vrouw verroerde zich niet. Het was de moeder van Jezus.

De man was Johannes.

De gekruisigde zag hen. Zijn bleke, door pijn vertrokken gezicht leefde even op. Hij probeerde zijn moeder aan te kijken en zei: 'Vrouw, dat is uw zoon!' Daarna keek Hij Johannes aan en zei: 'Daar is uw moeder.' En vanaf dat Jezus dit gezegd had, zorgde Johannes voor Maria en nam haar in huis.

Daarna zei Jezus een hele tijd niets.

Er ging een uur voorbij. De zon draaide naar het westen. Heel langzaam werden de schaduwen groter. Toen verdween het laatste sprankje licht. Boven Jeruzalem hing een zwarte wolk. Het werd erg donker. Het was doodstil. Niets bewoog zich. Geen steentje rolde van de rotsen, geen zandkorreltje woei op, de bomen stonden stijf en strak, geen blad trilde. De gekruisigde Jezus haalde zuchtend adem en riep: 'Ik heb dorst!' 'Hij heeft dorst!' riep de ene soldaat tegen de andere. 'Hij heeft dorst!' zei ook de Romeinse hoofdman, die een eindje verderop op een speer geleund stond en somber voor zich uitkeek. Eindelijk stond er een soldaat op, doopte een spons in zure wijn, stak de spons aan de punt van een riet-stok en bracht die aan Jezus' mond. Jezus nam er wat van. Toen riep Jezus: 'Het is volbracht! Vader, Ik leg mijn geest in uw handen.' Hij boog zijn hoofd en stierf.

Op dit ogenblik beefde de aarde: de bergen trilden, de heuvels spleten in tweeën, en het voorhangsel van de tempel scheurde middendoor. Graven sprongen open en doden stonden op.

De mensen die in de buurt van Golgota waren, liepen gillend weg. Zelfs de soldaten schrokken en raakten in paniek. De hoofdman viel op zijn knieën en riep: 'Ja, het is echt waar! Hij was de Zoon van God!'

De begrafenis

Nu was het afschuwelijke gebeurd: de Zoon van God was gestorven en had zijn leven voor de mensen gegeven. Jezus was de dood ingegaan om zo de schuld van de mensen te dragen. Hij heeft hen laten blikken in het hart van zijn Vader: een hart vol liefde.

Een paar seconden stond de schepping te trillen op haar fundamenten. Maar toen kwam de stilte. De aarde beefde niet meer. De bergen waren weer tot rust gekomen. De zwarte wolk die boven Jeruzalem gehangen had, trok langzaam weg, een trillende zonnestraal speelde over de daken. Zo brak er een rustige avond aan, voor zover een avond in een stad die zich klaarmaakt om een groot feest te gaan vieren, rustig genoemd kan worden. Wel waren er veel mensen gekomen, maar ze waren niet zo luidruchtig als anders bij het begin van het paasfeest. Iedereen had het beven van de aarde gevoeld en men was bang. Het bericht dat het voorhangsel van de tempel middendoor gescheurd was, scheen voor veel mensen een onheilspellend voorteken te zijn. Niemand had zin om feest te vieren.

De vrijgelaten Barabbas zat in een herberg en bedronk zich. De hogepriester Kajafas had ruzie met een paar farizeeën over de terechtstelling die vandaag had plaatsgevonden. De oude Annas zat in elkaar gedoken op zijn pronkstoel en dacht aan zijn dood, die nu wel vlug komen zou. In het olijvenbos bij Betanië zochten de leerlingen elkaar op en spraken over alles wat er gebeurd was. Petrus zei niets. Jakobus huilde. Matteüs, de voormalige tollenaar, kwam met het bericht dat men buiten de stad een man had gevonden, die zich had opgehangen aan een boom. Het was Judas Iskariot, die om zijn verraad, waar hij dertig zilverstukken voor gekregen had, zelfmoord had gepleegd.

Een voorname man, Jozef van Arimatea, liep de trappen op van de burcht Antonia. Hij wilde de Romeinse stadhouder spreken. Deze stond hem een onderhoud toe. Hij kwam binnen en vroeg of hij het lichaam van de terechtgestelde Jezus mocht hebben. Hij hield Jezus voor een rechtvaardig mens en daarom wilde hij Hem een fatsoenlijke begrafenis geven. Pilatus vond het goed en Jozef van Arimatea ging naar Golgota.

Daar was men al bezig met de lichamen van de kruisen te halen. De beide misdadigers had men de benen stukgeslagen, dat was gebruikelijk, want men wilde er zeker van zijn, dat de terechtgestelden als men ze van het kruis afnam, werkelijk gestorven waren. De soldaat die dit nare werk moest verrichten, wilde ook Jezus' benen verbrijzelen. Maar een ander stak met een lans in de zij van Jezus en meteen liep er bloed en water uit de wond. Daar zag de soldaat aan, dat Jezus werkelijk dood was.

Hij ging weg en liet de treurende mensen alleen. Om het kruis stonden Jozef van Arimatea, Johannes en de moeder van Jezus. Ook Maria Magdalena was er met nog een paar vrouwen. En tenslotte kwam er nog een derde man bij: Nikodemus, lid van de Raad. Dezelfde Nikodemus, die niet openlijk voor Jezus durfde kiezen, toen Hij nog leefde. Slechts één keer, in een donkere nacht, had hij Jezus bezocht. Nu kwam hij weer en sleepte een zak mee. Hij hijgde onder de zware last. Er kwam een bitterzoete geur uit die zak. Nikodemus had mirre en aloë gekocht. Daarmee wilde hij het lichaam van Jezus zalven als het in het graf werd gelegd. Jozef van Arimatea had een nieuw rotsgraf laten maken. Het was vlakbij. Nog nooit was daar een dode in gelegd. Daarheen wilde hij Jezus brengen. Ze wikkelden Hem in zwachtels en droegen Hem de tuin binnen waar het graf zich bevond.

Het ging allemaal zoals de oude Simeon in de tempel aan Maria, de moeder van Jezus, voorspeld had. Zij zou veel verdriet hebben. Er zou een zwaard door haar ziel snijden.

Jezus lag nu in het graf. De zware steen werd voor de opening gerold. Het was nacht geworden. Johannes zorgde voor de moeder van Jezus, Maria Magdalena en de andere vrouwen gingen bij het graf weg. Alleen Nikodemus en Jozef van Arimatea stonden er nog.

Ze zeiden niets. Ze wisten van elkaar dat ze zich schaamden, want ze waren wel erg laat met hun geloof en hun berouw. De levende Jezus hadden zij niet beleden. Nu Hij gestorven was, durfden zij er pas voor uit te komen dat ze in Hem geloofden. Zwijgend en bedroefd gaven ze elkaar de hand en gingen uiteen. Geen van beiden vermoedde wat er zou gebeuren.

Nee, niemand vermoedde het, Kajafas en zijn aanhangers helemaal niet. Toch kwamen er allerlei nieuwe angsten bij hen boven. Zij hadden weliswaar gewonnen en Jezus laten kruisigen. Maar had Jezus niet gezegd, dat Hij op de derde dag weer zou opstaan?

Daar dachten ze nu aan, en hoewel ze het niet geloofden, maakten ze zich toch zorgen: wat zou er gebeuren als de leerlingen het lichaam zouden stelen om dan te kunnen beweren dat hun Meester inderdaad was opgestaan? Daarom gingen ze naar Pontius Pilatus en vroegen hem om een paar soldaten. Die moesten het graf bewaken! Bovendien lieten ze de steen die voor het graf lag, verzegelen.

Eindelijk voelden ze zich nu wat zekerder; ze hoopten maar dat de rust was weergekeerd.

De paasmorgen

Het was de morgen van de derde dag. De sterren begonnen juist te verbleken, toen Maria Magdalena en de andere vrouwen de tuin van Jozef van Arimatea inkwamen om bij het graf van Jezus te treuren. Maria Magdalena zag, dat de steen weggerold en het graf open was.

Ze schrok er erg van. Wie had dat gedaan?

Wie had de rust van de dode verstoord? Zij brak in tranen uit en liep, zo vlug als ze kon, naar Jeruzalem om het aan de leerlingen te vertellen. Maria wist, waar Petrus en Johannes zich verborgen hielden. Dezen waren dadelijk bereid om met haar mee te gaan. Het was ondertussen helemaal licht geworden. De vogels zongen, en de eerste zonnestralen lieten de dauw op de bloemblaadjes glinsteren.

Ze haastten zich naar de tuin. Nu zagen Petrus en Johannes het ook: de steen was weg, het graf was open. Toen zij zich voorover bogen om in de donkere grot te kijken, ontdekten zij de zwachtels waarin men Jezus gewikkeld had. Er kon hier geen rover geweest zijn! In Johannes kwam een gewaagde en geweldige gedachte op, maar hij durfde die niet uit te spreken. Zou Jezus misschien opgestaan zijn?

Intussen dwaalde Maria Magdalena snikkend door de tuin. Ze deed al bijna drie dagen niets anders dan huilen. De tuin was niet groot, maar wel mooi en goed onderhouden. Langs de muren stonden de bloeiende rozestruiken, en tussen de vijgebomen hingen jonge ranken van de wijn-stok in slingers naar beneden.

Plotseling hoorde Maria een geluid achter zich. Ze draaide zich om. Er stond een man tussen de bomen. Ze vermoedde dat hij de tuinman van Jozef van Arimatea was en vroeg hem: 'Weet u, wie Jezus weggehaald heeft? Of heeft u het misschien zelf gedaan?'

Toen de man geen antwoord gaf, riep ze smekend: 'O, zegt u het mij toch!'

Toen zei de Heer: 'Maria!' en aan zijn stem herkende zij Hem.

Luid riep ze: 'Meester! O Meester, mijn Meester!' en ze wilde zich voor de voeten van Jezus werpen.

Maar de Heer stak zijn rechterhand uit en zei: 'Raak Mij niet aan, want Ik ben nog niet opgestegen naar mijn Vader. Ga naar mijn leerlingen en vertel hun dat je Mij gezien hebt!' En toen Hij dat gezegd had, verdween Hij.

Zo vlug als zij kon, buiten zichzelf van vreugde, keerde ze naar Jeruzalem terug. Ze dacht niet meer aan Petrus en Johannes. Ze liep de stad in en ging naar de huizen waar de leerlingen zich verborgen hielden.

Overal deed ze hetzelfde: ze rukte de deur open en riep naar binnen: 'Ik heb de Heer gezien! De Heer is opgestaan!', en weg was ze al weer.

De leerlingen waren verbijsterd. Het bericht trof hen als een donderslag. 'Opgestaan! De Heer opgestaan?' Dat kan toch niet waar zijn. Het was niet te geloven, wat Maria Magdalena daar geroepen had.

Maar nu was er nóg iets gebeurd. Maria Magdalena was niet de enige die op deze morgen het graf wilde bezoeken. Ook andere vrouwen waren op weg gegaan. Ze hadden de avond tevoren zalven en specerijen klaar-gemaakt om deze over Jezus' lichaam te gieten. Toen zij hoorden dat er een zware steen voor het graf gerold was, dachten ze bezorgd: wie zal de steen voor ons verwijderen? Want zelf konden zij dat niet.

Misschien, zo meende de een, konden ze de wacht ertoe overhalen, die op Kajafas' verzoek door Pilatus daar was neergezet om het graf te bewaken.

Misschien was er wel een welwillende soldaat bij, die de steen voor de ingang zou willen wegrollen.

De vrouwen kwamen bij het graf, maar er was niets meer van een wacht te bekennen.

De ingang van het graf was open. Wat merkwaardig! Aan de ene kant vonden ze dat fijn, maar aan de andere kant schrokken ze ervan!

Toen ze zich bukten voor de kleine opening, zagen ze een man zitten in sneeuwwitte kleren, een engel! Hij zei: 'Weest niet bang. Jullie zoeken Jezus, de gekruisigde. Maar Hij is hier niet meer. Hij is opgestaan. Ga naar de apostelen en zeg hun dat ze Hem in Galilea zullen ontmoeten.'

De vrouwen wisten niet wat hun overkwam. Ze waren zó in de war, dat ze de kruik met de zalven en de specerijen lieten vallen en maakten dat ze bij het graf vandaan kwamen. Ze liepen de tuin uit en keerden terug in de stad.

Nu was Maria niet meer de enige die het heerlijke nieuws kon rondvertellen. Als een lopend vuurtje ging het van mond tot mond. Voordat het middag was, hadden de apostelen en alle andere leerlingen reeds van het wonder gehoord. Maar de meesten konden het niet geloven.

De leerlingen twijfelen

Het graf was leeg, daar was geen twijfel aan. Maar wie wist, wie het lichaam weggehaald had? Jezus was echt aan het kruis gestorven; zelfs al zou er na al die kwellingen en martelingen nog een vonkje leven geweest zijn, Johannes had toch nog met zijn eigen ogen gezien hoe een soldaat Hem met een lans in de zij stak?

Wat de vrouwen vertelden, moest wel een fabeltje zijn. Vooral Tomas was daarvan overtuigd. 'Wat moeten ze met die praatjes? Onze Meester is dood. Alleen wanneer ik Hem in levenden lijve voor mij zie en met mijn handen zijn wonden kan voelen, zal ik het geloven.'

Het liep al tegen de avond, toen een onbekende man uit de burcht Antonia bij Petrus, Johannes en Jakobus op bezoek kwam. 'Hoor eens', zei hij, 'ik ben geen aanhanger van die profeet van jullie en ik wil ook niets met die zaak te maken hebben, maar ik heb vanmorgen iets merkwaardigs gehoord. Ik ben de stalmeester van Pilatus. Vannacht, voordat het licht werd, ging ik naar de stal om te zien of een merrie haar veulen al had gekregen. Ineens kwamen er vier of vijf soldaten over het erf aangerend. Ze liepen alsof de duivel hen op de hielen zat. Ik riep hen aan en vroeg wat er aan de hand was. Ze konden bijna geen woord uitbrengen. Eindelijk stotterde één: 'We stonden op wacht bij een graf in de tuin van Arimatea. Heel vroeg vanmorgen beefde daar de grond. De grafsteen rolde weg. Een lichtstraal verblindde ons - en toen - was het graf leeg.'

'En wat gebeurde er nog meer?' vroeg Jakobus terwijl hij zijn adem inhield. Petrus en Johannes keken elkaar even veelbetekenend aan.

'Dit was alles', zei de vreemdeling. 'Ik geloof niet in wonderen. Maar omdat ik hoorde dat uw Meester in die tuin begraven was, wilde ik het toch even vertellen.'

Na deze woorden ging de man weg.

Vrede zij met u

De leerlingen waren diep geschokt door dit verhaal. Ze konden zich niet langer meer verborgen houden. Met z'n allen gingen ze naar de zaal waar ze het avondmaal met Jezus hadden gebruikt. De vrouwen moesten nog eens precies herhalen wat ze meegemaakt hadden. En ook Petrus, Johannes en Jakobus vertelden hun belevenissen. Sommigen huilden van vreugde. Alleen Tomas hield zich nog wat afzijdig en staarde somber voor zich uit. Een andere leerling zei iets tegen hem, maar hij schudde zijn hoofd en mompelde: 'Ik kan het niet geloven.'

Plotseling stond Jezus in hun midden. Hoewel de meesten diep in hun hart heimelijk op Hem hoopten, deinsden ze toch voor Hem terug, alsof er een spook voor hen stond. Hadden zij de deur niet op slot gedaan? Hoe was Hij hier plotseling binnengekomen? Eerst durfden ze Hem helemaal niet aan te kijken. Het gevoel dat ze Hem ontrouw waren geweest, hun vrees en twijfel deed hen huiveren. Wie van hen had in deze dagen niet getwijfeld aan de dingen, die Jezus hun geleerd en voorspeld had? Kwam Hij nu om hen te straffen?

Toen ze Hem eindelijk durfden aankijken, scheen Hij dezelfde als voorheen: liefde en ontferming straalden van zijn gezicht. En tóch was Hij veranderd. Het lijden had zijn sporen achtergelaten. Hij had de dood overwonnen! Uit zijn ogen sprak vreugde, omdat Hij, de Zoon, gedaan had wat de Vader Hem had opgedragen.

De leerlingen en apostelen wierpen zich voor Hem neer. Jezus zei: 'Vrede zij met jullie, mijn kinderen. Ja, ik ben het werkelijk!' En Hij liet zijn handen en voeten zien, die duidelijk de littekens droegen van de spijkers.

Daarna keerde Hij zich tot Tomas. Hij nam zijn hand en legde die in zijn zij, waar de lans in gestoken was. 'Geloof je het nú?' vroeg Hij.

Tomas begon te snikken en riep: 'Mijn Heer en mijn God!'

'Nu zie je het, jij twijfelaar!' zei Jezus en liet zijn hand weer los, 'jij moest het eerst zien en voelen, voordat je het geloven kon. Zalig zijn zij, die in Mij geloven zonder Mij met eigen ogen te zien en zonder Mij met hun handen te betasten.'

Toen zei Hij tot de anderen: 'Mijn vrede geef Ik jullie. Zoals de Vader Mij gezonden heeft, zo zend Ik jullie.' Hij boog zich voorover, blies naar hen en zei: 'Ontvangt dan de Heilige Geest, die één is met de Vader en de Zoon! Ga de wereld in en vertel het blijde nieuws aan alle volken, en doop hen in de naam van de Vader en de Zoon en de Heilige Geest!'

De mannen van Emmaüs

Op datzelfde ogenblik reisden twee volgelingen van Jezus van Jeruzalem naar het dorpje Emmaüs. Ze waren 's morgens vertrokken en nu al een paar uur onderweg. Een van hen heette Kleopas, de naam van de ander weten we niet.

Ook zij waren voor het paasfeest naar Jeruzalem gegaan en hadden gehoord dat Jezus gevangen genomen en gedood was. Ze leden hier erg onder. Ze raakten niet uitgepraat over de smadelijke kruisiging van hun Meester en de slechtheid van de mensen die Hem veroordeeld hadden. Terwijl ze daar zo liepen, voegde zich een vreemde man bij hen. Hij liep een poosje met hen mee en vroeg toen: 'Waar hebt u het toch over?'

Ze bleven staan, en Kleopas zei bedroefd: 'U komt toch uit Jeruzalem? Weet U echt niet, wat daar de laatste dagen gebeurd is? De overpriesters en Pilatus hebben Jezus van Nazaret, een echte profeet, laten kruisigen. Wij hadden zo op Hem gehoopt en we waren er zo zeker van, dat Hij het was die Israël verlossen zou. Nu is het al drie dagen geleden dat Hij gestorven is. Mijn vriend en ik gaan nu weer naar ons dorp terug en dan begint het oude leven weer. Maar we hebben zo'n verdriet als we denken aan wie wij verloren hebben.'

De vreemdeling vroeg hun: 'Hebben jullie dan niet gehoord, dat Hij opgestaan is?'

'Ach Heer', antwoordde de vriend van Kleopas, 'we hebben er wel geruchten over vernomen, drie of vier eenvoudige vrouwen zouden een engel gezien hebben. Maar die sprookjes geloven wij niet.'

De vreemdeling keek de twee mannen aan en zei: 'Weten jullie niet, dat de waarheid vaak het eerst aan de eenvoudige mensen wordt bekend-

gemaakt? Maar Ik zal jullie uitleggen, waarom deze Jezus sterven moest.'
Toen begon Jezus de vreemdelingen te wijzen op wat er in de boeken
van de profeten geschreven stond over het lijden van de Messias. Hij liep
tussen beide mannen in, maar zij herkenden Hem niet.

De zon ging onder, en boven de groene weiden hing een grauwe nevel.
De kudden trokken naar huis. Hun klokjes kon men horen klingelen.
Andere kudden verspreidden zich over de velden, en het eerste herders-
vuur vlamde op. Daar lag Emmaüs voor hen, en Kleopas en zijn vriend
zeiden: 'Heer, het loopt tegen de avond. Blijf deze nacht bij ons!' Ze
drongen bij Hem aan en Hij stemde toe.
Ze nodigden Hem uit om de maaltijd bij hen te gebruiken.
Nog steeds wisten zij niet wie Hij was. Het brood werd gebracht, Hij
nam het in zijn handen, sprak een dankgebed uit, brak het en gaf het hun.
Ineens gingen hun ogen open: de vreemdeling was Jezus, hun Meester!
Maar nog voordat zij wat konden zeggen om hun vreugde te uiten, was
Hij verdwenen.
De beide leerlingen keken naar de plaats waar Hij gezeten had. Het
brood dat Hij gebroken had, lag er nog. Kleopas riep: 'Hij was het, Jezus!'
En de ander herhaalde: 'Jezus, onze Meester!' Ze konden nergens anders
meer over denken en spreken. Kleopas sloeg zijn handen voor het gezicht
en snikte: 'Ach, waarom hebben wij Hem niet eerder herkend? Ik had
toch moeten weten dat Hij het was, want brandde ons hart niet in ons
zolang Hij bij ons vertoefde en met ons sprak? Niemand had zo kunnen
spreken als Hij.'
'Ja, zo is het', stamelde de ander.
Ze stonden onmiddellijk op en gingen op pad. Hoewel ze zopas de lange
reis van Jeruzalem naar Emmaüs hadden gemaakt, gingen ze nu dezelfde
weg terug om aan de andere vrienden en broeders te vertellen wat er
gebeurd was.

De laatste veertig dagen

Veertig dagen bleef de Heer op aarde om zich te laten zien aan de mensen
die Hem liefhadden. Hij wilde hen er goed van doordringen, dat Hij
werkelijk opgestaan was. Hij kwam en ging als een gewoon mens en
toch was Hij anders, vrij, zoals een engel of een geest - of zoals het suizen

van de wind, waarvan niemand weet waar hij vandaan komt of waar hij heen gaat. Hij kwam plotseling door gesloten deuren en dan verdween Hij weer. Hij was nu eens hier, dan weer daar, steeds op verschillende plaatsen. Hij stak zijn handen uit, zodat men zijn littekens kon zien en voelen.

Niemand zag Hem, die ook niet vóór zijn dood in Hem geloofd had, en nooit verscheen Hij aan zijn vijanden, om hen te schokken en bang te maken. Voor zijn leerlingen zorgde Hij met liefde. Hij was als een vriend onder vrienden, zoals een broer onder bloedverwanten.

Op een morgen in die laatste veertig dagen zagen de leerlingen Hem bij het meer van Gennesaret. Ze hadden Jeruzalem verlaten: Petrus, Andreas, Johannes, Jakobus, Natanaël en Tomas. Ze waren naar Galilea terug-gekeerd. Jezus had hen laten weten dat ze daarheen moesten gaan. Aan de oever van het meer van Gennesaret, waar de Heer altijd zo graag wilde zijn, verwachtte Hij hen.

Op een avond zei Petrus: 'Ik ga vissen.' Dadelijk antwoordden de ande-ren: 'Dan gaan wij mee het meer op.'

Nu zaten ze weer in hun logge roeiboot en sleepten het net achter zich aan. Het liep al tegen de morgen, toen zij de oever naderden. Op het strand zagen ze een man staan. Zijn gestalte stak duidelijk tegen de rots-achtige kust af. Eerst dachten ze dat het een visser was. Toen ze dichterbij kwamen, riep Hij over het water tegen hen: 'Vrienden, hebben jullie soms wat voor Mij te eten?'

'Nee', riepen ze terug, 'we hebben nog niets gevangen!'

'Werp het net maar uit aan de rechterkant van de boot!' riep Hij. Zij deden het. Eerst gebeurde er nog niets. Maar toen begonnen de drijvers van het net te dansen. De lijnen stonden strak, ze merkten dat er veel grote vissen in de mazen van het net zaten. De mannen grepen het net, de touwen sneden in hun vingers en in hun handen, zó' zwaar was de vracht die ze trokken.

De man die naar hen geroepen had, stond nog steeds aan de kant, dicht bij het water, zodat het schuim van de branding om zijn voeten liep. Johannes zei: 'Het is de Heer!'

Petrus hoorde dat. Meteen trok hij zijn bovenkleed aan, dat hij bij zijn werk had uitgedaan, sprong vlug uit de boot en waadde door het water, dat hier ondiep was, naar het strand.

De anderen roeiden en sleepten het net achter zich aan. Toen Petrus de oever bereikte, zag hij tussen een paar stenen een vuurtje branden. Er lag een vis te bakken. Op een andere steen lag brood. Jezus had een maaltijd klaargemaakt voor zijn leerlingen. Nu wachtte Hij, totdat ze de vangst aan land hadden gebracht. Toen ze dit gedaan hadden, zei Jezus: 'Zoek nu wat van de vissen uit, die je net gevangen hebt!' Ze deden dit. Ook deze werden gebakken; terwijl ze daarop wachtten, brak de morgen aan. Daar zaten ze nu en gebruikten de maaltijd. En de Heer zat tussen hen in en at met hen mee. Niemand van de leerlingen durfde Hem te vragen: 'Wie bent U?' Want zij wisten, dat Hij het was. Ze hadden Hem herkend; toch leek Hij veranderd, alsof Hij al half in de heerlijkheid van zijn Vader leefde.

Nadat ze gegeten hadden, zei Jezus tegen Simon Petrus: 'Simon, zoon van Johannes, heb je Mij lief?'

'Ja Heer!'

Jezus legde de hand op zijn schouder en zei: 'Weid mijn lammeren!'

Nog een tweede keer vroeg Hij: 'Simon Petrus, heb je Mij echt lief?'

Wat moest Petrus zeggen? Zijn hart liep over van liefde voor zijn Heer en God! Dus antwoordde hij: 'U weet, dat ik U liefheb!'

Jezus knikte en zei: 'Hoed mijn schapen.' Maar na een poosje vroeg Jezus voor de derde keer: 'Simon, heb je Mij lief?'

Petrus sprong op, liet zich voor Jezus' voeten vallen en riep: 'Heer, waarom vraagt U dat? U weet alles, U weet dat ik U liefheb!'

Nu legde Jezus zijn hand op het hoofd van Petrus en zei: 'Weid mijn schapen!' En Hij ging verder: 'Jij bent Kefas, de rots, waarop Ik mijn kerk zal bouwen. Maar Ik zeg je: zolang je jong bent, voel je je sterk en ga je waarheen je wilt. Maar wanneer je oud bent geworden, zul je je handen moeten uitstrekken en iemand zal je brengen waar je niet naar toe wilt. Welaan Petrus: volg Mij!'

De hemelvaart van Christus

Een paar dagen later verscheen Jezus weer aan zijn leerlingen en nam hen mee naar een heuvel vlak bij Betanië. Vanaf die heuvel keek Hij nog één keer naar de stad, de tempel en de beek Kidron. Hier aan de voet van de Olijfberg was Hij verraden en overgeleverd aan zijn vijanden. Daar, achter de muren van de burcht Antonia, was Hij ter dood veroordeeld. En daar, onder die oude, knoestige bomen van Getsemane, had Hij de schuld van de wereld op zich genomen en zijn doodsstrijd gestreden. In dat kleine huis daarginds had Hij het avondmaal ingesteld en het brood en de wijn gezegend. Dit avondmaal was een teken dat de zijnen eraan moest herinneren dat Hij voor hen gestorven was, nu voor hen leefde en altijd bij hen wilde zijn.

Gods belofte was vervuld, de liefdedaad volbracht. Nu was er nog maar één ding te doen: de Heilige Geest moest naar de aarde gezonden worden, zodat de Drieënige God geopenbaard en verheerlijkt zou worden.

Voor dit laatste, allergrootste geheim moest Jezus eerst naar de Vader terug.

Nog één keer zegende Hij zijn leerlingen, zegende Hij de hele wereld, alle landen, alle volken, tot in de verre toekomst.

Toen maakte Hij zich los van zijn leerlingen.

Een vreemd licht omhulde Hem, zijn voeten verhieven zich van de grond. Hij werd opgenomen in de hemel. De leerlingen aanbaden Hem, en ze wisten het: Jezus is weer bij de Vader.

Het pinksterfeest

Tien dagen later ontmoetten de apostelen en veel leerlingen elkaar in een zaal in Jeruzalem. Ook Maria, de moeder van Jezus, was bij hen.

Plotseling was er een geweldig gedruis als van een machtige storm, en op iedereen daalde iets neer dat op vuur leek. Dat was het teken van de Heilige Geest. Ze werden met de Geest vervuld. Ze gingen naar buiten, de straten en pleinen op en spraken over Jezus, zodat iedereen het horen kon. Ze prezen God en verkondigden de blijde boodschap. Iedereen hoorde hen spreken in zijn eigen taal, of hij nu een Galileeër, een Jood, of Egyptenaar was, of uit het gebied van Libië, het Pontusgebergte, Mesopotamië, dan wel Rome kwam. Veel mensen bekeerden zich en lieten zich dopen. Zo begon Gods kerk te groeien.

Veel mensen hadden hun leven over voor hun geloof en zijn een afschuwelijke dood gestorven. Maar iedere bloeddruppel die vergoten werd, wekte nieuw geloof en maakte dat anderen de strijd niet opgaven. Bijna tweeduizend jaar zijn sinds Jezus' verblijf op aarde voorbijgegaan en de wereld is erg veranderd. God was het begin van wie alles uitgegaan is. Hij zal ook het einde zijn. Alles is van God, alles is op weg naar Hem, ook ons eigen leven. Wij hebben het van Hem gekregen om te ontdekken wie Hij is, om naar Hem terug te keren en voor eeuwig bij Hem te leven.

27.50 N